Né en Angleterre en 1948, **Michael Dobbs** a été journaliste politique pour le *Mail on Sunday* comme pour la BBC, avant de rejoindre la sphère politique aux côtés de Margaret Thatcher, John Major et David Cameron, dont il a été un proche conseiller. Aujourd'hui anobli, il est l'auteur numéro un au Royaume-Uni de thrillers politiques. Classique du genre, *House of Cards* a inspiré la série américaine à succès du même nom, avec Kevin Spacey et produite par David Fincher.

Du même auteur, aux éditions Bragelonne,
en grand format :

House of cards :
1. *House of cards*
2. *Échec au roi*

Chez Milady, en poche :

House of cards :
1. *House of cards*

CET OUVRAGE EST ÉGALEMENT DISPONIBLE
AU FORMAT NUMÉRIQUE

www.milady.fr

MICHAEL DOBBS

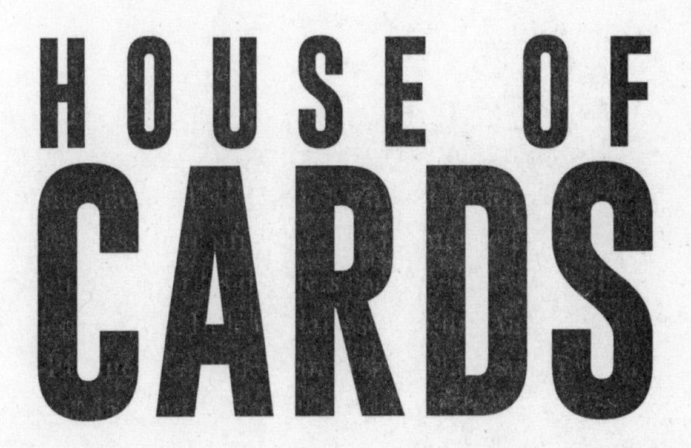

Traduit de l'anglais (Grande-Bretagne) par Frédéric Le Berre

Bragelonne

Milady est un label des éditions Bragelonne

Cet ouvrage a été originellement publié en France par Bragelonne

Titre original : *House of Cards*

ISBN : 978-2-8112-1558-3

Bragelonne – Milady
60-62, rue d'Hauteville – 75010 Paris

E-mail : info@milady.fr
Site Internet : www.milady.fr

Première partie

Le remaniement

Tout finit par disparaître. Le rire et le désir sont éphémères, et la vie elle-même s'arrête un jour. C'est pour cette raison qu'il faut exploiter sans remords ce que le sort veut bien nous accorder.

À quoi bon passer son existence à se forger une épitaphe ? « Regrets éternels. » À part un crétin, qui peut vouloir d'un truc pareil gravé sur la dalle sous laquelle il repose ? C'est de l'incontinence sentimentale, rien d'autre. Regardons les choses en face : la vie est un jeu à somme nulle, dont la politique est l'unique arbitre. C'est elle qui fait le tri entre les vainqueurs et les vaincus. Et tout le monde joue, qu'on le veuille ou non. Chacun d'entre nous, sans exception.

« Tous ceux qui l'ont connu garderont de lui le souvenir d'un homme infiniment respectable. » Quelle farce ! Geignarde et larmoyante à souhait. Pas sur ma pierre tombale. Jamais. Ce n'est pas le respect qui fait réagir les êtres, mais la peur. C'est elle qui bâtit les empires et déclenche les révolutions. Elle est l'arme secrète des grands hommes. À travers elle, on peut écraser n'importe qui, le détruire et l'annihiler. Et quand on a tout pris, le respect vient avec. La peur est le venin qui intoxique, la vague qui submerge, la déraison qui libère et à laquelle on s'abandonne.

La peur est toujours plus forte que le respect.

Toujours.

Chapitre 1

Jeudi 10 juin

Il lui semblait qu'un instant à peine s'était écoulé depuis qu'elle était rentrée chez elle, d'un pas rendu chancelant par la fatigue. Pourtant, par l'interstice des rideaux, le soleil l'avait déjà rejointe sur l'oreiller pour glisser l'éclat tranchant de sa lumière derrière ses paupières closes. Agacée, elle se tourna de l'autre côté. Sa tête la lançait atrocement, ses pieds lui faisaient mal, et la place à côté d'elle dans le lit était vide. Participer à l'éclusage de cette seconde bouteille de vin blanc sucré allemand, du *Liebfraumilch*, avait vraiment été une idée à la con. Elle avait baissé sa garde, au point de se retrouver dans les cordes, coincée par un sale type du *Sun*, tout en acné et sous-entendus. Elle n'avait eu d'autre choix que de lui renverser le fond de son verre sur la chemise pour qu'il comprenne enfin et batte en retraite. Elle risqua un œil sous la couette, histoire de s'assurer qu'elle n'avait pas complètement merdé, et qu'il n'était pas tapi quelque part entre ses draps. Malgré elle, elle poussa un soupir de lassitude ; elle n'avait même pas enlevé ses chaussettes.

En quelques coups sèchement assenés, Mattie Storin redonna un semblant de forme à son oreiller, puis se rallongea. Elle méritait bien de rester encore un peu au lit ; la nuit à venir promettait d'être réduite à sa plus simple expression. C'était une soirée électorale. La vengeance de l'électeur. Le jour de la damnation. Les dernières semaines avaient été particulièrement éprouvantes pour Mattie, prise entre le marteau des exigences de son rédacteur en chef et l'enclume des délais impossibles, tour à tour en proie à la surexcitation et au bord de l'épuisement. Après cette nuit, peut-être allait-elle pouvoir prendre quelques jours et mettre un semblant d'ordre dans sa vie. Trouver le temps de mieux choisir ses vins et les hommes avec qui les boire. Elle serra la couette plus étroitement autour d'elle. Même sous la caresse de ce soleil de début d'été, elle frissonnait de froid.

Les choses étaient ainsi depuis qu'elle avait quitté le Yorkshire, presque une année plus tôt. Elle avait espéré pouvoir laisser derrière elle la colère et les accusations, mais leur ombre glacée la suivait partout. Jusque dans son lit. Elle frissonna de nouveau et enfouit son visage dans l'oreiller.

Mattie s'efforça de se montrer philosophe. Après tout, n'était-elle pas débarrassée des parasites émotionnels susceptibles de la détourner de la voie qu'elle s'était tracée ? Rien ne pouvait plus l'empêcher de déterminer si elle avait l'étoffe voulue pour devenir la meilleure journaliste politique dans un univers éminemment masculin. Sans même un chat dans sa vie, elle était libre de ne s'occuper que d'elle-même. Mais comment philosopher quand on a les pieds gelés ? Et plus aucun sous-vêtement propre à se mettre ? Elle repoussa la couette pour se lever, et découvrit que son tiroir ne recélait plus la moindre culotte. Elle s'était trompée dans ses calculs. Elle avait oublié. Le temps filait si vite et elle avait tellement de choses à faire. Comment pouvait-elle s'occuper de la lessive ? Elle fouilla dans les autres tiroirs, jusque dans les moindres recoins, mais elle eut beau les retourner, elle ne trouva rien. *Merde ! Heureusement qu'aucun homme n'est là pour voir ça*, songea-t-elle en plongeant une main dans le panier de linge sale. Sa pêche ne fut pas vaine. Elle ramena dans ses filets un exemplaire porté une seule journée une semaine plus tôt. Après avoir retourné le petit slip, elle l'enfila sans plus de formalités, parée pour la bataille. Mattie Storin prit une grande inspiration, ouvrit la porte de la salle de bains et entama sa journée.

Tandis que le crépuscule envahissait doucement le ciel de juin, quatre rampes de lampes HMI au mercure furent allumées dans un claquement sourd, lançant leurs faisceaux très loin dans le ciel et éclaboussant d'une intense lueur blanche la façade de faux style géorgien du siège du Parti. Un rideau bougea à une fenêtre du troisième étage. Quelqu'un venait aux nouvelles.

Le papillon de nuit avait lui aussi vu la lumière. Niché dans une anfractuosité d'une muraille de la gracieuse église St John, édifiée par Wren au milieu de Smith Square, l'insecte attendait la venue de la nuit. Cela faisait bien longtemps que l'édifice avait été déconsacré, et le brave saint protecteur renvoyé à la vie civile, mais ses quatre tours de pierre blanche dominaient toujours la petite enclave rendue aux hommes au cœur de Westminster, contemplant le spectacle de leur agitation d'un œil désapprobateur. La phalène ne semblait pas partager ce point de vue. Au contraire, elle frémit d'excitation et déploya ses ailes, irrésistiblement émoustillée par dix mille watts de puissance lumineuse et un million d'années d'instinct animal.

Chahutée par la brise du soir, elle lutta pour remonter le fleuve étincelant vers sa source, voletant vaillamment au-dessus de la petite foule qui commençait à se masser dans un bruissement de piétinements affairés. Plus près à chaque seconde, elle battait des ailes, animée d'une indéfectible volonté, avançant dans les airs par petits bonds erratiques et acharnés, sourde et aveugle à tout ce qui n'était pas cette puissance devant elle, ce feu sacré plus fort que les rêves et pour lequel elle aurait tout sacrifié. Son être tout entier était tendu vers ce but.

Il y eut un éclair lorsque le corps de l'insecte entra en contact avec la lentille, une milliseconde avant que ses ailes ne se collent au verre brûlant pour se consumer dans un grésillement sacrificiel. Sa carcasse carbonisée tomba au sol. La nuit avait fait sa première victime.

Non loin de cette agitation, juste au coin de la rue, un autre des martyrs de cette soirée était accoudé au comptoir de bois verni du pub à l'enseigne *Marquis of Granby*. Quelque deux siècles plus tôt, le fameux marquis s'était illustré sur les champs de bataille, ce qui lui avait valu de léguer son nom à plus de débits de boissons du Royaume-Uni que n'importe quelle autre figure de l'histoire britannique. Malheureusement pour lui, le marquis de Granby avait quitté le droit chemin du métier des armes pour céder aux sirènes de la politique, si bien qu'il était mort dans le dénuement et criblé de dettes. À en croire ses nombreux amis, tous fort ouverts d'esprit, un sort aussi funeste semblait promis à Charles Collingridge. Pourtant, Charles n'avait jamais été élu – ce qui lui faisait d'ailleurs un autre point commun avec le marquis, auquel les affres du suffrage universel avaient été épargnées en son temps. À la cinquantaine passée, Collingridge paraissait plus âgé, et plus usé aussi. Pour le reste, sa carrière militaire se résumait à peu de choses : deux années sous les drapeaux qui ne lui avaient guère laissé qu'un sens aigu de ses propres inaptitudes à l'existence. Charlie s'efforçait toujours de faire de son mieux, mais la maladresse était chez lui comme une seconde nature. C'est souvent le cas quand on a un net penchant pour la boisson.

Il avait démarré la journée aux premières heures, rasé de frais, le col fermé et la cravate nouée, mais alors que ses joues recommençaient à piquer, sa tenue avait nettement perdu de sa superbe. Rien qu'à voir ses yeux, le barman avait su que la grande vodka qu'il lui avait servie deux verres plus tôt avait déjà été précédée plusieurs fois depuis le début de l'après-midi. Néanmoins, en bon ivrogne cordial, Charlie avait toujours un sourire et un mot aimable en réserve. D'un doigt, il repoussa son verre vide vers l'autre côté du bar.

— Un autre ? demanda le barman, l'air dubitatif.

— La même chose pour moi, et ce que vous voulez pour vous, mon ami, répondit Charlie en sortant son portefeuille. Ah... On dirait bien que je suis un peu à court de monnaie, marmonna-t-il en contemplant, incrédule, l'unique billet qui lui restait.

Il inventoria le fond de ses poches, tirant ses clés, un mouchoir gris et une poignée de pièces.

— J'étais pourtant sûr de...

— Il y a assez avec ça, dit le barman en prenant le billet. Je ne bois rien, merci. La nuit va être longue, vous savez.

— Oh oui, elle va l'être. Vous connaissez mon frère ? Hal, mon cadet ?

Secouant la tête, le serveur déposa le verre sur le bois luisant, content que le vieux poivrot soit à sec. Il avait hâte de le voir partir.

— Quoi, vous ne connaissez pas Hal ? s'exclama Charlie. Vous devriez pourtant.

Il but une gorgée.

— Tout le monde connaît Hal.

Il s'en accorda une autre.

— C'est le Premier Ministre.

Chapitre 2

Il est toujours bon pour un homme politique d'avoir une vision. Oui, la fameuse « vision ». Avec elle, à tous les coups on gagne. Bien pratique, n'est-ce pas ? Et pourquoi cela, me direz-vous ? Eh bien, parce que par temps clair et dégagé, la plupart des politiciens voient loin, très loin… Pour tout dire, j'en connais qui arrivent presque à voir jusque de l'autre côté de la Tamise.

Membre du Parlement, membre du Conseil privé de Sa Majesté – ce qui lui donnait le droit d'accoler devant son nom l'appellation de « Très Honorable » –, ministre de la Couronne, et commandeur de l'Excellentissime ordre de l'Empire britannique, Francis Ewan Urquhart comptait bien plus d'une corde à son arc. Et pour ne rien gâcher, cette soirée s'annonçait comme son heure de gloire. Pourtant, il n'y prenait aucun plaisir. Acculé dans un coin d'un salon étroit à l'atmosphère étouffante, tassé contre une lampe hideuse tout droit sortie des années 1960, il était cerné de toutes parts par un détachement de matrones militantes bénévoles de sa circonscription, en train de se réjouir fièrement du récit de leur distribution de professions de foi dans les boîtes à lettres. *Mais pourquoi se donnent-elles toute cette peine ?* se demandait-il. *C'est quand même le Surrey résidentiel, ici.* Le territoire des CSP+, pour reprendre la terminologie des sondeurs, un coin où l'on a toujours le passeport à portée de main et un Range Rover garé dans l'allée. *Un Range Rover?* La seule fois où cette voiture devait avoir vu un peu de boue, c'était sur une pelouse malencontreusement traversée un soir d'ébriété. Ou en déposant le petit John ou la petite Emma à son école privée au fond d'un grand parc. Faire du porte-à-porte dans un coin pareil était quasiment une faute de goût. Ici, au dépouillement, personne ne s'embarrassait à compter les bulletins un à un. On faisait ça au poids.

— Encore un petit-four, monsieur Urquhart? proposa une femme plus que replète en lui fourrant sous le nez un plateau de bouchées défraîchies.

Son gigantesque corsage imprimé de motifs floraux donnait l'impression d'héberger deux gros chats colériques sur le point de se battre.

— Non merci, madame Morecombe. Je crains déjà d'être sur le point d'exploser! répondit-il avec une pointe d'humeur.

La patience n'était pas son fort, mais ce petit travers familial remontait à bien des générations. Les Urquhart étaient des guerriers écossais fiers et farouches des Highlands, dont le château se dressait sur les rives du loch Ness. Depuis le passage du clan MacDonald, le bel édifice n'était plus qu'un tas de ruines. De son enfance, Francis conservait essentiellement des souvenirs d'air vif et piquant et de journées passées à plat ventre sur la tourbe de la lande, en compagnie d'un vieux guide de chasse, à guetter au milieu des fougères l'apparition d'un chevreuil, tout comme son frère aîné Alastair devait guetter l'arrivée des Allemands, planqué dans une haie des environs de Dunkerque. Son frangin l'appelait par ses initiales, FU, en prononçant *«effiou»* pour signifier *«fuck you»*, une manière déguisée de lui dire d'aller se faire foutre qui leur valait des taloches de leur père bien avant que Francis ne comprenne pourquoi. Mais il n'en avait cure, trop heureux de coller aux basques de son aîné. Malheureusement, Alastair n'était pas rentré de la guerre. Effondrée, leur mère avait dès lors vécu dans le souvenir de son fils perdu et, du coup, si bien négligé Francis que le petit FU devenu grand avait mis cap au sud. Vers Londres, Westminster et le Surrey, tournant le dos à tous ses devoirs. Sa mère ne lui avait plus jamais adressé la parole. Brader sa lignée et son patrimoine pour conquérir l'Écosse aurait déjà été impardonnable, alors pour le Surrey…

Il poussa un soupir sans cesser de sourire. C'était son dix-huitième comité de soutien de la journée. L'enthousiasme, qui le matin même lui avait permis de faire preuve d'un bel humour, s'était depuis longtemps effiloché. Il restait encore quarante minutes avant la fermeture des bureaux de vote, avant que le dernier bulletin ne soit glissé dans l'urne. Francis était en nage, épuisé et mal à l'aise dans sa chemise trempée de sueur, assailli sans relâche par ses supportrices, dont les ardeurs bienveillantes lui évoquaient celles d'une meute d'épagneuls.

Malgré tout, il ne se départait pas de son sourire, car sa vie était sur le point de changer, quel que soit le résultat. Au fil des ans, Urquhart avait gravi un à un les échelons de la politique, tour à tour député de base, puis chargé de fonctions ministérielles subalternes, jusqu'à la position de *Chief Whip* qu'il occupait désormais. En quelque sorte, il était chef du groupe parlementaire de son parti, chargé de veiller à la bonne discipline des élus. À ce titre, il participait aux réunions du Cabinet et occupait l'un des dix postes les plus importants du gouvernement. Son magnifique bureau se situait au 12 Downing Street, à deux pas seulement de celui du Premier Ministre. C'était derrière les portes de ce numéro 12 que s'étaient croisés en une unique occasion deux des plus célèbres Britanniques de tous les temps : Wellington et Nelson. Chargés d'histoire, les murs de ces lieux vibraient d'une autorité qui lui revenait à présent.

Au demeurant, ce n'était pas directement de sa fonction que Francis tirait son pouvoir. La charge de *Chief Whip* ne conférait aucun rang de ministre de plein droit. Urquhart n'était pas à la tête d'une grande administration ou d'une fonction publique aux effectifs pléthoriques. Non, il œuvrait en coulisses et de manière anonyme, loin des micros, des feux de la rampe et des plateaux télévisés. Francis Urquhart était un homme de l'ombre.

Et de discipline. Il était l'Exécuteur, l'homme de main, chargé de distribuer les coups de bâton, ce qui lui valait d'inspirer non pas seulement le respect, mais aussi la crainte. À son poste, c'était lui qui disposait des antennes politiques les plus fines dans tous les rouages de l'appareil d'État. Pour que les membres du Parlement votent en temps et en heure, en séance de jour comme de nuit, il devait savoir où se trouvaient ses ouailles à chaque instant. Autrement dit, il connaissait les secrets de chacun : qui conspirait avec qui, qui couchait avec qui, qui était trop ivre pour venir voter, qui avait la main fureteuse dans la poche des autres ou baladeuse sur leurs épouses. Toutes ces informations dérobées et confidentielles, dangereuses et potentiellement mortelles, étaient consignées dans un grand livre noir, enfermé dans un coffre dont le Premier Ministre lui-même ne possédait pas la clé.

À Westminster, ces données étaient synonymes de pouvoir. Au sein du parti parlementaire auquel appartenait Urquhart, bien des élus devaient leur survie politique au savoir-faire avec lequel le bureau du *Chief Whip* parvenait à régler leurs petits ennuis, voire à les étouffer. De la même manière, les députés de base portés à la rébellion, ou bien les plus en vue poussés par l'ambition, étaient à l'occasion conduits à reconsidérer leurs positions par la simple évocation de leurs errements passés, sur lesquels le Parti avait certes passé l'éponge mais sans rien en oublier. Il était toujours étonnant de constater à quel point les politiciens pouvaient se montrer accommodants lorsque leur vie privée risquait soudain d'entrer en collision avec leur personnage public. Ainsi, alors qu'il paraissait pourtant bien décidé à prononcer un discours sur un thème en dehors de ses attributions, qui plus est pratiquement dans le fief électoral du Premier Ministre, le ministre des Transports s'était subitement ravisé. Un simple coup de fil au pauvre homme – par ailleurs affecté de dyspepsie et originaire du Staffordshire – avait suffi à lui faire retrouver ses esprits. Une communication passée chez sa maîtresse cachée plutôt qu'au domicile familial qu'il partageait avec son épouse tout à fait légitime.

— Francis ? Mais bordel, comment m'avez-vous trouvé ici ?

— Keith, aurais-je commis une terrible erreur ? Vous m'en voyez désolé. Je voulais m'entretenir avec vous au sujet de votre petite allocution, mais il semblerait que j'aie pris votre numéro dans le mauvais répertoire.

— Putain, mais de quoi parlez-vous ?

— Oh, vous n'êtes donc pas au courant ? Nous avons deux registres de coordonnées. Le premier recense les adresses et numéros de téléphone officiels, et le second… Mais n'ayez surtout aucune inquiétude. Nous surveillons notre petit livre noir comme le lait sur le feu. Cela ne se reproduira plus.

Francis avait laissé filer un instant de silence.

— Du moins, je l'espère…

Le ministre des Transports avait alors poussé un soupir, lourd de mélancolie et de culpabilité.

— Oui, Francis. Cela n'arrivera plus.

Une brebis égarée remise dans le droit chemin.

De notoriété publique, le Parti était redevable envers Francis Urquhart. À l'issue de ce scrutin, il serait alors temps de solder la dette.

Urquhart fut tiré de ses pensées par l'une de ses admiratrices. Les yeux brillants, les joues empourprées et l'haleine alourdie par un retour gastrique des canapés « œuf dur sur lit de cresson », cette dernière en avait oublié sa réserve coutumière, emportée par la chaleur et l'excitation de la journée.

— Dites-moi, monsieur Urquhart, quels sont vos projets à présent ? Comptez-vous vous présenter encore une fois au prochain scrutin ? demanda-t-elle non sans une certaine effronterie.

— Que voulez-vous dire ? répondit-il, un brin décontenancé.

Son œil fulminait déjà sous l'effet de l'affront.

— Eh bien, envisagez-vous de prendre votre retraite ? Vous avez soixante et un ans, n'est-ce pas ? Cela vous en fera soixante-cinq à la prochaine élection.

Francis inclina sa haute silhouette anguleuse de façon à la regarder droit dans les yeux.

— Madame Bailey, sachez que j'ai encore toute ma tête. Dans bien des sociétés, je n'en serais qu'à l'aube de ma vie politique, répliqua-t-il entre ses lèvres serrées, sur lesquelles toute trace de sourire avait disparu. Ma tâche n'est pas terminée. Il y a encore bien des choses que je souhaite accomplir.

Sur ces mots, il la laissa sur place, sans même prendre la peine de dissimuler son agacement. Pourtant, au fond de lui, il savait qu'elle était dans le vrai. Les reflets cuivrés de sa chevelure de jeune homme n'étaient plus qu'un lointain souvenir. L'or était devenu argent, comme il aimait à le dire sur le ton de la plaisanterie. D'ailleurs, peut-être sous l'effet de quelque mécanisme de compensation plus ou moins inconscient, il avait tendance à porter les cheveux un peu trop longs. À présent, il ne remplissait plus comme autrefois ses costumes de coupe traditionnelle, et la teinte de ses yeux bleus avait pris un éclat métallique et glacé au fil de tant d'hivers. Sa haute taille et son dos bien droit dégageaient une indéniable distinction, mais comme le lui avait un jour dit un ministre en exercice qu'il avait froissé, son sourire pincé évoquait au mieux l'anse d'une urne funéraire. « Et j'espère que les cendres qu'elle contient seront bientôt les tiennes, espèce de vieux salaud », avait encore grincé l'aimable bonhomme. Oui, Urquhart n'était même plus dans la verdeur de l'âge mûr, et nul ne pouvait l'ignorer. L'expérience n'était plus son alliée.

Depuis combien d'années voyait-il des hommes plus jeunes et moins doués que lui connaître des carrières fulgurantes ? Combien de fois avait-il séché leurs larmes, essuyé leur merde, enterré leurs secrets pour que rien n'entrave leur ascension ? Oh oui, ils lui étaient tous redevables. Et comment ! Certes, il lui restait encore un peu de temps pour imprimer sa marque, mais Mme Bailey n'ignorait pas que le compte à rebours était enclenché. Et lui non plus…

À la seconde même où il tournait les talons pour s'éloigner, elle remit sur le tapis le sujet d'un projet de circulation à sens unique dans le centre commercial de High Street. Francis jeta un regard implorant du côté de sa femme de l'autre côté de la pièce, parvenant heureusement à capter son attention. Bien qu'absorbée par un échange intense de platitudes, Mortima prit instantanément la mesure de la situation et adopta les dispositions nécessaires pour voler au secours de son époux.

— Mesdames, annonça-t-elle à la cantonade, vous allez devoir nous excuser. Je crains que nous ne devions regagner notre hôtel pour nous changer avant le dépouillement. Je ne saurais trop vous exprimer notre gratitude pour l'aide que vous nous avez apportée. Vous savez toutes à quel point votre soutien est indispensable pour Francis.

Urquhart parvint même à sourire à Mme Bailey. Ce ne fut que l'amorce d'un vague mouvement ascendant de la commissure des lèvres, si fugace qu'il mourut presque avant d'être vu, mais il suffit à restaurer la relation entre eux. Puis Francis s'éloigna en hâte en direction de la porte. Il en était à faire ses adieux à l'hôtesse des lieux quand son agente électorale, le téléphone vissé à l'oreille et occupée à griffonner quelque chose, l'arrêta d'un geste impérieux.

— Francis, je viens d'avoir les résultats des sondages sortie des urnes, dit-elle.

— Et moi qui me demandais où ils étaient, répliqua-t-il avec une fugace nuance d'amusement, disparue avant d'avoir fait naître une lueur dans son regard.

— Le tableau s'annonce moins joyeux que la dernière fois, répondit-elle, les joues rosies par son ton de réprimande. Apparemment, une bonne part de nos électeurs sont restés à la maison. Il est encore trop tôt pour un avis définitif, mais j'ai l'impression que la majorité va reculer. Je ne sais pas de combien.

— Ils font chier. Ils mériteraient une bonne dose d'Opposition pendant quelques années, histoire de leur apprendre à se remuer le train.

— Chéri, dit sa femme de ce ton apaisant qu'elle employait depuis si longtemps, voilà qui n'est guère reconnaissant. Avec une avance de près de trente-deux mille voix, on peut se permettre un léger tassement, n'est-ce pas ?

— Mortima, j'ai trop chaud pour être en veine de reconnaissance. Je suis fatigué et j'ai eu plus que mon compte de discussions dignes du *Café du Commerce*. Pour l'amour de Dieu, emmène-moi loin d'ici.

Sur ces mots, il fit volte-face, tandis que sa moitié saluait encore la petite foule assemblée d'un ample geste de la main. Il eut juste le temps de voir l'atroce lampe se fracasser au sol.

Dans le bureau du rédacteur en chef, l'habituelle atmosphère de menace à peine contenue avait cédé la place à un climat de panique sur le point d'exploser à force d'avoir trop mijoté. Cela faisait un bon moment déjà que la première édition avait été envoyée aux rotatives, avec en première page une énorme manchette proclamant « SAUVÉS DES EAUX ! » Seulement, il n'était que 18 heures quand elle était partie, soit quatre heures avant la fermeture des bureaux de vote. Le rédac-chef du *Daily Chronicle* s'était laissé aller à parier sur le résultat du scrutin, de façon à donner un tant soit peu d'intérêt à la une de sa première édition. S'il voyait juste, il serait le premier à livrer la nouvelle. Dans le cas contraire, il se retrouverait simplement plongé jusqu'au cou dans un marécage infesté de crocodiles.

Pour Greville Preston, cette élection était un baptême du feu au poste de rédacteur en chef. Autant dire qu'il était dans ses petits souliers. Ses revirements permanents quant au choix de la une trahissaient sa nervosité, pour ne rien dire du feu roulant de ses appels angoissés à ses correspondants politiques, ni de son langage de plus en plus fleuri. Il avait été nommé quelques mois plus tôt par le nouveau propriétaire de toutes les publications du groupe *Chronicle Newspapers*, avec pour toute consigne une recommandation aux allures d'ultimatum : « Faites-moi un succès ! » L'échec n'était pas une option prévue à son contrat. En outre, il savait qu'il n'aurait pas plus droit à une deuxième chance que lui-même n'avait éprouvé de remords envers les autres employés du *Chronicle*. Les exigences de rendement financier immédiat avaient imposé un sérieux élagage des effectifs, bien entendu dans une optique de rationalisation, de sorte qu'un grand nombre des membres de la rédaction les plus anciens avaient été remplacés par de petits jeunes bien moins chers et considérablement moins expérimentés. Si cette stratégie avait eu un impact positif sur le résultat comptable, elle avait aussi laminé le moral des troupes. Depuis la purge, le personnel restant vivait dans la crainte et les lecteurs dans la confusion. Quant à Preston, il avait au cœur un perpétuel sentiment de catastrophe imminente, une situation que le nouveau propriétaire s'ingéniait à maintenir coûte que coûte.

Pour accroître le tirage, Preston avait misé sur le segment populaire, tirant le journal vers le style tabloïd et le bas de gamme, mais son choix n'avait pas encore porté les fruits espérés. Petit par la taille, il était arrivé au journal avec la mine d'un nouveau Napoléon. Depuis, il avait tant maigri qu'il lui fallait porter des bretelles pour tenir son pantalon. Son manque de sommeil chronique faisait de lui un consommateur de café hors normes. Non contentes de réduire à néant ses efforts pour conserver une allure soignée, les gouttes de sueur apparues sur son front faisaient glisser le long de son nez ses lunettes à monture épaisse. Ses doigts ne tapotaient plus le plateau de son bureau pendant qu'il réfléchissait, mais claquaient avec impatience. L'insécurité qui le dévorait de l'intérieur avait anéanti tout ce qu'il avait patiemment entrepris pour se bâtir une image d'autorité. Il n'était plus certain de pouvoir se montrer à la hauteur de la situation, quelle qu'elle soit. Pour tout dire, il ne couchait même plus avec sa secrétaire.

Il se détourna de la rangée de téléviseurs ornant l'un des murs de son bureau pour faire face à la journaliste qui lui causait ces sueurs froides.

— Mais bordel, comment peux-tu affirmer que c'est mal parti ? cria-t-il.

Mattie Storin ne broncha pas. À vingt-huit ans, elle était la benjamine du service politique, arrivée en remplacement d'un des plus anciens éditorialistes, tombé sous le feu des experts-comptables mandatés pour tailler dans les dépenses. Ceux-ci avaient trouvé à redire à son habitude de mener ses entretiens au cours d'interminables déjeuners au *Savoy*, l'une des meilleures tables de Londres. En dépit de son jeune âge et de son arrivée récente, Mattie affichait une foi inébranlable en ses jugements, que les incompétents prenaient parfois pour de l'entêtement. Elle avait l'habitude qu'on lui crie dessus et n'hésitait pas non plus à donner de la voix. Le fait était qu'elle était aussi grande que Preston, « et presque aussi magnifique », ajoutait-elle souvent pour se moquer de lui. Qu'en avait-elle à faire qu'il passe le plus clair de son temps à lui reluquer le décolleté ? Non seulement cela lui avait permis de décrocher le poste, mais aussi d'avoir le dernier mot dans quelques-unes de leurs discussions. Elle ne voyait pas Preston comme une menace potentielle sur le plan sexuel. *Primo*, elle était bien trop amie avec la secrétaire de celui-ci pour que cela arrive jamais, et *secundo*, se faire harceler par des nabots porteurs de bretelles rouge vif était le prix qu'elle avait accepté de payer en venant faire carrière sur les bords de la Tamise. Qu'elle parvienne à survivre en ces lieux et elle pourrait réussir n'importe où.

Elle se tourna vers lui, les mains résolument enfoncées dans les poches de son élégant pantalon à la coupe bouffante des plus tendances. Elle lui répondit d'un ton délibérément posé, en espérant que le son de sa voix ne trahisse rien de son anxiété.

— Greville, tous les parlementaires membres de ce gouvernement à qui j'ai pu parler au cours de ces deux dernières heures revoient leurs prévisions à la baisse. Absolument tous. J'ai contacté le responsable du scrutin dans la circonscription du Premier Ministre, et il confirme un repli de cinq points par rapport aux sondages. Ce n'est pas vraiment ce qu'on peut appeler un raz-de-marée électoral, une indéfectible marque de confiance. Non, il se passe quelque chose. Le gouvernement n'a plus les pieds au sec. Et il n'est certainement pas sauvé des eaux.

— Et alors ?

— Alors l'angle de votre une ne convient pas.

— Merde, voilà autre chose. Tous les sondages menés pendant la campagne prédisent une victoire haut la main du gouvernement, et tu voudrais que je change la une. Et pourquoi ? Parce que c'est ce que te souffle ton… instinct féminin ?

Mattie savait que l'hostilité qu'il lui manifestait était à mettre au compte de l'angoisse. Tous les rédacteurs en chef vivent en permanence sur les nerfs. Le jeu consiste à ne pas le montrer. Malheureusement pour lui, Preston était incapable de rien cacher.

— D'accord, reprit-il. Ils disposaient d'une majorité de plus d'une centaine de sièges. Est-ce que ton instinct féminin peut me dire de combien elle sera demain ? Les études d'opinion donnent une avance aux alentours de soixante-dix. Qu'en pense la petite Mattie Storin ?

Elle se mit sur la pointe des pieds pour le regarder de haut.

— Libre à vous de vous fier aux sondages, Greville. Mais ce n'est pas la réalité. On ne sent aucun enthousiasme, aucune mobilisation chez les partisans de l'actuel gouvernement. Ils ne vont pas s'être déplacés en masse et le résultat va s'en ressentir.

— Allez, insista-t-il. Dis un chiffre.

Mattie ne pouvait malheureusement pas rester sur la pointe des pieds. Elle prit néanmoins le temps de secouer lentement la tête, manière d'affirmer la prudence de son jugement. Ses cheveux blonds balayèrent ses épaules.

— Il y a une semaine, j'aurais dit autour de cinquante. Aujourd'hui, je dirais moins. Voire beaucoup moins.

— Nom de Dieu, ce n'est pas possible. On a soutenu ces enfoirés sans faiblir. Ils ont intérêt à assurer.

Et toi aussi, tu as intérêt à assurer, Greville, songea-t-elle. La position de leur rédacteur en chef était connue de tous : debout au milieu du plus grand marécage de Fleet Street, la rue historique de la presse britannique. Politiquement, la seule et unique conviction de Preston était que son journal ne pouvait en aucun cas se permettre de se retrouver du côté des vaincus. En fait, ce point de vue n'était même pas le sien, mais plutôt celui qu'avait imposé Benjamin Landless, un pur *cockney* qui avait fait fortune, et le nouveau propriétaire du *Chronicle*. La franchise de ses opinions était d'ailleurs l'un des rares traits plaisants qu'on pouvait trouver à ce monsieur. Pour tout dire, il les portait en sautoir et n'hésitait jamais à en faire étalage. Comme il avait coutume de le rappeler à son personnel déjà soumis aux affres de la précarité professionnelle, il était plus facile grâce aux dernières mesures ministérielles de s'offrir dix rédacteurs en chef qu'un journal. « Alors on n'emmerde pas le gouvernement. On n'apporte pas le moindre putain de soutien à l'autre camp. »

En la matière, Landless s'était montré d'une loyauté inébranlable. Il avait mis son empire médiatique toujours plus vaste au service du gouvernement, en n'attendant de ce dernier qu'une seule chose : qu'il obtienne le résultat électoral voulu. Bien sûr, ce n'était pas une tactique raisonnable, mais Landless n'avait jamais pensé que la raison permettait de tirer le meilleur de ses employés.

Preston s'était retourné vers le mur d'écrans, dans l'espoir qu'une chaîne de télévision ou une autre lui apporte de meilleures nouvelles. Mattie revint à la charge. Après avoir posé une fesse sur un coin de l'immense bureau de son supérieur, pile sur les derniers sondages auxquels il se fiait aveuglément, elle fit le tri dans ses arguments.

— Écoutez, Greville, remettez les choses en perspective. Lorsque Margaret Thatcher a été contrainte à la démission, le Parti a voulu à tout prix une rupture, un changement de style. Ils voulaient du neuf. Quelque chose de moins rugueux, de moins autoritaire. Ils en avaient assez des ordalies et des mises à l'épreuve. Ils ne voulaient plus qu'une maudite femme les humilie.

Je crois que tu es bien placé pour comprendre ça, Greville, songea-t-elle.

— Et donc, poursuivit Mattie, ils ont cru bon de choisir Collingridge, uniquement parce qu'il passait bien à la télé, qu'il savait parler doucement aux vieilles dames et qu'il ne susciterait probablement aucune polémique. Mais ce faisant, ils ont perdu de leur tranchant, ajouta-t-elle avec un petit haussement d'épaules dédaigneux. Leur politique, c'est de la bouillie. Il n'y a plus aucune énergie, aucun enthousiasme. Il a fait campagne avec autant de charisme qu'un prof de catéchisme. Une semaine de plus à l'entendre débiter ses platitudes et je suis sûre que même sa femme aurait voté pour l'autre bord. N'importe quoi pourvu que ça bouge un peu.

Preston avait cessé de regarder les écrans pour se frotter le menton d'un air pensif. Au moins, il paraissait lui accorder un peu d'attention. Pour la dixième fois ce soir-là, Mattie se demanda s'il utilisait de la laque pour conserver une coiffure toujours aussi impeccable. Elle avait l'intuition qu'il devait commencer à se dégarnir. En tout cas, elle était certaine qu'il se faisait les sourcils à la pince à épiler.

— Bon, d'accord, dit-il en revenant à la charge. Mais laissons de côté le mysticisme pour nous en tenir aux chiffres. Ils vont avoir une majorité de combien ? Et d'abord, est-ce qu'ils vont repasser ?

— Il faudrait être bien téméraire pour imaginer le contraire, répondit-elle.

— Je n'ai aucune intention de faire preuve de témérité, Mattie. Tout me va du moment qu'on a la majorité. En fait, ce succès sera de toute façon un exploit. Historique, même. Quatre victoires de suite, c'est du jamais vu. Allez, on garde la première page.

Preston mit un terme à l'entretien en prenant la bouteille de champagne posée sur la bibliothèque pour s'en servir un verre, sans proposer à la jeune femme de se joindre à lui. À la place, il se mit à fourrager dans ses papiers d'un air occupé, histoire d'enfoncer le clou. Mattie n'était cependant pas du genre à se laisser décourager. De son grand-père – un Viking des temps modernes qui, au début de l'année 1941, avait fui la Norvège occupée par les nazis à bord d'un bateau de pêche qui prenait l'eau, bravant la mer du Nord pour gagner l'Angleterre et s'engager dans la RAF –, Mattie avait hérité les traits scandinaves et une ténacité que les incompétents n'appréciaient pas toujours à sa juste valeur. *Mais merde après tout !*

— Arrêtez un instant et demandez-vous ce qu'on peut attendre d'un nouveau mandat de Collingridge. Il est peut-être un peu trop tendre pour être Premier Ministre. Son programme est si léger qu'il a été balayé dès la première semaine de la campagne. Il n'a pas élaboré la moindre idée. Son seul plan consiste à croiser les doigts en espérant que ni les Russes ni les syndicats ne pètent un coup. Vous pensez vraiment que c'est ça dont le pays a besoin ?

— Voilà qui est élégamment dit, Mattie. Comme d'habitude, railla-t-il de son ton paternaliste coutumier. Mais tu te trompes. Que demande le peuple ? Du solide, pas la révolution. Personne n'a envie d'un mouflet qui balance tous ses jouets chaque fois qu'on sort le promener, poursuivit-il en agitant un index avec la mine d'un chef d'orchestre ramenant un instrumentiste folâtre à la juste cadence. Une ou deux années de cricket et de bière tiède ne feront de mal à personne. Le retour de notre ami Collingridge à Downing Street sera une merveilleuse nouvelle !

— Plutôt un foutu massacre, marmonna Mattie en quittant la pièce.

Chapitre 3

Jésus nous demande de pardonner à nos ennemis, et qui suis-je pour remettre en question les injonctions du Tout-Puissant ? Seulement, dans son infinie sagesse, il n'a pas prononcé le moindre mot pour ce qui est de pardonner à ses amis – et encore moins à sa famille. Sur ce dernier point, je me fais un plaisir de suivre cette absence d'avis. Au bout du compte, je trouve que le plus simple est encore que je me pardonne à moi-même.

Ce fut le passage d'un bus 88 lancé à fond de train dans la rue, au point d'en faire trembler les fenêtres de l'appartement, qui réveilla Charles Collingridge. Le petit deux-pièces qu'il occupait au-dessus d'une agence de voyage dans le quartier de Clapham ne cadrait pas avec l'idée qu'on pouvait se faire d'un logement digne du frère du Premier Ministre, mais nécessité fait loi. Une fois tout son argent dépensé au pub, il était rentré chez lui pour récupérer un peu. Or donc, il se découvrait affalé dans son fauteuil, toujours vêtu de son costume froissé, mais la cravate définitivement portée disparue.

Après un coup d'œil à la vieille montre qu'il portait au poignet, il jura entre ses dents. Il avait eu beau passer un long moment dans les bras de Morphée, il ne s'en sentait pas moins épuisé. Et s'il ne s'activait pas un peu, il allait manquer la fête. Avant toute chose, il avait besoin de boire un verre pour se remettre les idées en place. Il se servit donc une bonne rasade de vodka. Certes, ce n'était pas de la Smirnoff, plutôt de la marque générique du supermarché du coin, mais elle offrait le double avantage de ne pas lui donner une haleine de moujik au réveil et de ne laisser sur lui aucune odeur persistante quand il en renversait sur ses vêtements.

Emportant son verre avec lui, il passa dans la salle de bains pour s'immerger dans la baignoire, afin que l'eau chaude opère une nouvelle fois sa magie sur son pauvre corps fatigué. De plus en plus souvent, il lui venait le sentiment que ce dernier appartenait à quelqu'un d'autre. *Je dois commencer à me faire vieux.*

Debout devant le miroir, tandis qu'il s'efforçait de réparer les dégâts consécutifs à sa dernière cuite en date, il vit apparaître le visage de son père. Comme d'habitude, celui-ci lui faisait des reproches, l'exhortant à atteindre des objectifs toujours hors de portée, exigeant de savoir pour quelle raison il ne parvenait jamais à faire aussi bien que son jeune frère Henry, dit Hal. Ils avaient tous deux bénéficié des mêmes avantages dans l'existence, fréquenté les mêmes écoles, mais le cadet avait toujours fait mieux, réussissant un plus beau mariage, une meilleure carrière. Charles n'en éprouvait aucune amertume. C'était un être indulgent et infiniment généreux – et même trop sans doute. Hal avait toujours répondu présent quand son aîné avait eu besoin de lui, pour lui prodiguer des conseils et lui offrir une épaule compatissante sur laquelle pleurer lorsque sa femme l'avait quitté. Oui, Hal avait été là en ce jour douloureux où Mary avait précisément jeté au visage de Charles la réussite de son petit frère. « Tu es un minable comparé à lui. Tu n'es qu'un bon à rien ! » Puis Hal avait fait son entrée à Downing Street. Et depuis lors, il n'avait plus le temps de s'occuper des problèmes des autres.

Enfants, ils partageaient tout. Devenus garçons, puis jeunes hommes, ils avaient continué de partager beaucoup, y compris leurs petites amies à l'occasion. Et une voiture aussi, l'une des premières Mini, jusqu'au jour où Charles l'avait plantée dans un fossé. Il en était sorti en titubant et avait convaincu le jeune policier que c'était le choc et non l'alcool qui rendait sa démarche si incertaine. Depuis, il ne restait plus guère de place dans la vie de Hal pour son frère. Au fond de lui, Charlie avait le sentiment que... Mais que ressentait-il au juste quand il prenait le temps d'y réfléchir sincèrement ? De la colère, au point de s'en coller une bouteille après l'autre dans le gosier. Bien sûr, ce n'était pas après Hal qu'il en avait, mais après la vie. Les choses avaient mal tourné pour lui, sans qu'il comprenne bien pourquoi.

Il fit glisser le rasoir entre les coupures anciennes qui constellaient ses joues fripées, puis entreprit de recoller les morceaux. Il ramena ses cheveux sur la partie de son crâne de plus en plus dégarnie, enfila une chemise propre et noua une cravate. D'ici peu, il serait prêt pour les festivités de la soirée électorale à laquelle les liens du sang lui permettraient d'accéder. D'un coup de torchon sur ses chaussures, il leur redonna un semblant de lustre, puis jeta un regard à sa montre. *Oh, parfait. Juste le temps d'un petit dernier.*

Sur la rive nord de la Tamise, un taxi était coincé dans la circulation aux abords de Soho. Il y avait toujours des embouteillages à cet endroit-là, et les élections semblaient avoir fait sortir les Londoniens en masse. Assis à l'arrière, Roger O'Neill fit nerveusement craquer ses phalanges, tandis que vélos et piétons dépassaient le véhicule arrêté. Le temps filait aussi vite que sa patience s'amenuisait. Les instructions qu'il avait reçues étaient on ne peut plus claires : « Roger, ramène ton cul tout de suite », avaient-ils dit. « Même pour toi, on ne va pas y passer la nuit. Et après, on ne revient pas avant mardi. »

O'Neill n'était pas du genre à demander un traitement de faveur. De sa vie, jamais il n'avait tenté de jouer du galon, de mettre en avant son statut de responsable de la communication du Parti pour obtenir quelque chose. Cela dit, il espérait de tout cœur que ce dernier détail était un point de son existence dont ils n'étaient pas informés. Certains jours, il se disait qu'ils devaient l'avoir reconnu. Ils avaient bien dû voir des photos de lui dans les journaux. Et puis, quand la paranoïa relâchait son emprise, il se souvenait que ces gars-là n'avaient probablement jamais ouvert ne serait-ce qu'un magazine. Quant à voter... Qu'est-ce que la politique pouvait bien représenter à leurs yeux ? Pour ce qu'ils en avaient à faire, un enfoiré d'Hitler pouvait bien prendre le pouvoir. Qu'importe de savoir qui tient le manche quand il y a tant d'argent à se faire – net d'impôt.

Finalement, le taxi parvint à traverser Shaftesbury Avenue pour s'engager dans Wardour Street, où l'attendait une nouvelle file de véhicules à l'arrêt. *Merde, je vais les manquer*, se dit Roger O'Neill en ouvrant la portière.

— Je vais finir à pied, annonça-t-il au chauffeur.

— Désolé, m'sieur. Je n'y suis pour rien. Avec tous ces bouchons, je finis par payer de ma poche, répondit l'homme, dans l'espoir que l'impatience de son client ne lui ferait pas oublier de se montrer généreux.

O'Neill descendit à la volée en fourrant un billet dans la main tendue. Ensuite, après avoir esquivé un motard, il remonta d'un bon pas le trottoir, longeant l'interminable enfilade de *peep-shows* et de restaurants chinois, pour bifurquer dans une étroite ruelle à l'allure dickensienne, encombrée d'immondices. Il se glissa derrière une montagne de cartons vides et de sacs-poubelles et piqua un sprint. Son corps tout entier protesta. Il n'était pas vraiment dans une forme olympique. Heureusement, il n'allait pas très loin. Arrivé dans Dean Street, il prit à gauche, avant de plonger, une petite centaine de mètres plus loin, dans l'un de ces passages menant à d'anciennes écuries que les visiteurs de Soho ne voient généralement pas, focalisés qu'ils sont sur leur quête de plaisirs et les risques de la circulation. Le coupe-gorge débouchait sur une petite cour intérieure flanquée de tous côtés par des ateliers et des garages, installés dans les antiques entrepôts de l'époque victorienne. Il n'y avait pas un chat et l'ombre régnait partout. Il se hâta en direction d'une petite porte verte, dans le coin le plus sinistre de la courette. Ses pas résonnaient sur les pavés. Sur un ultime coup d'œil par-dessus son épaule, il fit jouer la poignée. Il n'avait pas frappé.

Moins de trois minutes plus tard, il ressortit. Sans un regard autour de lui, il repartit rapidement en direction de la rue toute proche, où déambulait la foule rassurante. De toute évidence, ce qu'il était venu faire en ces lieux n'avait rien à voir avec une partie de jambes en l'air.

À Smith Square, au siège du Parti, en face des tours blanches de St John, l'atmosphère était étrangement silencieuse. Au cours des dernières semaines, une activité intense avait régné en permanence derrière sa façade de brique, mais en ce jour de scrutin, le gros des troupes avait disparu. Chacun avait rejoint sa circonscription, cet avant-poste du monde politique, pour y battre le rappel des derniers convertis à la cause. À cette heure, ceux qui étaient restés à Londres étaient attablés pour dîner dans les restaurants ou les clubs du quartier, s'efforçant d'afficher une mine confiante, mais remettant sans cesse sur le tapis l'angoissante question d'un revirement électoral. Inquiets, ils commentaient les derniers chiffres et les sièges dont la conquête pourrait être compromise. En fait, bien peu étaient vraiment en appétit, de sorte qu'ils ne tardèrent pas à se replier vers leur base. Ils se frayèrent un chemin à travers la foule de plus en plus compacte des curieux, franchirent le cordon des policiers et piétinèrent les cadavres toujours plus nombreux des phalènes carbonisées.

Pendant un mois, les bureaux avaient formé une véritable ruche à l'atmosphère suffocante. Dès le jour suivant, tout serait bien différent. Les élections sont toujours synonymes de changement et de sacrifices humains. Dès le week-end, quels que soient les résultats du scrutin, bon nombre d'entre eux se retrouveraient sans rien. Et pourtant, chacun d'eux ou presque ne manquerait pas de revenir, prêt à s'abreuver avidement de nouveau à la source du pouvoir. Mais en attendant, ils s'installaient dans ce qui promettait d'être une interminable expectative.

Enfin, dix coups sonnèrent à Big Ben. Il était 22 heures, tout était fini. Les bureaux de vote fermaient. Désormais, plus rien – aucun appel au peuple, aucune explication, aucune attaque, aucune insinuation, aucune bourde aussi atroce soit-elle – ne pouvait influer sur le résultat. Tandis que l'ultime carillon de la vénérable tour achevait de résonner dans la nuit, quelques permanents salariés du Parti échangèrent une poignée de main silencieuse, autant pour se réconforter mutuellement que pour exprimer leur satisfaction du travail accompli. À quel point d'ailleurs avait-il été bien accompli ? Ils n'allaient plus tarder à le découvrir. Comme en tant d'autres soirées électorales antérieures, toutes les têtes se tournèrent vers les écrans de télévision, dans un ensemble qui n'était pas sans évoquer quelque rituel religieux bien réglé. À l'antenne, véritable Moïse contemporain au teint rubicond et à la chevelure d'argent, judicieusement éclairé par l'arrière pour offrir au spectateur un visage ceint d'un halo, le présentateur vedette de la chaîne ITN, sir Alastair Burnet, faisait entendre sa voix aussi rassurante que le murmure d'un ruisseau.

— Bonsoir, commença-t-il d'un ton profond et suave. La campagne électorale est terminée. L'heure fatidique est arrivée. Voilà quelques secondes à peine, les milliers de bureaux de vote du pays ont fermé leurs portes. Les électeurs ont parlé et, tous ensemble, nous attendons leur verdict. Les premiers résultats devraient tomber d'ici trois quarts d'heure. Peu après, nous serons en direct pour une interview du Premier Ministre, Henry Collingridge, dans sa circonscription du Warwickshire, puis avec le chef de l'Opposition dans son fief de Galles du Sud. Mais avant cela, nous allons découvrir le sondage sortie des urnes réalisé par *Harris Research International*, en exclusivité pour ITN, dans cent cinquante-trois bureaux de vote répartis dans tout le pays. La projection en sièges est la suivante…

Le doyen des journalistes britanniques ouvrit alors une grande enveloppe de papier kraft posée devant lui, avec des gestes aussi cérémonieux que si celle-ci avait contenu son propre certificat de décès. Il en sortit une feuille cartonnée de format A4 sur laquelle il jeta un coup d'œil. Ensuite, avec une lenteur savamment calculée, il laissa son regard revenir à la caméra. Les trente millions de téléspectateurs qu'il tenait au creux de sa main retinrent leur souffle, tandis qu'il jouait gentiment avec leurs nerfs. L'instant lui appartenait intégralement. C'était son privilège. Après vingt-huit années de bons et loyaux services et neuf élections générales à son actif, il avait annoncé que sa carrière s'achèverait sur ce scrutin.

— Notre sondage sortie des urnes, une exclusivité d'ITN, et j'insiste sur le fait qu'il s'agit d'une projection et non pas d'un résultat officiel, donne le tableau suivant...

Il consulta une nouvelle fois son carton, comme pour s'assurer qu'il avait bien lu.

— Magne-toi, vieux con ! cria une voix quelque part au cœur du complexe de Smith Square.

Ailleurs, une main fit sauter un bouchon de champagne, dans une initiative quelque peu prématurée. La plupart attendaient dans le plus profond silence. L'histoire était en train de s'écrire devant eux. Ils en étaient tout à la fois les témoins et les acteurs. Sir Alastair les regarda une nouvelle fois au fond des yeux et les fit languir encore l'espace d'un battement de cœur.

— ... le gouvernement serait réélu avec une majorité de trente-quatre sièges.

Un rugissement de triomphe, mêlé d'un sentiment de délivrance, explosa dans le bâtiment au point de le faire trembler sur ses bases. Trente-quatre putains de sièges ! C'était une victoire. Et dans un jeu à mort, peu importe la manière ou l'ampleur du résultat. Seule compte la victoire. Plus tard, il y aurait tout le temps d'examiner les détails, la tête froide. L'histoire alors rendrait son verdict. Mais pour l'heure, au diable l'histoire. Avoir survécu suffisait au bonheur de chacun. Partout, ce n'étaient que larmes de joie et de fatigue. Et de soulagement aussi – que bon nombre trouvaient aussi délicieux qu'un orgasme, voire bien meilleur pour les plus anciens.

L'écran se divisa pour montrer brièvement les visages muets des chefs des partis en train de digérer l'annonce. On vit ainsi Collingridge hochant doucement la tête, avec une esquisse à peine visible de sourire, tandis que son opposant affichait une vigueur triomphale et satisfaite. « Attendons le résultat final », put-on lire sur ses lèvres. De toute évidence, l'Opposition n'avait pas rendu les armes. Ensuite, sa bouche articula une nouvelle phrase. De l'avis général, cela avait été pour dire quelque chose en gallois. Quelques mots particulièrement inconvenants.

— Merde ! cria Preston, la mine défaite.

Ses cheveux lui tombaient désormais dans les yeux, révélant à tous le secret de son crâne dégarni et luisant.

— Mais bordel, qu'est-ce qu'ils ont foutu ? poursuivit-il en contemplant les ruines de sa première édition.

Il saisit son bloc-notes pour y griffonner furieusement.

— La majorité entamée ! dit-il, la mine dubitative.

Il chiffonna la page avant de la lancer rageusement dans la corbeille.

— Au coude à coude, proposa Mattie, faisant de son mieux pour dissimuler son petit air de satisfaction.

— Collingridge passe ric-rac, tenta le rédacteur en chef.

Une feuille de plus au panier.

Du regard, Preston fit le tour de la pièce. Il avait désespérément besoin d'aide et d'inspiration.

— Attendons, conseilla Mattie. Nous aurons le résultat final dans une demi-heure.

Chapitre 4

La foule est vulgaire. Il faut toujours complaire à la foule, flatter l'homme ordinaire et lui donner à croire qu'il est un prince.

Avant même les premiers résultats, la fête battait déjà son plein dans les locaux de l'agence de communication du Parti. Avec la confiance naturellement affichée par les adeptes de la pensée positive, tous les membres du personnel de *Merrill Grant & Jones Company PLC* s'étaient entassés dans la salle de réception pour suivre en direct le déroulement de l'histoire en marche sur deux immenses écrans de télévision. Depuis près de trois heures, ils n'en avaient pas manqué le moindre froncement de sourcils. Le champagne coulait à flots pour faire passer les pizzas et autres Big Mac qu'on apportait sans relâche, mais aussi sans doute les projections en sièges qui se réduisaient comme peau de chagrin. Loin d'être abattu, chacun redoublait d'efforts devant les difficultés annoncées. Le soir venait de tomber, mais il semblait déjà acquis que les deux figuiers en pot qui ornaient la vaste pièce depuis plusieurs années ne passeraient pas la nuit. D'ailleurs, un certain nombre de jeunes secrétaires connaîtraient probablement le même sort. Dans l'ensemble, les plus enclins à la tempérance s'efforçaient au calme en rongeant leur frein, mais rien ou presque n'incitait vraiment à la mesure. Au demeurant, la modération n'est pas la pratique la plus en vogue dans le monde de la communication. De toute façon, en la matière, c'était le client qui donnait l'exemple. Et quel exemple…

À l'instar de bien des compatriotes aventuriers expatriés de Dublin, Roger O'Neill était connu pour son esprit tranchant, son irrésistible propension à l'exagération et sa détermination sans failles à être présent partout et tout le temps. Son énergie était si débordante, et ses enthousiasmes si variés, que personne ne savait avec exactitude ce qu'il avait bien pu faire avant de rejoindre le Parti. « Quelque chose dans les relations publiques ou la télévision », disait-on généralement. Il y avait aussi quelques rumeurs au sujet d'ennuis avec le fisc, à moins que ce ne soit avec la *Garda Síochána*, la police irlandaise. Toujours est-il qu'il était disponible lorsque le poste de directeur de la communication du Parti s'était trouvé vacant, et il s'y était installé avec un charme et un savoir-faire qu'alimentait un feu roulant de vodka-tonics et de Gauloises fumées à la chaîne.

Jeune homme, il avait montré de très prometteuses dispositions au poste de demi d'ouverture sur les terrains de rugby, mais les promesses n'avaient pas été tenues. Son style éminemment individualiste s'accommodait mal à la pratique collective qu'exige un sport d'équipe. « Avec Roger sur le terrain », disait son entraîneur, « c'est comme si j'avais deux équipes. Lui tout seul d'un côté et quatorze autres ensemble de l'autre. » Au fil du temps, Roger avait connu semblables déboires dans bien des domaines, jusqu'au jour où la fortune lui avait enfin souri pour le mener à Smith Square. À quarante ans, la tête ornée d'une tignasse brune et indisciplinée où apparaissaient quelques fils gris, O'Neill n'avait plus la silhouette sportive d'antan. Néanmoins, refusant d'admettre qu'il appartenait désormais à l'âge mûr, il dissimulait les irréparables outrages du temps sous des costumes soigneusement choisis et négligemment portés, qui tous affichaient ostensiblement la griffe de leurs créateurs. Son approche non conformiste et les restes d'accent irlandais dans sa voix ne lui avaient pas toujours valu les suffrages des caciques du Parti – « Que des conneries et pas un pet de fond », avait un jour dit l'un d'eux à haute voix –, mais les autres étaient tout bonnement submergés par son énergie hors du commun.

Une personne à ses côtés l'avait considérablement aidé à faire son petit bonhomme de chemin : sa secrétaire. Penelope – « Bonjour, je suis Penny » – Guy. Un mètre soixante-dix-huit sous la toise, une garde-robe choisie et stimulante, plus une silhouette époustouflante pour porter le tout. Un autre aspect de sa personne faisait qu'elle ressortait tout particulièrement dans la foule de Westminster. Elle était noire. Ni mate ni foncée, plutôt de la teinte délicate d'une douce nuit. Ses yeux mettaient de la lumière dans son visage et son sourire pouvait illuminer une pièce entière. Diplômée en histoire de l'art et capable de noter en sténo à 120 mots/minute, elle était par-dessus tout dotée d'un sens pratique absolument à toute épreuve. Inévitablement, son arrivée aux côtés de Roger O'Neill avait fait jaser. Par la seule démonstration de son efficacité, elle avait fait taire tout le monde, et même convaincu les saint Thomas dont le monde est peuplé.

Pour ne rien gâcher, elle était d'une discrétion absolue. « J'ai une vie privée », répondait-elle quand on lui posait la question. « Et j'entends qu'elle le reste. »

En cette soirée électorale, chez *Merrill Grant & Jones* – ou plutôt *« Grunt & Groans »* comme elle préférait les appeler, autrement dit *« Grognements et Gémissements »* – Penny captait sans effort l'attention de plusieurs acheteurs d'espace et du directeur adjoint de la création, tous des gaillards au sang chaud, sans cesser de veiller à ce qu'O'Neill soit toujours bien pourvu en verres et cigarettes, avec modération cependant. Elle n'avait aucune envie qu'il dépasse les limites ce soir-là. Surtout pas. Pour l'heure, il était en grande conversation avec le directeur général de l'agence.

— L'avenir commence maintenant, Jeremy. Il ne faut pas l'oublier. On a besoin de cette analyse marketing le plus tôt possible. Et il faut qu'elle montre à quel point nos efforts ont été efficaces et nos campagnes publicitaires brillantes et percutantes. Et aussi à quel point notre électorat cible a été atteint. Si nous gagnons, je veux que tout le monde sache que c'est grâce à nous. Et si nous perdons, que Dieu nous vienne en aide…

Soudain, il éternua violemment.

— Excuse-moi. Putain de rhume des foins. Si on perd, je veux pouvoir prouver au monde entier qu'on a battu l'autre camp à plates coutures au jeu de la communication et que c'est la politique qui a tout foiré.

Il se rapprocha de son interlocuteur, au point que leurs fronts se touchaient presque.

— Tu sais ce qu'il faut faire, Jeremy. C'est notre réputation qui est en jeu. Pas seulement les politiciens. Alors ne va pas merder. Fais en sorte que tout soit prêt pour samedi matin, dernier délai. Je veux que ce soit imprimé dans les journaux du dimanche, en première page, aussi visible que le cul d'une actrice.

— Et dire que je pensais que c'était moi le créatif, commenta Jeremy en sirotant son champagne. Cela nous fait tout de même une *deadline* plus que serrée.

Baissant la voix, O'Neill se rapprocha encore. Jeremy perçut l'âcreté du tabac français dans son haleine.

— Si tu ne parviens pas à compiler les chiffres, invente-les. Tout le monde sera trop épuisé pour les regarder de près. L'essentiel, c'est d'être les premiers et de faire le plus de bruit. Et tout ira bien.

Il s'interrompit un instant pour se moucher, ce qui ne contribua en rien à apaiser le malaise du directeur général.

— Et n'oublie pas les fleurs, reprit O'Neill. Demain matin à la première heure, je veux que tu envoies le plus gros bouquet possible à la femme du Premier Ministre à Downing Street. Une composition en forme de « C » majuscule. En énorme. Fais en sorte qu'elle le trouve à son réveil.

— De ta part, bien sûr.

— Elle va être dans tous ses états si le bouquet n'est pas là. Je lui ai déjà annoncé qu'il arrivait. Et je veux que les caméras soient sur place pour filmer ça.

— Et pour préciser de qui vient cette délicate attention, ajouta le communicant.

— On est tous ensemble sur ce coup-là, Jeremy.

Mais il n'y aura que ton nom sur le carton, songea ce dernier, en s'abstenant toutefois de le dire à voix haute. Il peut arriver que la sincérité nous emporte trop loin. Jeremy était accoutumé aux interminables tirades d'O'Neill – ainsi qu'à ses instructions et ses pratiques comptables parfois limites. Un parti politique n'est pas un client comme un autre. Il suit des règles particulières, qui ne sont pas sans présenter quelques risques. Néanmoins, après deux années passées à travailler pour ce grand compte, Jeremy et sa jeune agence avaient acquis une notoriété qui suffisait à museler les doutes qu'il aurait pu avoir. Pour autant, dans l'attente fébrile des résultats, la peur s'insinua en lui pour le mordre au ventre.

Que se passera-t-il si on perd cette élection ? En dépit des belles assurances dont O'Neill était prodigue, Jeremy ne doutait pas une seconde que l'agence constituerait un bouc émissaire idéal. Tout était différent au début de la campagne, lorsque les études d'opinion prédisaient une victoire confortable. Depuis l'annonce des sondages sortie des urnes, sa confiance avait commencé à s'émousser sérieusement. Il travaillait dans une industrie fondée sur l'image, où les réputations se flétrissent aussi vite que se fanent les roses.

Incapable de tenir en place, O'Neill trépignait d'impatience. Puis l'image grandeur nature de sir Alastair sur l'écran géant capta leur attention. Le vénérable présentateur avait la tête légèrement inclinée sur la gauche, une main sur le côté droit du visage. On lui communiquait quelque chose dans l'oreillette.

— Je crois que nous sommes maintenant en mesure de vous communiquer le premier résultat de la soirée. Une nouvelle fois, on me dit qu'il nous vient de Torbay. Tous les records sont battus. Quarante-trois minutes à peine après la clôture des bureaux de vote, j'aperçois les candidats qui se rassemblent derrière le directeur du scrutin. Il est temps de passer au direct sur place...

Torbay, grande salle de l'hôtel de ville. Style victorien. Une foule compacte, une ambiance moite, une chaleur insupportable et une tension électrique à tout disjoncter. Des piles de bulletins décomptés alignées sur des tables à tréteaux. Des urnes vides empilées dans un coin. Les candidats s'étaient regroupés à une extrémité de l'estrade, au milieu d'une profusion de jardinières de jacinthes et de *Chlorophytum*, de cocardes et autres insignes municipales. On était sur le point d'annoncer le premier résultat, mais la scène évoquait plus une pantomime villageoise qu'une élection d'importance nationale. La présence des médias et la promesse d'un direct avaient attiré bien plus que le quota habituel de prétendants excentriques à la fonction d'élu. Pour faire bonne mesure, ils contribuaient de leur mieux à l'intensité de l'instant en agitant ballons et chapeaux aux couleurs vives, histoire d'attirer sur eux l'attention des caméras.

Ainsi, le candidat du « Soleil pour tous », vêtu d'un justaucorps jaune éblouissant qui l'enveloppait de la tête aux pieds, était venu se planter délibérément devant le candidat conservateur, pour agiter un tournesol en plastique aussi énorme que grotesque. Engoncé dans un costume sobre et classique au pli impeccable, les cheveux soigneusement coupés pour l'occasion, le membre du parti *Tory* tenta de fuir par un glissement sur sa gauche, mais percuta ce faisant le représentant du *National Front*, le parti d'extrême droite, occupé à déclencher une mini-émeute en levant un bras couvert de tatouages pour menacer la foule de son poing serré. Ne sachant au juste ce que le manuel du candidat conseillait en pareilles circonstances, le conservateur bon teint reprit à contrecœur sa place derrière l'énorme fleur. Pendant ce temps, la jeune représentante du parti « Pour une mer propre » allait et venait devant tout le monde, halant dans son sillage l'immense traîne de ses oripeaux verts et bleus, évocateurs d'équinoxes et de fortes marées.

Le maire toussa dans son micro.

— Mesdames et messieurs. En tant que directeur du scrutin pour la circonscription de Torbay, j'ai l'honneur d'annoncer que le vote tenu ce jour a donné le résultat suivant…

— Tel est donc le bilan de cette élection dans la circonscription de Torbay, pittoresque et bigarrée, dit sir Alastair d'un ton sépulcral en reprenant l'antenne. Le gouvernement décroche son premier siège de la soirée, mais avec une avance de voix en net recul, et un repli de près de 8 % par rapport à son score précédent. Quelle conclusion pouvons-nous en tirer, Peter ?

L'écran se divisa en deux pour faire une place au spécialiste politique de la chaîne, un homme un peu défraîchi, vêtu de tweed et le nez chaussé d'imposantes lunettes.

— Eh bien, Alastair, nous pouvons en conclure que le sondage sortie des urnes est certainement très proche de la réalité.

Chapitre 5

La politique impose des sacrifices. Le sacrifice des autres, bien entendu. Quel que soit le résultat qu'un homme puisse atteindre en se sacrifiant pour son pays, il peut toujours obtenir mieux en laissant les autres se sacrifier d'abord. Comme le dit ma femme, savoir choisir le bon moment est essentiel.

— Bien joué, Roger, n'est-ce pas ? Une nouvelle majorité à notre actif. Je ne saurais dire combien je suis heureux. Soulagé. Ravi. Tout ça à la fois. Beau travail. Vraiment !

L'enthousiasme haletant du président de l'un des principaux clients non institutionnels de *Grunt & Groans* glissait sur O'Neill sans paraître le gagner outre mesure. Souriant et suant, l'industriel bedonnant était aux anges. La soirée prenait des allures de célébration digne d'une victoire pleine et entière, alors même que le gouvernement venait pourtant de perdre ses deux premiers sièges.

— C'est très aimable à vous, Harold, répondit O'Neill. Je crois qu'une majorité de trente ou quarante sièges fera l'affaire. Mais une part du mérite vous revient. L'autre jour, je rappelais précisément au Premier Ministre à quel point votre soutien va bien au-delà des dons financiers versés par votre entreprise. Je me souviens encore du discours que vous avez prononcé en mars dernier au déjeuner de la Chambre d'industrie. Il était excellent, à tous points de vue. Si vous me passez l'expression, je dirais que vous avez su leur enfoncer le message dans le crâne jusqu'à la garde. Pour avoir une telle éloquence, vous avez suivi une formation d'orateur, n'est-ce pas ? Je l'ai dit à Henry, poursuivit O'Neill sans attendre la réponse à sa question. Pardon, je l'ai dit au Premier Ministre. Oui, je lui ai dit à quel point vous étiez bon. Et aussi qu'il faudrait plus de plates-formes pour les capitaines d'industrie de votre trempe. Des enceintes où vous pourriez venir nous dire ce qui se passe au front.

— Oh, c'est trop aimable. Il ne fallait pas, répondit ledit capitaine, sans en penser un seul mot.

Le champagne avait déjà bien entamé sa prudence naturelle. Des images de Chambre des lords et de robes bordées d'hermine dansaient devant ses yeux.

— Écoutez, quand tout sera fini, peut-être pourrions-nous déjeuner ensemble. Dans un endroit plus tranquille. J'ai quelques autres idées que le Premier Ministre pourrait trouver intéressantes, et sur lesquelles j'aimerais avoir votre opinion, poursuivit-il en ouvrant des yeux luisants d'impatience.

Il vida son verre d'une longue gorgée avide.

— Et puisqu'on parlait d'enfoncer jusqu'à la garde, reprit-il, votre petite secrétaire…

Avant qu'il puisse développer plus avant son propos, O'Neill partit dans une série d'éternuements plus volcaniques les uns que les autres, qui le plièrent en deux et lui laissèrent les yeux rouges. Tout espoir de poursuivre la conversation était tombé à l'eau.

— Excusez-moi, bafouilla-t-il en luttant pour retrouver son souffle. Le rhume des foins. Il arrive de plus en plus tôt, on dirait.

Puis, comme pour donner du poids à ses paroles, il se moucha un grand coup, dans un fracas qui n'était pas sans rappeler un chœur de trompettes soutenu par un roulement de tambour. L'occasion étant passée, l'industriel battit en retraite.

Le gouvernement perdit un autre siège, celui d'un sous-secrétaire d'État en charge des transports. Un blanc-bec ayant passé les quatre années de son mandat à se précipiter sur les lieux de tous les gros accidents routiers du pays, escorté d'une cohorte de caméras. Il avait fini par se forger une conviction quasi religieuse selon laquelle la race humaine avait un penchant presque inextinguible pour l'auto-immolation violente. Pour autant, cette foi ne semblait pas beaucoup l'aider à accepter le sacrifice qui lui était imposé. Le menton en avant, il tentait tant bien que mal de faire bonne figure, tandis que son épouse pleurait toutes les larmes de son corps.

— Les mauvaises nouvelles s'accumulent pour le gouvernement, annonça sir Alastair. Dans quelques minutes, nous aurons en direct le Premier Ministre pour sa déclaration après le résultat dans sa circonscription, et nous verrons comment il réagit à la situation. En attendant, voyons ce que donnent les projections de nos ordinateurs.

Il appuya sur un bouton, avant de pivoter lentement pour consulter un écran placé derrière lui.

— Il semblerait bien qu'on soit plus près des trente sièges que des quarante.

Dans le studio, les différents invités commencèrent à débattre pour déterminer si une majorité de trente sièges était suffisante pour permettre au gouvernement de tenir jusqu'au terme de sa mandature. L'affluence permanente de nouveaux résultats rendit leurs efforts pratiquement inaudibles.

À l'agence, O'Neill demanda au groupe d'hommes d'affaires surexcités avec qui il conversait de l'excuser un instant, puis se fraya un chemin à travers la masse toujours plus dense et volubile des admirateurs entourant Penny. Sans se soucier des protestations, il attira la jeune femme dans un coin pour lui murmurer quelque chose à l'oreille. Pendant ce temps, le visage rougeaud de sir Alastair reparut à l'écran pour annoncer que le résultat du Premier Ministre était imminent. Un silence respectueux se fit. O'Neill revint aux côtés des capitaines d'industrie. Tous les regards étaient fixés sur l'écran. Personne ne vit Penny prendre son sac pour s'éclipser discrètement.

Dans les locaux de la chaîne de télévision, on annonça une nouvelle avancée de l'Opposition au détriment du gouvernement. La soirée était de moins en moins glorieuse. Puis ce fut au tour de Collingridge. Son apparition souleva une bruyante manifestation de loyauté dans les rangs des employés de *Grunt & Groans*. Pour la plupart d'entre eux, les convictions politiques n'étaient pourtant plus qu'un souvenir un peu flou, noyé sous le flot des célébrations. Après tout, ce n'était rien d'autre qu'une élection.

Henry Collingridge salua la caméra d'un geste de la main. Son mince sourire donnait à penser qu'il prenait les résultats avec un peu plus de gravité que son public. Ses remerciements se révélèrent plus formels que polémiques. Sous le maquillage, le teint blafard de son visage trahissait son épuisement. L'espace d'un moment, tandis qu'il quittait l'estrade pour reprendre la route en direction de Londres, toutes les personnes réunies dans l'agence le suivirent des yeux dans un silence empreint de solennité. Puis ils reprirent leurs libations.

Quelques minutes plus tard, une voix forte couvrit le bruit des conversations.

— Monsieur O'Neill ! Monsieur O'Neill ! Il y a un appel pour vous.

Depuis le comptoir d'accueil à l'entrée, l'agent de sécurité de service brandissait ostensiblement le téléphone.

— Qui est-ce ? articula silencieusement O'Neill depuis l'autre côté de la salle.

— Comment ? répondit le garde, la mine nerveuse.

— Qui est-ce ? reprit O'Neill selon la même méthode, pour se faire comprendre à défaut d'être audible.

— Je ne vous entends pas, cria le garde suffisamment fort pour couvrir le brouhaha.

Cette fois-ci, les mains en porte-voix, O'Neill demanda qui voulait lui parler, à un niveau sonore équivalent à celui du public dublinois saluant un essai victorieux dans le stade de Lansdowne Road.

— C'est le bureau du Premier Ministre ! hurla le garde excédé, incapable de se contenir plus longtemps, mais pas tout à fait sûr du bien-fondé de son initiative.

L'effet fut instantané. Un lourd silence s'abattit et tous les visages se tournèrent vers O'Neill. Un passage s'ouvrit miraculeusement devant lui. Avec diligence et humilité, il s'avança, la mine subitement affairée.

— C'est l'une de ses secrétaires. Elle va vous passer la communication, expliqua le garde, trop heureux de transmettre à un autre l'écrasante responsabilité.

— Allô. Allô. Oui, Roger à l'appareil.

O'Neill resta un instant silencieux.

— Monsieur le Premier Ministre ! C'est un honneur et un plaisir de vous parler. Félicitations. Oui, c'est un excellent résultat dans la conjoncture actuelle. Comme disait mon vieux père, la victoire est aussi douce, que l'on gagne 5 à 0 ou 5 à 4…

D'un regard calme, il parcourut la pièce. Tous les yeux étaient braqués sur lui.

— Pardon, qu'avez-vous dit ? Oh, oui. Oui ! C'est très aimable à vous. Il se trouve que je suis en ce moment même à l'agence de communication.

Il régnait un tel silence à cet instant-là que chacun aurait pu entendre sangloter les deux figuiers martyrisés.

— Je crois aussi qu'ils ont fait un travail fantastique. Sans leur aide, je n'y serais certainement pas arrivé… Oh… Vous me permettez de le leur répéter ?

O'Neill posa une main sur le combiné et se retourna vers la foule, fascinée et toute prête à boire ses paroles.

— Le Premier Ministre me demande de vous transmettre ses remerciements pour votre collaboration à cette magnifique campagne. Il dit que c'est votre passion et votre énergie qui ont fait la différence.

Puis il reprit la communication avec son interlocuteur et écouta quelques secondes en silence.

— Et contrairement à Margaret Thatcher, il ne va pas demander qu'on lui rende son argent !

Un immense fracas de rires, de cris et d'applaudissements emplit toute la pièce. O'Neill tenait l'appareil en l'air à bout de bras pour transmettre à son correspondant l'intensité de ce bel enthousiasme.

— Oui, monsieur le Premier Ministre, reprit-il. Je tenais à vous dire à quel point j'étais heureux et flatté de recevoir votre premier coup de téléphone après votre brillante élection… J'ai hâte moi aussi de fêter ça avec vous. Oui, je serai à Smith Square plus tard dans la soirée… Bien sûr, bien sûr. À tout à l'heure. Et encore toutes mes félicitations.

O'Neill reposa doucement le combiné sur son socle, le visage empourpré, encore suffoqué de l'honneur qui venait de lui être fait. Puis il se tourna vers la salle et un immense sourire lui monta aux lèvres. Toute l'assistance manifesta sa joie. Chacun voulait le féliciter, lui serrer la main.

Ils en étaient à entonner en chœur « Car c'est un bon camarade » quand, dans la rue d'à côté, Penny raccrocha le téléphone de la voiture, puis orienta le rétroviseur pour retoucher son rouge à lèvres.

Chapitre 6

Mon vieux guide de chasse, là-bas sur la lande, m'a enseigné une leçon que je n'ai jamais oubliée. J'étais enfant alors, aux alentours de huit ans. Mais si vous vous souvenez bien, c'est précisément à cet âge que les choses pénètrent l'esprit pour y rester gravées à jamais.

Voici ce qu'il m'a dit : « Si tu dois faire mal, alors montre-toi féroce et implacable. Il faut qu'il comprenne que tu lui infligeras toujours pire que ce qu'il pourra jamais te faire. » Bien sûr, il parlait de dressage de chiens. Mais son conseil m'a toujours été utile dans le domaine de la politique.

Vendredi 11 juin

Avec l'afflux des partisans, opposants ou simples curieux venus attendre l'arrivée du Premier Ministre, la foule massée autour de Smith Square s'était considérablement accrue. Cela faisait bien longtemps que les douze coups avaient sonné, mais par une nuit pareille, les rythmes biologiques allaient forcément être un peu bousculés. Sur les écrans de contrôle des opérateurs télé, les badauds pouvaient suivre l'approche du convoi du chef du gouvernement. Escortée par une ribambelle de véhicules de police et de presse, la voiture de Collingridge avait depuis longtemps quitté l'autoroute M1. Arrivée non loin de Marble Arch, elle n'était plus qu'à une dizaine de minutes du siège de la formation politique. Trois jeunes filles engagées par le Parti jouaient les pom-pom girls, exhortant la foule à manifester sa joie à grand renfort de cris et de chants patriotiques.

Leur tâche se révélait plus ardue que lors des précédentes élections. Si les gens acceptaient volontiers d'agiter des drapeaux britanniques gigantesques, ils semblaient en revanche bien plus réticents à l'idée de brandir les portraits d'Henry Collingridge, opportunément remontés de la réserve du siège du Parti. Dans la foule, certains suivaient les résultats à la radio et les annonçaient au fur et à mesure à la cantonade – sans guère déclencher l'enthousiasme. Même les trois pom-pom girls se regroupaient à intervalles réguliers pour discuter des derniers chiffres. Au même moment, enhardis par ce qu'ils avaient entendu, des supporters de l'Opposition s'étaient infiltrés dans la foule pour agiter leurs bannières et scander leurs slogans, entretenant par là même un esprit d'émulation éruptif. Une demi-douzaine de policiers se déployèrent pour prévenir tout débordement. Dans un fourgon garé non loin dans Tufton Street, une dizaine d'autres attendaient en renfort. Les ordres étaient clairs : « Montrez-vous, mais sans vous mêler de ce qui se passe. »

À cette heure de la nuit, les ordinateurs ne tablaient plus que sur une avance de vingt-huit sièges. Deux des pom-pom girls arrêtèrent tout bonnement leur spectacle pour entamer un débat afin de savoir si cette avance à la Chambre des communes offrait à l'exécutif une majorité suffisante pour gouverner. Après avoir décidé que oui, elles se remirent à l'ouvrage, mais le cœur n'y était plus. L'inquiétude douchait la fougue du début de soirée. Elles choisirent donc de s'économiser en attendant l'arrivée d'Henry Collingridge.

À l'intérieur du bâtiment, Charles Collingridge était de plus en plus ivre. L'un des hauts responsables du Parti alla l'installer dans un confortable fauteuil du bureau du président. Avachi sous le portrait de son frère, Charlie continua à siroter une bouteille qu'il avait dénichée Dieu seul savait où. Son visage couperosé était luisant de transpiration. Il avait le blanc des yeux injecté de sang.

— C'est un type bien, mon frère Hal. Un grand Premier Ministre, bafouillait-il pour lui-même.

Il n'y avait pas à se méprendre sur l'origine de son zézaiement et de sa voix épaisse. Sur sa lancée, il reprit une nouvelle fois le refrain du roman familial.

— Il aurait pu reprendre l'affaire de notre père, vous savez. Il en aurait fait l'une des plus grandes entreprises du pays. Mais il a toujours préféré la politique. Figurez-vous que la plomberie et les équipements de salle de bains n'ont jamais été trop mon truc non plus, mais ça faisait plaisir à notre père. V'savez qu'ils importent ça de Pologne maintenant ? Ou de Roumanie, peut-être bien…

Il s'interrompit lorsqu'un geste maladroit lui fit renverser ce qui restait de son verre de whisky sur son pantalon. Le président du Parti, Lord Williams, profita du fait que son fâcheux visiteur se confondait en excuses indistinctes pour se mettre hors d'atteinte. Son expression mesurée n'en montrait rien, mais il trouvait saumâtre d'avoir à offrir l'hospitalité au frère du Premier Ministre. Charlie Collingridge n'était pas un mauvais bougre, mais il était faible et causait des désagréments réguliers. Or, Lord Williams aimait que les choses soient carrées et rigoureuses. Néanmoins, l'*apparatchik* blanchi sous le harnais était un homme d'expérience. Il savait que jeter le frère du grand amiral par-dessus bord n'aurait pas été avisé. Une fois, il avait tenté d'aborder le problème avec le Premier Ministre, évoquant les rumeurs et autres remarques sarcastiques relayées à l'envi par les journaux à scandales. En tant que membre éminent du Parti depuis avant l'ère Thatcher, il bénéficiait de l'ancienneté nécessaire pour prendre cette initiative. Certains estimaient même que c'était son devoir. Mais cela n'avait servi à rien.

— Chaque jour, je verse mon sang pour le pays et le Parti, avait répondu Collingridge. Ne me demandez pas de verser celui de mon frère.

Le Premier Ministre avait promis qu'il ferait en sorte que Charlie surveille son comportement, ou plutôt qu'il le surveillerait lui-même. Mais naturellement, il n'avait jamais le temps de jouer les nounous. Par ailleurs, il savait pertinemment que Charlie était prêt à promettre n'importe quoi, alors qu'il était de moins en moins capable de tenir sa parole. Pour autant, Henry n'était pas prêt à lui faire la morale ni à se mettre en colère. Il savait que c'était toujours le cercle familial qui subissait les conséquences du stress auquel les hommes politiques sont soumis. Dans une certaine mesure, il en était responsable. Lord Williams ne l'ignorait pas lui non plus. Depuis son arrivée à Westminster, plus de quarante années plus tôt, n'avait-il pas raté trois mariages ? Les dommages collatéraux étaient innombrables. Dans le sillage de la politique, on ne trouvait que douleur et familles déchirées. Williams regarda Collingridge quitter la pièce d'un pas chancelant. Son cœur se serra un instant, mais il refoula bien vite son élan. L'émotion n'est pas bonne conseillère pour diriger un parti.

Michael Samuel, le secrétaire d'État à l'Environnement – et probablement le plus jeune et le plus télégénique des membres du Cabinet – vint saluer Lord Williams, le vétéran de la politique. Suffisamment jeune pour être le fils du président du Parti, il était en quelque sorte son protégé. C'était Williams qui lui avait mis le pied à l'étrier en le recommandant pour un poste de secrétaire privé parlementaire, le premier échelon de la sinueuse hiérarchie ministérielle britannique, alors qu'il n'était encore qu'un tout jeune membre du Parlement. C'était la plus modeste des distinctions parlementaires, une fonction non rémunérée consistant à faire la bonniche pour un ministre de rang supérieur. Il fallait faire le grouillot – porter, transmettre, rapporter – sans se plaindre ni poser de questions. Mais par ces qualités, on pouvait impressionner les ministres en poste, qui eux choisissaient les candidats à une promotion. Pour Samuel, l'appui de Williams avait donné le signal d'une ascension fulgurante, et l'amitié entre les deux hommes ne s'était jamais démentie.

— Un problème, Teddy ? demanda Samuel.

— Un Premier Ministre choisit ses amis et son Cabinet, soupira le vieil homme. Mais pas sa famille.

— Tout comme nous ne choisissons pas nos compagnons de route.

Du menton, Samuel désigna la porte par laquelle Urquhart venait d'arriver en compagnie de son épouse, tout droit de sa circonscription. Le regard de Samuel était glacial. Il n'appréciait guère Urquhart, qui n'avait pas soutenu sa promotion au Cabinet et qui, en plusieurs occasions, avait décrit Samuel comme un « Disraeli contemporain, trop intelligent et trop beau garçon pour son propre bien ».

Bien mince était le vernis recouvrant l'antisémitisme traditionnel et toujours affleurant. D'ailleurs, il se craquelait souvent. Lord Williams avait alors prodigué un excellent conseil au jeune et brillant avocat qu'il avait pris sous son aile.

— Francis n'a pas tort, avait-il dit. Ne joue pas trop les intellectuels. N'affiche pas ostensiblement ta réussite. Ne te montre pas trop ouvert sur les questions de société, ni trop en pointe sur tout ce qui touche à la finance.

— Autrement dit, il faut que j'arrête d'être juif.

— Et pour l'amour de Dieu, surveille tes arrières.

— Ne vous inquiétez pas. À ce jeu-là, nous avons deux mille ans d'expérience.

C'était donc avec une mine modérément chaleureuse que Samuel regardait venir le couple Urquhart, entraîné dans sa direction par la cohue.

— Bonsoir, Francis. Bonsoir, Mortima, dit Samuel avec un sourire forcé. Félicitations. Une avance de dix-sept mille voix. Devant une telle victoire, je connais au moins six cents membres du Parlement qui vont être verts de jalousie demain matin.

— Michael ! Je constate avec plaisir que vous avez réussi une fois encore à hypnotiser la part féminine de l'électorat de la circonscription de Surbiton. Si vous parveniez à avoir les suffrages de leurs époux, vous auriez une majorité aussi confortable que la mienne !

Ils rirent de conserve, habitués qu'ils étaient à dissimuler le fait qu'ils ne s'appréciaient pas. Néanmoins, leur badinage s'éteignit rapidement. Ni l'un ni l'autre ne savaient comment mettre un terme à la conversation.

Lord Williams, qui venait juste de raccrocher le téléphone, vint à leur rescousse.

— Je ne voudrais pas vous interrompre, mais Henry va arriver d'une minute à l'autre.

— Je vous accompagne, proposa immédiatement Urquhart.

— Et toi, Michael ? demanda Williams.

— Je vais attendre ici. Cela va être la bousculade. Je ne voudrais pas que quelqu'un me marche dessus par-derrière.

Urquhart se demanda si la petite pique lui était destinée, mais préféra ne pas relever. Il suivit donc Williams jusqu'au perron, sur lequel les employés du Parti s'étaient massés. L'ambiance était à la surexcitation. L'annonce de l'arrivée imminente du Premier Ministre s'était propagée, si bien que l'apparition simultanée du président du Parti et du *Chief Whip* galvanisa la foule. Comme à la parade, des vivats s'élevèrent lorsque la Daimler noire blindée apparut avec son escorte au coin de la rue. Surgissant de derrière l'église St John, elle plongea dans l'éblouissante lumière des projecteurs de télévision et des flashs des appareils. Un millier de photographes, professionnels et amateurs, immortalisaient l'instant.

Le véhicule s'arrêta et Collingridge descendit de l'arrière. Il se tourna pour saluer la foule et les caméras. Urquhart s'avança pour lui serrer la main. Malheureusement, il avait mis un tout petit peu trop d'élan dans sa percée, de sorte qu'il se retrouva à faire écran entre le chef du gouvernement et ses supporters. Il battit rapidement en retraite, la mine confuse. De l'autre côté, avec cette courtoisie galante que confèrent la pratique et l'expérience, Lord Williams aidait l'épouse du Premier Ministre à descendre de la voiture. Sans plus de manières, il planta sur sa joue un baiser d'oncle bienveillant. Tout à coup, un bouquet apparut, ainsi qu'une vingtaine de hauts responsables et dignitaires du Parti qui tous jouaient des coudes pour être aux avant-postes. Le fait que cette mêlée tumultueuse parvienne ensuite à franchir les portes battantes menant à l'intérieur du bâtiment, sans enregistrer la moindre perte, pouvait être considéré comme un petit miracle.

À l'intérieur, l'ascension de l'escalier fut émaillée de scènes identiques de confusion et de bousculade. Progressant tant bien que mal, le Premier Ministre ne s'arrêta qu'une seule fois, pour remercier le personnel comme le voulait la tradition. Il fallut néanmoins rejouer ce moment, les photographes de presse n'ayant pas été assez rapides à se mettre en place. Pendant tout ce temps, malgré les piétinements, les bourrades et le vacarme, Collingridge ne cessa pas un instant de sourire.

Dans le calme relatif du bureau de Lord Williams, les stigmates de la tension qu'il avait si bien su dissimuler tout au long de la soirée commencèrent néanmoins à apparaître sur son visage. Sur le poste de télévision installé dans un coin de la pièce, un journaliste annonçait que les projections informatiques tablaient sur une majorité encore plus réduite que prévu. Collingridge laissa échapper un long, très long soupir.

— Éteignez-moi cette saleté, murmura-t-il, parcourant lentement la pièce du regard. Est-ce que quelqu'un a vu Charlie ce soir ? demanda-t-il.

— Oui, il était là, mais…

— Mais quoi ?

— Il semblerait qu'on l'ait perdu.

Les yeux du Premier Ministre trouvèrent ceux du président du Parti.

— Je suis désolé, dit le plus âgé des deux, d'un ton si bas que Collingridge dut pratiquement lire sur ses lèvres.

Désolé pour quoi ? Parce que mon frère est un alcoolique ? Parce que j'ai presque foiré cette élection, envoyé bon nombre des nôtres à l'abattoir, commis plus de dégâts que Goering? Désolé d'avoir à patauger avec moi dans le marécage qui nous attend? Quoi qu'il en soit, merci de ce que tu as fait, mon vieil ami.

Subitement, Collingridge se sentit totalement épuisé. L'adrénaline ne circulait plus dans ses veines. Après des semaines durant lesquelles il avait été sollicité de tous côtés, sans un seul instant à lui, il éprouva un besoin irrépressible d'être seul. Il pivota pour se mettre en quête d'un endroit plus calme, mais tomba nez à nez avec Urquhart, debout à sa droite. Le *Chief Whip* lui tendit une enveloppe.

— J'ai eu quelques idées pour le remaniement, dit Urquhart, les yeux baissés et sur un ton à mi-chemin entre l'embarras et l'hésitation. Ce n'est peut-être pas le meilleur moment... Bien sûr, vous allez y réfléchir pendant le week-end, mais je vous ai préparé un certain nombre de suggestions. Je sais que quelques idées positives vous paraissent toujours préférables à une feuille blanche. J'espère que ceci vous sera utile, ajouta-t-il en agitant sa note manuscrite.

Urquhart voulait sa place à la grande table. C'était une exigence, bien plus qu'une sollicitation.

Collingridge considéra l'enveloppe et, en lui, quelque chose céda : cette mince barrière qui tient la franchise à bonne distance de la politesse. Il leva son regard fatigué vers son collègue.

— Vous avez raison, Francis. Ce n'est pas le meilleur moment. Nous devrions nous préoccuper de notre majorité avant de commencer à virer nos collègues.

Mortifié, tétanisé par la honte, Urquhart resta figé. Le sarcasme avait porté – bien mieux que ce que le Premier Ministre avait souhaité. Il se rendit compte qu'il avait été trop loin.

— Excusez-moi, Francis. Je crois bien que je suis un peu épuisé. Écoutez, j'aimerais que vous veniez chez moi pour en discuter dimanche après-midi, avec Teddy. Si vous voulez, vous pouvez remettre une copie de votre courrier à Teddy, et m'en faire parvenir une demain à Downing Street – ou dans la matinée.

Le visage d'Urquhart ne trahissait rien de la tempête intérieure qui l'agitait. Il s'était laissé obnubiler par la perspective du remaniement, et se maudissait à présent d'avoir commis pareille folie. D'une certaine façon, sa belle assurance naturelle lui faisait défaut dès qu'il se retrouvait en présence de Collingridge. Éduqué dans une simple *grammar school*, l'un de ces établissements publics réservés aux élèves les plus doués, le Premier Ministre aurait eu bien du mal à prétendre adhérer aux clubs et cercles sociaux auxquels Urquhart appartenait. Ce renversement des positions au sein de la vie politique déstabilisait le *Chief Whip* et lui faisait perdre ses moyens. Il avait l'impression de jouer le rôle d'un homme qu'il n'avait pas besoin d'être. Pour cette erreur qu'il venait de commettre, il en voulait Collingridge bien plus qu'à lui-même. Malheureusement, ce n'était guère le moment de partir à la reconquête du terrain perdu. Urquhart trouva refuge dans l'affabilité, inclinant doucement la tête pour marquer son accord – et sa soumission.

— Bien sûr, monsieur le Premier Ministre. Je vais faire faire une copie pour Teddy immédiatement.

— Il serait préférable que vous la fassiez vous-même. Mieux vaut que cette liste ne commence pas à circuler ici cette nuit.

Collingridge esquissa un sourire, animé de la volonté manifeste de réintégrer Urquhart dans l'ambiance de conjuration qui flottait en permanence à Downing Street.

— Pour ma part, je crois que l'heure du départ a sonné. Dans à peine quatre heures, la BBC voudra me voir frais et dispos. Je vais donc aller suivre chez moi les derniers résultats. Au fait, ajouta-t-il en se tournant vers Williams, où en sont les prévisions ?

— Depuis une demi-heure, ce maudit ordinateur est stable à vingt-quatre sièges. Je crois que ce sera le résultat final.

Il n'y avait absolument aucun triomphalisme dans sa voix. C'était sous sa présidence que le Parti venait d'encaisser sa pire élection en deux décennies.

— Ce n'est pas grave, Teddy. L'important, c'est d'avoir une majorité. Et puis ainsi, le *Chief Whip* ne pourra plus rester tranquillement assis comme quand il comptait plus de cent sièges d'avance à la Chambre. N'est-ce pas, Francis ?

Sur ces bonnes paroles, Collingridge quitta la pièce, laissant derrière lui Urquhart, la main désespérément crispée sur son enveloppe.

Quelques minutes après le départ du Premier Ministre, la foule commença à se disperser, à l'intérieur comme à l'extérieur. L'orgueil toujours en berne, Urquhart n'était d'humeur ni à se réjouir, ni à se montrer aimable. Il se rendit au premier étage, sur l'arrière du bâtiment, là où se trouvait le bureau de reprographie. En réalité, la salle 132A n'était pas à proprement parler un bureau, plutôt un placard sans fenêtre de deux mètres de long, où l'on rangeait les fournitures et où l'on pouvait photocopier les documents confidentiels en toute discrétion. Urquhart ouvrit la porte et l'odeur l'assaillit avant même que sa main n'ait trouvé l'interrupteur. Charles Collingridge était couché par terre, de tout son long contre le pied d'une étagère métallique. Dans son sommeil, il avait trouvé le moyen de souiller ses vêtements. Il n'y avait ni verre, ni bouteille, mais l'air empestait le whisky. De toute évidence, Charlie avait cherché l'endroit le plus reculé où venir s'écrouler.

Après avoir posé son mouchoir sur son nez pour se préserver de la puanteur, Urquhart retourna le corps pour le mettre sur le dos. Il secoua l'épaule de Charlie, sans rien obtenir de plus qu'une variation du rythme des ronflements. Sa deuxième tentative, plus ferme, n'améliora pas le résultat, pas plus que la petite tape sur la joue à laquelle il se résolut ensuite.

Urquhart contempla le tableau qui s'offrait à lui, profondément dégoûté. Soudain, tout son corps se raidit, tandis qu'en lui son mépris pour Charles Collingridge se mêlait au souvenir de l'humiliation infligée par son frère. Le pitoyable pochard lui apparut tout à coup comme la parfaite victime expiatoire pour se venger de l'affront subi. Il saisit Charlie par le revers de sa veste et le redressa d'un coup, puis arma son bras pour assener une gifle en revers sur cette trogne pathétique. Oui, il allait décharger toute sa colère et sa hargne contre tous les Collingridge. Urquhart en tremblait d'avance.

Puis une enveloppe tomba de la poche de Charlie. Une facture d'électricité impayée, selon toutes les apparences, avec la mention « Dernière relance » imprimée à l'encre rouge. Urquhart se dit alors qu'il y avait peut-être un autre moyen de rééquilibrer les plateaux de la balance, et même de la faire pencher de son côté. Tout bien pesé, il n'allait pas frapper Charlie. Non pas par délicatesse, ou parce qu'il comprenait subitement que le pauvre Charlie ne l'avait jamais offensé en quoi que ce soit – hormis sur le plan olfactif. Urquhart savait pouvoir atteindre Henry Collingridge en faisant du mal à son frère. C'était une certitude. Mais le frapper ne le mènerait pas très loin. La douleur ne durerait pas. Non, ce n'était ni le lieu, ni le moment, ni la bonne méthode pour une vengeance digne de ce nom. Francis Urquhart valait mieux que cela, bien mieux. Il était le meilleur d'entre eux tous.

Il rallongea doucement la masse inerte sur le sol, puis défroissa d'un geste les revers chiffonnés de la veste de Charles Collingridge.

— Toi et moi, Charlie, nous allons devenir très amis, dit-il au pauvre ivrogne rendu à son sommeil. Les meilleurs amis du monde. Mais pas tout de suite, bien sûr. On va d'abord attendre que tu te sois un peu nettoyé. D'accord ?

Il s'approcha de la photocopieuse, prit l'enveloppe dans sa poche intérieure et en fit une copie. Après cela, il alla prélever la facture dans celle de Charlie et en fit également une copie. Ensuite, il laissa son nouvel ami dormir tout son soûl.

Chapitre 7

Ce n'est pas ce bon vieux Clausewitz qui disait que la guerre est la continuation de la politique par d'autres moyens ? Bien entendu, il avait tort. Tellement que cela en est ridicule. La politique ? La guerre ? Comme ma chère et tendre Mortima, mon épouse, me le rappelle sans cesse, il n'y a aucune différence entre les deux.

Dimanche 13 juin

La voiture officielle d'Urquhart quitta Whitehall pour s'engager dans Downing Street. Elle y fut accueillie par le salut compassé d'un policier de faction et le déclenchement simultané d'une centaine de flashs. Il était un peu moins de 16 heures, et Francis avait laissé Mortima dans leur résidence londonienne de Pimlico, en compagnie de leurs huit invités. C'était un nombre un peu plus important que pour un dimanche ordinaire, mais ce jour marquait l'anniversaire du décès du père du *Chief Whip*, qui avait coutume de se chercher des dérivatifs pour meubler cette journée. Les représentants de la presse, masculins pour l'essentiel, étaient contenus derrière des barrières de l'autre côté de la rue, face à la porte d'entrée la plus célèbre du monde. Cette dernière était précisément grande ouverte quand la voiture arriva. Francis Urquhart s'était souvent dit qu'elle était comparable à un trou noir dans lequel disparaissaient les nouveaux Premiers Ministres, pour en ressortir parfois, exsangues, vidés de toute énergie et entourés d'une nuée de fonctionnaires protecteurs.

Urquhart avait pris soin de s'installer du côté gauche de la banquette arrière, de façon à offrir aux caméras et appareils photo des médias un portrait parfait de lui-même devant le numéro 10. Il sortit du véhicule et se redressa de toute sa hauteur. La meute de journalistes hurla quelques questions indistinctes, ce qui lui fournit un excellent prétexte pour aller échanger quelques mots. Il aperçut Manny Goodchild, la figure légendaire de l'agence *Press Association*, le chapeau mou solidement vissé sur la tête, et idéalement coincé entre les équipes de tournage d'ITN et de la BBC.

— Alors, Manny, vous étiez-vous risqué à parier un peu d'argent sur l'issue de cette élection ? demanda-t-il.

— Monsieur Urquhart, vous savez bien que mon rédacteur en chef verrait d'un mauvais œil que j'engage le salaire qu'il me verse sur des questions pour lesquelles on m'écoute.

— Cela n'empêche rien, répondit Urquhart en haussant un sourcil.

Les lèvres du vieux journaliste furent parcourues d'un rictus.

— Disons que Mme Goodchild a déjà réservé ses vacances à Majorque et, grâce à M. Collingridge, je vais l'accompagner.

Urquhart poussa un soupir théâtral.

— Ah… Le vent qui souffle n'est pas bon.

— À propos de vents mauvais, monsieur Urquhart, dit Manny en s'engageant dans la brèche, tandis que ses collègues se rapprochaient, venez-vous conseiller le Premier Ministre au sujet du remaniement ? Est-ce qu'il ne faut pas un bon renouvellement des effectifs après un résultat aussi décevant ? Et cela signifie-t-il un nouveau poste pour vous ?

— Eh bien, je suis ici pour aborder un certain nombre de questions, mais je suppose que le remaniement pourrait en faire partie, répondit Urquhart, non sans fausse modestie. Mais je vous rappelle que nous avons gagné. Ne soyez pas si négatif, Manny.

— D'après la rumeur, vous seriez pressenti à un nouveau poste de premier plan.

Urquhart eut un petit sourire.

— Je ne commente pas les rumeurs, Manny. Dans tous les cas, vous savez bien que c'est le Premier Ministre qui prend ses décisions. Moi, je ne suis là que pour lui apporter un soutien moral.

— Alors vous allez rejoindre Lord Williams pour prodiguer vos conseils au Premier Ministre, c'est bien ça ?

Au prix d'un effort, Urquhart parvint à maintenir son sourire.

— Lord Williams est déjà là ?

— Depuis plus d'une heure. Nous nous demandions tous à quel moment quelqu'un d'autre allait arriver.

Urquhart dut puiser au plus profond des ressources conférées par ses années d'expérience pour ne rien trahir de sa surprise.

— Je crois qu'il est temps que je les rejoigne, annonça-t-il. Je ne vais pas les faire attendre plus longtemps.

Et sur un signe de tête courtois, il pivota sur lui-même pour retraverser la rue, renonçant à l'idée de s'arrêter sur le seuil pour un dernier salut aux caméras. Cela aurait pu paraître quelque peu présomptueux.

De l'autre côté du hall au sol carrelé en noir et blanc, un couloir à l'épaisse moquette menait à la salle du Conseil, où se réunissait le Cabinet. Le conseiller politique du Premier Ministre, à l'allure étonnamment juvénile, l'y attendait. Tandis qu'il approchait du jeune homme, Urquhart sentit que celui-ci n'était pas à son aise.

— Le Premier Ministre vous attend.

— C'est la raison pour laquelle je suis ici.

Le jeune conseiller tressaillit.

— Il est dans le bureau à l'étage. Je vais le prévenir de votre arrivée.

Et sans attendre une nouvelle réplique sarcastique, il planta le *Chief Whip* sur place pour s'élancer dans l'escalier.

Il s'écoula douze minutes, chacune d'une lenteur exaspérante, avant qu'il ne reparaisse. Urquhart les consacra à observer d'un œil distrait les portraits des prédécesseurs de Collingridge accrochés aux murs de l'illustre escalier. Il ne parvenait pas à se défaire de l'impression que les derniers titulaires du poste étaient pour la plupart aussi falots qu'inconsistants. Ternes, sans souffle, absolument pas faits pour la fonction. En leur temps, ceux de la trempe des Lloyd George et des Churchill avaient été des leaders magnifiques, dotés d'une autorité naturelle. *Pourtant,* songea Urquhart, *les laisserait-on parvenir au sommet aujourd'hui ?* Le premier, aux mœurs légères, avait par ailleurs été impliqué dans un scandale autour de la vente de titres de chevalerie et de pairies. Quant au second, il avait consacré bien trop de temps dans son existence à boire, contracter des dettes et céder à son tempérament. Tous deux étaient des géants, mais ni l'un ni l'autre n'auraient franchi l'écueil des médias modernes. Le monde avait été livré aux pygmées, aux hommes sans stature ni ambition, choisis non pas pour leurs qualités exceptionnelles mais parce qu'ils ne dérangeaient personne. Des hommes qui suivaient les règles imposées au lieu de se forger les leurs. Des hommes... *Eh bien, des hommes comme Henry Collingridge.*

Le retour du conseiller tira Francis de ses pensées.

— Désolé de vous avoir fait attendre, *Chief Whip*. Il va vous recevoir.

La pièce dont Collingridge avait fait son bureau au premier étage donnait sur les jardins de Downing Street et, plus loin, sur St James's Park. C'était une pièce assez modeste, comme à peu près tous les espaces de la deuxième adresse la plus importante du pays. Malgré quelques efforts pour mettre un semblant d'ordre, Urquhart repéra dès le seuil les multiples papiers épars et autres notes manuscrites jonchant la table de travail. À l'évidence, la dernière heure écoulée avait été productive. Des assiettes où ne subsistaient plus que quelques miettes et feuilles de salade flétries étaient posées sur le rebord de la fenêtre. Dans la corbeille à papiers, il y avait une bouteille de bordeaux vide. Le président du Parti était assis à la droite du Premier Ministre. Ses propres notes débordaient sur le sous-main de cuir vert foncé. À côté d'eux, Francis aperçut une pile de dossiers en papier kraft contenant les biographies des membres du Parlement appartenant à la majorité.

Urquhart prit une chaise – du modèle sans accoudoirs – et s'installa en face des deux hommes. Il se sentait un peu dans la peau d'un petit garçon convoqué chez le proviseur. Les silhouettes de Collingridge et de Williams se découpaient à contre-jour sur la fenêtre. Ébloui, clignant des yeux, Urquhart posa son porte-documents en équilibre précaire sur ses genoux.

— Francis, vous avez eu la bonté de me faire part de vos avis sur le remaniement et je vous en suis reconnaissant, attaqua le Premier Ministre sans autre forme de préambule. Vous savez combien ces suggestions stimulent ma propre réflexion.

Urquhart accueillit le compliment d'un petit hochement de tête.

— Manifestement, vous y avez consacré beaucoup d'efforts. Avant d'entrer plus loin dans le détail, je crois que nous devrions d'abord discuter un peu des grands objectifs. Vous suggérez... comment dire... un remaniement pour le moins radical.

Le regard de Collingridge se porta sur la feuille posée devant lui. Il avait sur le nez les lunettes qu'il ne portait qu'en privé. De l'index, il parcourut la liste de noms.

— Six nouvelles nominations au Cabinet, ainsi qu'un nombre important de changements de portefeuilles pour ceux qui restent.

Avec un lourd soupir, le Premier Ministre se laissa aller en arrière dans son fauteuil, comme s'il se mettait personnellement à distance de cette option.

— Expliquez-moi, reprit-il. Pourquoi avoir la main aussi lourde ? Quels objectifs pensez-vous atteindre ?

Tous les sens en alerte, Urquhart réfléchissait avec la plus grande circonspection. Il aurait préféré entrer bien plus tôt dans la danse. Ses deux interlocuteurs avaient pris de l'avance et il ignorait à quel stade ils en étaient. Pas une fois l'occasion ne lui avait été donnée de sentir le vent, de sonder l'esprit du Premier Ministre et d'évaluer ce que pouvaient être ses orientations. C'était une position bien inconfortable pour un *Chief Whip*. Il se demanda s'il n'était pas en train de tomber dans un piège.

La lumière du soleil qui lui faisait plisser les yeux l'empêchait également de distinguer le visage du Premier Ministre, et *a fortiori* de déchiffrer son expression. Il regretta d'avoir couché ses idées sur le papier, ce qui le laissait sans échappatoire, sans aucune marge de manœuvre, mais il était trop tard pour les remords. Williams le regardait comme un aigle scrute sa proie. Urquhart répondit d'un ton calme et lent, de façon à n'éveiller aucun soupçon, choisissant avec soin les mots les mieux à même de brouiller les pistes.

— Bien sûr, monsieur le Premier Ministre. Ce ne sont que des suggestions, des indications, rien de plus, sur les stratégies que vous pourriez envisager de suivre. Schématiquement, de façon très générale, j'ai pensé qu'il serait sans doute avisé d'être dans l'action, d'entreprendre des changements importants plutôt qu'à la marge, de façon à démontrer que vous tenez fermement la barre. Que vous attendez de vos ministres de nouvelles idées, de nouvelles conceptions. Et je me suis dit que c'était également l'occasion de nous séparer de certains de nos collègues les plus âgés. C'est un choix que l'on peut regretter, mais qui est nécessaire si l'on veut apporter du sang neuf.

Merde, songea-t-il soudain. *Quelle connerie de sortir ça alors que ce vieux con de Williams est assis à côté de lui.* Malheureusement, c'était dit. Trop tard pour faire machine arrière.

— Nous sommes au pouvoir depuis plus longtemps qu'aucun autre Parti depuis la fin de la guerre, reprit-il. Ce qui ne va pas sans nous poser un vrai défi. L'ennui. Il faut donner une nouvelle image à l'équipe gouvernementale. Le risque sinon serait de lasser.

Le silence se fit. Puis, doucement, le Premier Ministre commença à tapoter son bureau avec le capuchon de son stylo.

— C'est très intéressant, Francis. Et je suis d'accord avec vous… Dans une certaine mesure.

Que pouvait bien signifier cette hésitation, cette petite pause dans le ton à peine perceptible ? Urquhart se rendit compte qu'il serrait les poings. Ses ongles lui écorchaient les paumes.

— Teddy et moi venons précisément de discuter de cette question, poursuivit Collingridge. Faire émerger une nouvelle génération de talents, trouver un nouvel élan, placer des hommes neufs à de nouveaux postes. Et je trouve bon nombre des changements que vous suggérez tout à fait convaincants, pour les niveaux ministériels hors Cabinet.

Autrement dit, les portefeuilles sans importance, comme aucun d'eux ne l'ignorait.

— Le problème, reprit le Premier Ministre d'un ton subitement rembruni, c'est qu'un changement trop radical au sommet du gouvernement peut se révéler extrêmement perturbant. Un cabinet ministériel a généralement besoin d'une année pour trouver ses marques après sa prise de fonction. Or, en ce moment, une année sans résultat positif concret est un luxe qu'on ne peut pas se permettre. Loin de faciliter la mise en œuvre de notre nouveau programme, Teddy estime que votre remaniement du Cabinet aurait plutôt pour effet de la retarder.

Quel nouveau programme ? hurla une voix dans la tête d'Urquhart. La feuille de route du gouvernement avait autant de tenue qu'un sac de grain à moitié vide.

— Certes, mais sauf votre respect, monsieur le Premier Ministre, ne croyez-vous pas que par son vote, notre électorat nous a signifié son désir d'une forme de changement ?

— Un point intéressant. Mais comme vous l'avez vous-même souligné, aucun gouvernement de l'après-guerre n'est resté aussi longtemps que nous aux affaires. Sans vouloir paraître par trop satisfait, Francis, je ne pense pas que nous aurions pu entrer dans les livres d'histoire comme nous venons de le faire si nos électeurs avaient vraiment estimé que nous manquions de ressort. Tout bien considéré, je crois plutôt que le résultat du scrutin prouve qu'ils apprécient ce que nous leur offrons.

L'heure était venue de louvoyer.

— Vous avez certainement raison, monsieur le Premier Ministre.

— Il y a un autre aspect essentiel dans le contexte actuel, reprit Collingridge. Il faut à tout prix éviter de donner l'impression de paniquer. Ce serait envoyer un signal totalement erroné. Souvenez-vous que Macmillan a coulé son propre gouvernement en virant un tiers de son Cabinet. Tout le monde y a vu un geste de faiblesse. Moins d'un an plus tard, il avait perdu son fauteuil. Je ne suis pas particulièrement désireux de rééditer cet exploit.

Collingridge assena un dernier coup de stylo sur le bureau, avant de le poser délicatement.

— En fait, je suis partisan d'une approche bien plus mesurée, ajouta-t-il en faisant glisser une feuille de papier en direction du *Chief Whip*.

Elle contenait une liste des postes ministériels composant le Cabinet. Vingt-deux portefeuilles en tout, avec pour chacun d'eux un nom inscrit en regard.

— Comme vous pouvez le voir, Francis, je propose un Cabinet sans aucun remaniement. J'escompte que ce choix sera pris pour une marque de fermeté. Nous avons un travail à accomplir. Et je crois que nous devons montrer notre détermination à le faire.

Urquhart reposa bien vite la feuille sur la table, de façon que le tremblement de sa main ne trahisse rien de ses sentiments.

— Si c'est ce que vous voulez, monsieur le Premier Ministre.

— Oui, c'est ce que je veux, répondit celui-ci. Et bien entendu, je suppose que je peux compter sur votre total soutien ? ajouta-t-il après une pause à peine perceptible.

— Bien sûr, monsieur le Premier Ministre.

Urquhart reconnut à peine le son de sa propre voix. Elle lui donnait l'impression de venir d'ailleurs. Même les mots lui paraissaient ceux d'un autre. Pourtant, aucune autre alternative ne s'offrait à lui. Soit il déclarait soutenir le choix de Collingridge, soit il commettait un suicide politique en démissionnant sur-le-champ. Cela étant, il ne pouvait pas non plus déposer les armes en rase campagne sans au moins une ultime tentative.

— Je dois néanmoins dire que… j'envisageais un certain changement pour moi-même. Une nouvelle expérience… un nouveau défi.

Les mots lui manquaient presque. Sa bouche s'était subitement asséchée.

— Vous vous en souvenez, monsieur le Premier Ministre, nous avions évoqué la possibilité…

— Francis, l'interrompit Collingridge sur un ton qui n'était pas dénué d'une certaine amabilité. Si je vous confie un autre poste, alors il faut que je le fasse pour tous les autres.

C'est l'inévitable effet domino. Sans compter que j'ai besoin de vous à la place qui est la vôtre. Vous êtes un excellent *Chief Whip*. Vous avez su vous consacrer à votre tâche jusqu'à pénétrer le cœur et l'âme du corps parlementaire de notre Parti. Vous les connaissez tous sur le bout des doigts. Avec une majorité aussi étroite, nous devons nous faire à l'idée qu'il y aura inévitablement un peu de tirage au cours des prochaines années. J'ai absolument besoin de pouvoir compter sur un *Chief Whip* capable de faire face. J'ai besoin de vous, Francis. Vous êtes le meilleur pour opérer dans l'ombre. Laissons à d'autres le soin de gagner le devant de la scène.

Urquhart baissa les yeux. Il ne voulait pas qu'ils puissent y lire combien il se sentait trahi. Collingridge prit cela pour un signe d'acceptation.

— Merci, Francis. Je vous suis sincèrement reconnaissant de votre compréhension et de votre soutien.

Urquhart eut le sentiment qu'une porte de cellule venait de se refermer sur lui. Il remercia ses deux interlocuteurs et prit congé. Williams n'avait pas prononcé un mot.

Il sortit par-derrière en passant par le sous-sol. Ensuite, il longea les ruines du court de tennis de l'époque des Tudor, sur lequel Henry VIII avait joué, pour gagner le bureau du Cabinet dont la façade donnait sur Whitehall, l'axe perpendiculaire à Downing Street, hors de vue des journalistes massés devant le numéro 10. Il avait passé moins d'une demi-heure avec le Premier Ministre, et il n'était pas certain que l'expression de son visage confirme les mensonges qu'il aurait à débiter. Il demanda à l'un des gardes de sécurité d'appeler sa voiture pour venir le chercher. Il n'était pas d'humeur à bavarder.

Chapitre 8

La vérité est comme une bouteille de bon vin. C'est souvent dans le coin le plus sombre et reculé d'une cave qu'on la trouve. Il faut la tourner un peu à l'occasion. Et puis, avant de l'exposer à la lumière et de la servir, il peut également être utile de la dépoussiérer un peu.

Cela faisait presque un quart d'heure que la BMW aux ailes cabossées était venue se garer devant la maison de Cambridge Street, dans le quartier de Pimlico. Dans l'habitacle, le siège passager et la banquette arrière disparaissaient sous des monceaux de vieux journaux et d'emballages de barres de céréales, comme seule peut en produire une femme célibataire et hyperactive. Assise derrière le volant, Mattie Storin se mordillait les lèvres. L'annonce au sujet du remaniement, donnée en fin d'après-midi, avait suscité des débats animés pour savoir si le Premier Ministre avait été à la fois brillant et audacieux, ou s'il avait simplement perdu la raison. La jeune journaliste avait besoin de l'éclairage des hommes qui avaient pris part à cette décision. Comme d'habitude, Williams s'était montré affable et convaincant, mais le téléphone d'Urquhart avait sonné sans que personne ne réponde.

Sans bien savoir pourquoi, à la fin de sa journée au *Chronicle*, Mattie avait décidé de passer devant la résidence londonienne d'Urquhart, à dix minutes à peine de la Chambre des communes, dans l'une de ces petites rues élégantes qui constituent les plus beaux coins de Pimlico. Elle s'était attendue à découvrir une habitation sombre et vide, mais il n'en était rien. Dcs lumières brillaient aux fenêtres et Mattie devinait des mouvements à l'intérieur. Elle appela une nouvelle fois. En vain.

Le monde de Westminster est un club régi par des règles non écrites sur lesquelles les hommes politiques et les médias veillent jalousement. Cela s'applique particulièrement au monde de la presse – le fameux « lobby » des correspondants qui réglemente dans le velours et la plus grande discrétion toutes les activités des journalistes à l'intérieur du microcosme. Par exemple, ce sont ces dispositions tacites qui font que des entretiens peuvent se tenir à l'improviste, étant entendu que celui qui a parlé ne pourra jamais être identifié. Aucun indice ne transparaît. Tout est laissé dans l'ombre. Les politiciens sont encouragés à livrer des confidences, à se laisser aller aux indiscrétions, et en contrepartie, les correspondants tiennent leurs délais et décrochent des unes aussi remarquables que percutantes. Le respect de l'*omerta* est le passeport du journaliste. Tout manquement lui fermerait irrémédiablement les portes et tarirait les sources à jamais. Révéler de qui on tient une information est une faute qui mérite la potence. Aller frapper à la porte du domicile privé d'un ministre est à peine moins grave. C'est un comportement de nature à rompre toutes formes de contacts utiles. Les journalistes politiques n'emportent pas de travail à la maison. C'est une erreur, une faute réprimandée partout.

Mattie se mordit l'intérieur d'une joue. Elle était nerveuse. Ce n'était pas à la légère qu'elle s'apprêtait à enfreindre les sacro-saintes règles, mais pourquoi donc ce maudit Urquhart ne répondait-il pas au téléphone ? Qu'est-ce qu'il pouvait bien fabriquer ?

Elle eut alors l'impression d'entendre une voix au lourd accent du Nord. La voix qui lui manquait tant depuis qu'elle avait quitté le *Yorkshire Post* et le rédacteur en chef qui lui avait donné son premier vrai travail. Que disait-il, déjà ? *« Ma fille, les règles ne sont rien d'autre qu'une couverture bien confortable pour les vieillards, pour s'emmitoufler et se protéger du froid. Elles sont là pour guider le sage et émasculer l'idiot. Ne t'avise jamais d'entrer dans mon bureau pour m'annoncer que tu as manqué un scoop à cause de règles merdiques édictées par un autre. »*

— D'accord, d'accord, vieux bougon. Fiche-moi la paix, dit Mattie à voix haute.

D'un coup d'œil dans le rétroviseur, elle vérifia son allure, passant une main dans ses cheveux pour leur redonner un semblant de lustre. Puis elle ouvrit la portière et descendit sur le trottoir, regrettant de toutes ses forces de n'être pas ailleurs. Vingt secondes plus tard, l'écho du heurtoir de cuivre de la porte d'entrée retentissait dans la maison.

Urquhart vint ouvrir. Il était seul. N'attendant aucun visiteur, il avait enfilé une tenue décontractée. Sa femme était repartie à la campagne et leur domestique ne travaillait pas le week-end. Le regard qu'il posa sur Mattie luisait d'une note d'impatience. Dans l'obscurité de la rue, il n'avait pas reconnu sa visiteuse.

— Monsieur Urquhart, j'ai essayé de vous contacter tout l'après-midi. J'espère que ma visite ne vous dérange pas.

— Ne me dérange pas ? À 22 h 30 ?

L'impatience s'était muée en exaspération.

— Excusez-moi, mais j'ai besoin d'aide pour y voir clair. Aucun remaniement du Cabinet ? C'est extraordinaire. J'essaie de comprendre le raisonnement qui a pu conduire à ce choix.

— Le raisonnement ? répéta Urquhart d'un ton toujours plus sarcastique. Je suis désolé, mais je n'ai rien à dire.

Comme il s'apprêtait à refermer la porte, il vit son importune visiteuse avancer d'un pas décidé. *Cette folle ne va quand même pas mettre un pied dans la porte*, se dit-il. *Il ne manquerait plus que ça. On toucherait au sublime dans le ridicule.* Mais Mattie ne s'en laissa pas conter, reprenant d'une voix calme et posée.

— Monsieur Urquhart, cela fera un excellent article. Mais je ne suis pas sûre que vous vouliez vraiment le voir imprimé.

Urquhart interrompit son geste, subitement intrigué. Mais de quoi pouvait-elle bien parler ? Cet instant d'hésitation n'échappa pas à Mattie, qui se hâta d'agiter un peu plus son appât.

— L'introduction serait la suivante : « La nuit dernière, certains signes traduisaient l'existence de profondes divisions au sein du Cabinet sur la question de l'absence de tout remaniement. Le *Chief Whip*, dont on pensait depuis longtemps qu'il nourrissait l'ambition de décrocher un nouveau poste, a ainsi refusé de défendre la décision du Premier Ministre. » Qu'en pensez-vous ?

Alors que ses yeux venaient seulement de s'accoutumer à la pénombre, Urquhart reconnut la nouvelle correspondante du *Chronicle*. Il ne la connaissait pas vraiment, mais il l'avait suffisamment vue à l'œuvre pour savoir que ce n'était pas une écervelée. Il n'en était que plus étonné de la voir ainsi plantée sur le pas de sa porte, en train d'essayer de l'intimider.

— Vous ne parlez pas sérieusement, dit lentement Urquhart.

Mattie le gratifia d'un large sourire.

— Bien sûr que non. Mais qu'est-ce qu'une jeune fille comme moi est censée faire ? Vous ne répondez pas au téléphone et vous me refusez un entretien.

Il était complètement désarmé par l'honnêteté de la journaliste. Et puis, de la voir sous les lueurs de la lampe du perron qui allumaient des reflets dans ses cheveux courts, Urquhart dut bien admettre qu'il lui était déjà arrivé de croiser des correspondants moins agréables à regarder dans la salle des pas perdus.

— Votre aide me serait vraiment d'un grand secours, monsieur Urquhart. J'ai besoin de quelque chose de consistant à me mettre sous la dent. Sans cela, je n'ai que du vent. Si vous fermez la porte, c'est tout ce que j'ai. Je vous en prie, aidez-moi.

Urquhart fit la moue en la regardant fixement.

— Je devrais être furieux et téléphoner à votre rédacteur en chef pour lui demander des excuses. C'est du harcèlement.

— Mais vous ne le ferez pas, n'est-ce pas ? répondit-elle en jouant délibérément les aguicheuses.

Leurs précédentes rencontres s'étaient limitées au strict minimum, mais Mattie n'avait pas oublié le coup d'œil discret qu'il lui avait lancé un jour qu'ils s'étaient croisés. La lueur masculine dans ce regard qui, l'espace d'une seconde, avait spontanément glissé vers elle sans même paraître dévier.

— Après tout, vous pourriez peut-être entrer… mademoiselle Storin, c'est bien ça ?

— Je vous en prie, appelez-moi Mattie.

— Le salon est à l'étage, dit-il, sur un ton de demi-confidence.

Il la conduisit jusqu'à une pièce décorée dans un style des plus traditionnels, mais avec beaucoup de goût. Des toiles représentant des chevaux de course et des paysages de campagne ornaient les murs, peints dans des tons moutarde. Le mobilier était élégant et les marqueteries délicates. Il y avait également une immense bibliothèque emplie de livres, des photos de famille dans des cadres, une cheminée de marbre blanc. La douce lumière jetait sur les murs des ombres soyeuses et créait une atmosphère chaude et intense. Il se servit un grand verre d'un *single malt*, un vénérable Glenfiddich, et en fit de même pour elle sans lui demander son avis. Ensuite, il prit place dans un fauteuil club de cuir foncé, sur l'accoudoir duquel un livre était posé. Une pièce de Molière, lut Mattie sur le dos de la reliure craquelée, en s'asseyant au bord du sofa. Légèrement nerveuse, elle tira un petit calepin de son sac, mais Urquhart l'arrêta d'un geste.

— Je suis fatigué, mademoiselle Storin… Mattie. La campagne a été longue et je ne suis pas certain de m'exprimer aussi bien que je le souhaiterais. Si vous voulez bien, je vous saurais gré de ne pas prendre de notes.

— Tout à fait. Un entretien en « off ». Je peux utiliser ce que vous me dites, mais sans pouvoir vous l'attribuer. Rien ne doit permettre de remonter jusqu'à vous.

— Exactement.

Urquhart mit Molière de côté pendant que Mattie rangeait son carnet. Puis elle se rassit sur le canapé. Elle portait un chemisier de coton blanc, un peu ajusté. Ce détail n'échappa pas à l'œil de Francis, mais sans y allumer de lueur prédatrice. Son regard paraissait absorber ce qu'il voyait, pénétrer jusqu'au cœur des choses. Tous deux savaient pertinemment qu'ils se livraient à un petit jeu.

Il prit une cigarette dans un étui d'argent, puis l'alluma et inspira une profonde bouffée avant d'entamer leur échange.

— Alors, Mattie, que diriez-vous si je vous annonçais que le Premier Ministre voit cette option comme la meilleure manière de poursuivre sa mission ? Pour que les ministres ne s'embrouillent pas avec de nouvelles responsabilités. Pleins gaz, en avant !

— Je dirais, monsieur Urquhart, qu'une information de ce calibre ne justifie pas de passer en « off » !

Le franc-parler de la jeune journaliste fit glousser Urquhart. De nouveau, il tira profondément sur sa cigarette. La combinaison des deux sensations semblait lui convenir.

— Mais j'ajouterais, poursuivit Mattie, qu'aux yeux de bien des gens, cette élection traduit aussi la nécessité d'un renouvellement de la pensée et du personnel politiques. Vous avez perdu un nombre considérable de sièges. Le soutien manifesté par le corps électoral n'est pas des plus délirant, vous ne pensez pas ?

— Notre majorité est claire et incontestable. Nous avons enlevé bien plus de circonscriptions que le principal parti d'opposition. Ce n'est pas si mal après tant d'années aux commandes du pays… Vous n'êtes pas d'accord ?

— C'est votre avis qui importe, pas le mien.

— Faites-moi plaisir.

— D'accord… Je dirais que les perspectives ne sont pas brillantes pour la prochaine élection. On prend les mêmes et on recommence. Droit dans ses bottes pendant que le bateau coule.

— Voilà qui est peut-être un petit peu dur, répondit Urquhart, conscient qu'il aurait dû défendre le gouvernement avec plus d'ardeur.

— J'ai assisté à l'une de vos réunions électorales.

— Vraiment, Mattie ? Je suis flatté.

— Vous parliez d'un souffle nouveau, d'idées neuves, de projets. Tout ce que vous disiez était porté par l'idée que des changements allaient être mis en œuvre – par de nouveaux acteurs de la vie politique.

Mattie s'interrompit, mais Urquhart ne manifesta pas l'envie de lui répondre.

— Votre propre profession de foi… Je l'ai ici, poursuivit-elle en prélevant dans son sac un prospectus de papier glacé tiré d'une liasse hétéroclite. Vous y parlez « des défis stimulants que nous aurons à relever ». Ce sont vos propres paroles. Or, ce à quoi nous assistons est à peu près aussi stimulant qu'un journal de la semaine dernière. Et puis, je parle trop, il va falloir que vous preniez la relève.

Urquhart sourit et but une gorgée de whisky. Et resta silencieux.

— Permettez que j'aille droit au but, monsieur Urquhart. Pensez-vous que le Premier Ministre ne pourrait pas faire mieux que ça ?

Urquhart ne répondit pas directement, mais porta lentement son verre à ses lèvres, observant la jeune femme par-dessus le rebord de cristal.

— Pensez-vous qu'Henry Collingridge soit ce que le pays peut obtenir de mieux ? insista-t-elle, plus doucement.

— Mattie, comment diable voulez-vous que je réponde à une question pareille ? Je suis le *Chief Whip*. Je suis totalement loyal au Premier Ministre – et à son remaniement. Ou plutôt à son absence de remaniement.

La tonalité sarcastique était de retour dans sa voix.

— Certes, mais qu'en pense Francis Urquhart, un homme qui a beaucoup d'ambition pour son parti et qui veut à tout prix le voir réussir ? Est-il d'accord avec ça ?

Aucune réponse.

— Monsieur Urquhart, dans mon article de demain, je rendrai fidèlement compte du soutien public que vous apportez au remaniement et de vos arguments pour le justifier. Mais…

— Mais ?

— Nous parlons en « off ». Mon instinct me souffle que vous n'êtes pas du tout d'accord avec ce qui est en train de se passer. Moi, je veux savoir. Et vous, vous voulez que le fond de votre pensée ne revienne pas aux oreilles de mes collègues, ou des vôtres. Qu'il ne devienne pas l'objet des potins de Westminster. Sur ce point, je peux vous donner ma parole. Cette information, c'est juste pour moi, parce que tout cela peut devenir important dans les mois à venir. Et d'ailleurs, personne n'est au courant que je suis ici ce soir.

— Êtes-vous en train de me proposer un marché ? murmura-t-il doucement.

— Oui. Je pense que c'est ce que vous voulez. Quelqu'un comme moi, qui vous serve de porte-parole.

— Et qu'est-ce qui vous fait croire ça ?

— Le fait que vous m'ayez laissée entrer.

Il la fixa de ses yeux bleus qui semblaient plonger au plus profond d'elle. Elle frissonna.

— Vous voulez être un acteur, et pas simplement un pion, dit-elle.

— Mieux vaut avoir une réputation qu'être oublié, n'est-ce pas ?

— C'est ce que je crois, répondit-elle en soutenant son regard, un sourire aux lèvres.

— Voyons les choses ainsi, Mattie. Une histoire simple. Celle d'un Premier Ministre entouré par un océan d'ambitions. Pas la sienne, celle des autres. Et ces ambitions ont encore grandi depuis l'élection. Il faut donc qu'il les garde à l'œil, qu'il les muselle, sans quoi elles pourraient échapper à son contrôle et le détruire.

— Voulez-vous dire qu'il y a des rivalités et des dissensions au sein du Cabinet ?

Il resta silencieux un instant, choisissant ses mots avec soin. Puis il répondit, sur un ton posé et circonspect.

— Imaginez un grand orme touché par la maladie. Tout n'est qu'une question de temps. On peut supposer que certains se demandent ce qui va se passer dans dix-huit mois ou deux ans. Où voudront-ils être quand l'arbre s'abattra ? Car ils finissent tous par tomber.

— Mais pourquoi ne se débarrasse-t-il pas de ceux qui lui causent des ennuis ?

— Parce qu'il ne peut pas prendre le risque de se retrouver avec d'ex-ministres du Cabinet mécontents, en train de semer la zizanie chez les députés, alors que sa majorité n'est que de vingt-quatre sièges. À la première bourde parlementaire, il se retrouverait minoritaire. Il doit faire profil bas et rester aussi discret que possible. Il ne peut même pas nommer les plus maladroits à un nouveau portefeuille du Cabinet, parce qu'un tout nouveau ministre ne demande qu'une chose : imposer sa marque. Du coup, les médias – les gens comme vous – n'ont d'yeux que pour lui. Et l'on découvre subitement que les ministres ne sont pas là simplement pour faire leur travail, mais aussi pour se placer dans la perspective de la course au pouvoir qui, tôt ou tard, finit inévitablement par survenir. C'est comme un cancer. Le gouvernement se retrouve en plein chaos. Chacun regarde par-dessus son épaule. C'est la confusion, la discorde, les reproches. Tout à coup, on se retrouve avec une crise de *leadership* sur les bras.

—Et donc, pour éviter ça, chacun conserve sa place. Pensez-vous que ce soit une bonne stratégie ?

Urquhart prit une longue gorgée de whisky.

—Si j'étais le capitaine du *Titanic* et qu'apparaissait devant moi un énorme iceberg, je crois que je changerais de cap.

—Avez-vous dit ces choses au Premier Ministre cet après-midi ?

—Mattie, la gronda-t-il. Vous voulez aller trop loin. J'apprécie notre petite conversation, mais je dépasserais la mesure si je révélais les détails de discussions privées. Un coup à se faire crucifier.

—Alors, parlons de Lord Williams. Il est resté extraordinairement longtemps avec le Premier Ministre cet après-midi, si la seule décision qu'ils ont prise est de ne rien faire.

—Ah, un homme blanchi sous le harnais au service de son parti. Parfois, il faut se méfier de l'homme âgé qui doit se hâter...

—Il ne peut quand même pas imaginer devenir chef du Parti. Pas en siégeant à la Chambre des lords !

—Non, bien sûr que non. Même ce cher Teddy n'est pas égocentrique à ce point. Mais cela dit, en tant que doyen de la politique, il souhaite peut-être s'assurer que le *leadership* finisse entre de bonnes mains.

—Les mains de qui ?

—Si ce n'est les siennes, celles de l'un de ses jeunes acolytes.

—Qui, par exemple ?

—Vous n'avez donc pas une petite idée ?

—Samuel. Vous parlez de Michael Samuel, s'exclama-t-elle d'un ton excité, en esquissant une petite moue.

— Libre à vous de le croire, Mattie.

— Comment le savez-vous ?

— Je ne peux faire aucun commentaire, répondit Urquhart avec un fin sourire, avant de finir son verre. Je crois que je vous ai donné largement de quoi méditer. Nous allons nous en tenir là.

Mattie hocha la tête, à contrecœur.

— Merci, monsieur Urquhart.

— De quoi ? Je n'ai absolument rien dit, répliqua-t-il en se levant.

L'esprit en surchauffe, la jeune femme échafaudait mille théories, tentant de mettre en place toutes les pièces du puzzle. Ils se serraient la main sur le seuil quand elle reprit la parole.

— Et Mme Urquhart ? demanda-t-elle.

— Elle n'est pas là. Elle est à la campagne.

Il avait toujours la main de Mattie dans la sienne.

— Vous lui transmettrez mes salutations.

— Je n'y manquerai pas, Mattie.

Elle retira sa main et tourna les talons, avant de marquer une hésitation.

— Une dernière question. S'il y avait une élection pour désigner le chef du Parti, seriez-vous candidat ?

— Bonne nuit, Mattie, répondit Urquhart en refermant la porte.

Chronicle, lundi 14 juin, première page

Hier, le Premier Ministre a surpris bien des observateurs en annonçant qu'il n'y aurait aucun remaniement du Cabinet. Après plusieurs heures d'entretien avec le président de son Parti, Lord Williams, ainsi que le

Chief Whip, Francis Urquhart, Henry Collingridge a envoyé le message suivant à ses troupes : « On maintient le cap. »

Néanmoins, hier soir, des sources de haut niveau de Westminster ont fait part de leur étonnement devant cette décision. Pour certains, elle traduit la faiblesse de la position du Premier Ministre, à l'issue d'une campagne jugée terne et sans relief.

Il est de plus en plus largement estimé que Collingridge ne sera pas en mesure de mener la bataille de la prochaine élection, à tel point que quelques-uns des ministres de premier plan seraient déjà à la manœuvre dans la perspective d'une primaire anticipée pour désigner le chef du Parti. Un ministre du Cabinet a notamment comparé le Premier Ministre au « capitaine du *Titanic* quelques instants avant la rencontre avec l'iceberg ».

Pour beaucoup, le choix de ne procéder à aucun remaniement après les élections générales – une première depuis la guerre – est la meilleure manière pour Collingridge de continuer à contrôler les rivalités entre ses collègues du Cabinet. Hier soir, le *Chief Whip* a défendu cette décision en disant qu'elle était la solution la plus efficace pour « poursuivre le travail entrepris », mais d'ores et déjà les spéculations vont bon train pour savoir qui sera sur la ligne de départ dans la course au *leadership*.

Contacté hier soir, Lord Williams a déclaré « parfaitement absurdes » ces bruits concernant l'hypothèse d'une primaire imminente. « Le Premier Ministre a remporté une quatrième victoire de rang historique pour notre Parti. Nous sommes dans une situation excellente », a-t-il encore ajouté. Il apparaît néanmoins que la position de Williams en tant que président du Parti serait particulièrement cruciale dans le contexte d'une primaire, et ses liens avec Michael Samuel, le ministre de l'Environnement et candidat potentiel, sont de notoriété publique.

Pour sa part, l'Opposition n'a pas tardé à mettre en avant ce qu'elle considère comme l'indécision du Premier Ministre. « Au sein du gouvernement, l'heure est à la grogne et au mécontentement. Je ne crois pas que M. Collingridge ait les reins assez solides ou l'appui suffisant pour apporter des réponses. J'attends le prochain scrutin avec la plus grande impatience. »

Une source de premier plan au sein du gouvernement a décrit la situation comme celle d'un « grand orme malade condamné à tomber tôt ou tard ».

Chapitre 9

Certains hommes ne parviennent jamais à respecter leurs principes. À Westminster, il peut être utile d'être vu en train de leur manifester quelques égards mesurés, ou une lointaine considération. Mais pas trop souvent non plus, au risque sinon d'être pris pour une sainte-nitouche.

Mardi 22 juin

Dans un premier temps, O'Neill avait été ravi – et un peu surpris – de recevoir de la part d'Urquhart une invitation à déjeuner à son club de St James's Street. Jusqu'alors, le *Chief Whip* ne s'était jamais montré très chaleureux envers le responsable de la communication du Parti. Mais voici qu'il suggérait à présent de « célébrer comme il se doit l'excellent travail accompli durant toute la campagne ». O'Neill avait pris cela comme une reconnaissance de son importance croissante au sein des instances.

Et le repas avait été excellent, un véritable festin. Hypertendu comme toujours, O'Neill s'était donné du cœur au ventre avec deux vodka-tonics généreusement dosées, avalées avant de partir. Mais il aurait tout aussi bien pu s'en passer. Deux bouteilles de Château Talbot 78, plus deux cognacs de dégustation en sortie, auraient suffi à étancher sa soif d'Irlandais. Il avait trop parlé, il le savait. Il parlait toujours trop. C'était plus fort que lui. Par le passé, Urquhart l'avait toujours mis mal à l'aise. Quelque chose dans son attitude réservée et glaciale. Sans compter que quelqu'un l'avait entendu dire de lui, O'Neill, qu'il n'était qu'un « Kleenex du marketing ». Pourtant, tandis qu'il déblatérait sans fin, Urquhart s'était révélé être un hôte attentionné. À présent, ils étaient assis dans les profonds et vénérables fauteuils de cuir disposés autour des tables de *snooker*, dans la salle de billard sur l'arrière du *White's* – l'un des plus anciens et prestigieux clubs de gentlemen de Londres, toujours exclusivement réservés aux hommes. Quand personne ne jouait, c'était un endroit calme où les membres pouvaient s'entretenir en toute confidentialité avec leurs invités.

— Dites-moi, Roger, quels sont vos projets maintenant que l'élection est passée ? Comptez-vous continuer à travailler pour le Parti ? Nous ne pouvons pas nous permettre de perdre des éléments de valeur tels que vous.

O'Neill gratifia son interlocuteur d'un autre de ses sourires de vainqueur, avant d'écraser la cigarette qu'il fumait dans le cendrier – dans l'espoir qu'un bon havane se profile. Ensuite, il assura à son hôte qu'il resterait au service du Parti aussi longtemps que le Premier Ministre voudrait bien de lui.

— Mais comment ferez-vous pour joindre les deux bouts, Roger ? Je ne veux pas me montrer indiscret, mais je sais combien les rémunérations offertes par le Parti sont modestes. D'autant qu'après une élection, l'argent se fait plus rare. Les deux prochaines années ne vont pas être glorieuses. Votre salaire sera gelé et votre budget réduit. C'est toujours la même chose avec nous, les politiciens. On ne voit que le court terme. Vous n'êtes jamais tenté d'accepter l'une ou l'autre des offres mirifiques qui doivent vous arriver de l'extérieur ?

— Eh bien, ce n'est pas toujours facile, Francis, comme vous l'avez deviné. Mais ce n'est pas le salaire qui me motive en premier lieu. Je travaille dans la politique parce qu'elle me fascine. Et que j'adore être au cœur de l'événement. En revanche, tailler dans mon budget serait une véritable tragédie. Il y a encore tellement à faire.

O'Neill affichait un grand sourire et son œil pétillait, mais un début d'agitation le gagnait à mesure qu'il prenait la pleine mesure de ce que venait de lui dire le *Chief Whip*. Sa main se mit à jouer nerveusement avec son verre.

— C'est maintenant que nous devrions commencer à travailler pour la prochaine élection, poursuivit-il. Surtout en ce moment, avec toutes ces rumeurs ridicules autour de prétendues dissensions à l'intérieur du Parti. Nous avons besoin de publicité positive, et moi j'ai besoin d'un budget pour la créer.

— C'est intéressant. Et que dit le président du Parti ? Il vous soutient ? demanda Urquhart en haussant un sourcil.

— Comme si les présidents faisaient une chose pareille…

— Je peux peut-être faire quelque chose pour vous, Roger. J'aimerais vraiment vous aider. Si vous voulez, je peux aller plaider votre cause auprès du président.

— Vraiment ? Je ne m'y attendais pas. Ce serait très aimable à vous, Francis.

— Mais je dois d'abord vous demander quelque chose, Roger. Vous me pardonnerez de parler sans détours.

Urquhart plongea son regard de glace dans celui de son jeune collègue. Le *Chief Whip* ne manqua pas d'y noter la lueur vacillante habituelle. Puis O'Neill se moucha.

Bruyamment. Encore un geste machinal, tout comme le tapotement nerveux de l'index et du majeur de la main droite. Urquhart connaissait bien ces tics. C'était comme si une seconde vie autonome, déconnectée du reste du monde, était tapie à l'intérieur d'O'Neill et ne se manifestait que par les mouvements saccadés de ses mains et de ses yeux.

— J'ai reçu la visite d'une vieille connaissance l'autre jour. Une relation du temps où je siégeais dans quelques conseils d'administration de la City. Aujourd'hui, cette personne s'occupe notamment des finances de l'agence de communication du Parti. Il m'a fait part de ses préoccupations. Il est très discret, mais il était aussi très soucieux. Il m'a dit que vous aviez pour habitude de demander des sommes considérables à l'agence pour couvrir vos dépenses.

L'intégralité des petits mouvements nerveux cessa d'un coup. Urquhart se dit qu'il n'avait sans doute jamais vu O'Neill aussi parfaitement immobile.

— Roger, croyez bien que je ne suis pas en train d'essayer de vous piéger. Cette conversation reste strictement entre nous. Mais pour que je puisse vous venir en aide, je dois d'abord m'assurer de la réalité des faits.

Les soubresauts reprirent de plus belle. O'Neill lâcha nerveusement un éclat de ce rire jovial et communicatif, dont il semblait avoir une réserve inépuisable.

— Francis, je vous assure qu'il n'y a absolument rien de répréhensible. Rien du tout. C'est idiot, bien sûr, mais je suis content que vous abordiez la question avec moi. Ce n'est rien ; simplement, quand j'engage des frais dans le cadre de mes activités publicitaires, c'est moins compliqué pour moi de me les faire rembourser par l'agence plutôt que de passer par la machine administrative du Parti. Ce sont des notes de frais, par exemple, quand je prends un verre avec un journaliste ou lorsque j'invite un contributeur à déjeuner.

O'Neill débitait sa petite explication à un rythme soutenu – signe évident qu'il l'avait déjà beaucoup utilisée.

— Vous voyez, quand je paie de ma poche, il faut ensuite que je me fasse rembourser. Et le Parti prend toujours son temps pour m'envoyer mon chèque. Deux mois… parfois plus. Vous savez comment ils sont. Ils attendent toujours que l'encre soit bien sèche. Et franchement, vu ce qu'ils me paient, c'est un luxe que je ne peux pas me permettre. Du coup, je me fais rembourser par l'agence. De cette façon, je reçois mon argent immédiatement, et elle se fait rembourser en imputant les sommes dans sa comptabilité. Pour le Parti, c'est un peu comme un prêt sans intérêts. Grâce à cette solution, je peux poursuivre mon travail sans avoir à m'inquiéter. De toute manière, il ne s'agit que de petites sommes.

O'Neill porta son verre à sa bouche. Urquhart joignit délicatement l'extrémité de ses doigts, puis regarda son interlocuteur vider son cognac.

— Parce que 22 300 livres au cours des dix derniers mois représentent une petite somme ?

O'Neill faillit s'étrangler. Le visage congestionné, il s'efforça à la fois d'avaler un peu d'air et d'énoncer la dénégation qui s'imposait.

— Il n'y en a pas pour autant d'argent, protesta-t-il.

La bouche ouverte, il chercha ensuite ce qu'il convenait d'ajouter. Il arrivait à la partie de l'explication qu'il n'avait encore jamais employée. Les tics d'O'Neill évoquaient à présent les gesticulations d'une mouche dans une toile d'araignée. Or les fils d'Urquhart étaient infiniment plus solides.

— Roger, depuis septembre de l'an dernier, le total des frais dont vous avez demandé le remboursement à l'agence s'établit très précisément à 22 300 livres. Les sommes relativement modestes du début n'ont cessé d'augmenter, pour atteindre ces derniers temps 4 000 livres par mois. Personne ne dépense autant en verres et dîners, même lors d'une campagne électorale.

— Francis, je vous assure que j'ai des justificatifs pour chaque livre dont j'ai demandé le remboursement !

— C'est cher, n'est-ce pas ? La cocaïne.

Le regard figé d'O'Neill exprimait l'horreur absolue.

— Roger, mes fonctions de *Chief Whip* m'obligent à tout savoir des problèmes de la vie. J'ai déjà eu à m'occuper de cas de maltraitance conjugale, d'adultère, de malversation, de troubles mentaux. J'ai même connu une affaire d'inceste. Si, si, je vous assure. Bien sûr, nous n'avons pas autorisé le fautif à se représenter sous nos couleurs, mais il n'y aurait rien eu à gagner à un déballage public. D'ailleurs, c'est pour cette raison que ces histoires font généralement aussi peu de bruit. Pour moi, l'inceste est une ligne rouge. Pour le reste, nous ne jugeons pas. À mes yeux, tout homme a droit une fois à l'indulgence – du moment qu'elle reste privée.

Urquhart se tut. Dans l'œil d'O'Neill, une nouvelle lueur était apparue. Celle du désespoir.

— L'un de mes *whips* assistants est médecin. Je l'ai nommé à ce poste pour qu'il m'aide à repérer les signes d'épuisement dans le cheptel. Après tout, nous veillons sur plus de trois cents députés, tous soumis à d'importantes pressions. Vous seriez surpris de savoir à combien de cas de consommation de drogues nous sommes confrontés. Nous les envoyons se sevrer dans une charmante ferme, isolée et discrète, non loin de Douvres. Parfois, les séjours peuvent durer jusqu'à deux mois. Dans l'ensemble, ils récupèrent parfaitement. Parmi eux, il y a même eu un ministre de haut rang.

Urquhart se pencha en avant pour se rapprocher de son interlocuteur.

— Ce qu'il faut, c'est les repérer le plus tôt possible, Roger. La cocaïne est devenue un véritable fléau ces derniers temps. Ils me disent tous que c'est tendance – même si j'ignore ce que cela peut bien signifier – et bien trop facile à se procurer. Il paraît que cela peut rendre brillant un homme intelligent. Dommage qu'il y ait la dépendance. Et que ce soit si cher.

Urquhart n'avait pas quitté O'Neill du regard un seul instant pendant son petit exposé. Le spectacle de cette pitoyable agonie avait quelque chose de délectable et de fascinant à ses yeux. Les mains tremblantes d'O'Neill et sa bouche ouverte et silencieuse avaient balayé les doutes qui auraient pu subsister sur le bien-fondé du diagnostic. Lorsque O'Neill retrouva l'usage de la parole, ce fut pour nier d'un ton geignard.

— Qu'est-ce que vous racontez ? Je ne consomme rien. Je ne suis pas un drogué !

— Bien sûr que non, Roger, voyons, répondit Urquhart de son ton le plus rassurant. Néanmoins, vous devez admettre que certains pourraient aboutir à de très regrettables conclusions à votre sujet. Et le Premier Ministre… Vous savez, en ce moment… Il préférera sûrement ne courir aucun risque. Croyez-moi, il ne s'agit pas ici de condamner quiconque sans preuve ni procès. Simplement de jouer la carte de la tranquillité.

— Henry ne peut pas croire une chose pareille ! Vous ne lui avez rien raconté…

O'Neill haletait comme s'il venait d'être chargé par un taureau furieux.

— Bien évidemment que non, Roger. Vous devez me considérer comme votre ami, j'insiste. Mais le président du Parti…

— Williams ? Qu'est-ce qu'il a dit ?

— Au sujet de la drogue ? Rien. Mais je crains que le brave lord ne soit pas votre plus fervent supporter. Il n'a personnellement pas été très utile aux côtés du Premier Ministre. Et apparemment, il estime que c'est vous qui devriez être tenu responsable du résultat de l'élection, et pas lui.

— Quoi ?

Jailli de sa gorge, le mot avait tout d'un couinement.

— Ne vous inquiétez pas, Roger, j'ai parlé en votre faveur. Vous n'avez rien à craindre. Aussi longtemps que vous aurez mon soutien.

Urquhart savait exactement ce qu'il faisait. Il connaissait les mécanismes de la paranoïa qui tient sous son emprise l'esprit du cocaïnomane, mais aussi l'empreinte que son histoire inventée au sujet de la désaffection de Williams laisserait inévitablement sur les émotions à vif d'O'Neill. Pour satisfaire sa soif de notoriété, le publicitaire devait à tout prix conserver l'appui du Premier Ministre. Il ne pouvait pas se permettre de le perdre. *« Aussi longtemps que vous aurez mon soutien. »* Les paroles d'Urquhart résonnaient encore aux oreilles d'O'Neill. « Un faux pas et vous êtes mort », voilà ce qu'elles signifiaient. Le piège de la peur commençait à se refermer sur lui. L'heure était venue de lui offrir une porte de sortie.

— Roger, j'ai souvent vu les ragots détruire un homme. Vous savez, les couloirs de Westminster peuvent être de véritables coupe-gorge. Ce serait une tragédie si vous veniez à être cloué au pilori à cause de l'hostilité de Williams, ou simplement en raison d'une mauvaise compréhension de vos méthodes comptables ou... de la nature de votre rhume des foins. Je ne me le pardonnerais jamais.

— Que... qu'est-ce que je dois faire ? demanda O'Neill d'une petite voix plaintive.

— Faire ? Mais, Roger, il suffit juste de me faire confiance. Ce dont vous avez besoin, c'est d'un appui solide au sein des instances du Parti, particulièrement en ce moment. La mer se creuse et un grain arrive. Le navire du Premier Ministre prend l'eau. Si cela peut le sauver, il n'y réfléchira pas à deux fois avant de balancer quelqu'un comme vous par-dessus bord. Pour les gens comme lui, vous ne valez guère plus que du ballast.

Ses paroles produisirent l'effet voulu. O'Neill se trémoussait dans son fauteuil, portant à ses lèvres un verre de cristal déjà vide. Le vieux cuir craquait sous lui. Urquhart s'interrompit un instant pour savourer chaque détail.

— Aidez-moi, Francis.

— C'est la raison pour laquelle je vous ai invité, Roger.

Le publicitaire se mit à pleurer. Les larmes lui dévalaient les joues.

— Je ne les laisserai pas éjecter un homme de votre qualité, Roger, dit Urquhart sur le ton d'un vicaire récitant un psaume. Chaque penny dépensé pour vos frais est parfaitement justifié. C'est ce que je dirai à l'agence. Je lui recommanderai de maintenir les dispositions que vous avez mises en place, et de garder la confidentialité sur ce sujet. N'allons pas susciter d'inutiles jalousies chez les membres du Parti qui voudraient sabrer votre budget. Mais nous ne nous arrêterons pas là. Nous veillerons à ce que le Premier

Ministre soit dûment informé de l'excellent travail que vous accomplissez. Je lui soufflerai de ne pas baisser sa garde, de poursuivre une communication intense pour franchir les mois difficiles qui s'annoncent. Votre budget survivra. Et vous aussi, Roger.

— Francis, je vous serai éternellement reconnaissant…, marmonna O'Neill.

— Cela dit, j'aurais besoin de quelque chose en échange, Roger.

— Tout ce que vous voulez.

— Si je surveille vos arrières, il faudra que je sache absolument tout ce qui se passe au siège du Parti.

— Bien sûr.

— Et en particulier ce que mijote le président. C'est un homme aussi ambitieux que dangereux. Il joue pour son compte personnel en prétendant être loyal au Premier Ministre. Vous devez devenir mes oreilles et mes yeux, Roger, et vous m'avertirez immédiatement de tout ce que vous apprendrez au sujet de ce que trame Williams. Votre avenir en dépend.

Après avoir essuyé ses larmes, O'Neill se moucha un grand coup. Son mouchoir était dans un état pitoyable.

— Nous devons travailler ensemble, Roger. Tous les deux. Vous allez aider le Parti à manœuvrer dans des eaux difficiles. Vous serez notre Horatio à la barre.

— Francis, je ne sais pas comment vous remercier.

— Ne vous en faites pas, Roger. Nous trouverons.

Une porte claqua. Mortima venait de rentrer. Elle s'élança dans l'escalier, cherchant son mari dans toutes les pièces. Finalement, elle le trouva sur la terrasse sur le toit de leur demeure, le regard perdu au loin dans la contemplation de la nuit londonienne, en direction de la tour Victoria, illuminée dans toute sa majesté, à l'extrémité sud du Parlement. Un courant d'air déclenché par la chaleur de la rue agitait le drapeau britannique, telle une voile qui se déploie. Le bâtiment semblait avoir été sculpté dans des rayons de miel. Urquhart fumait une cigarette, ce qui n'était pas si fréquent.

— Francis, tout va bien ?

Il se retourna, surpris, comme s'il ne s'était pas attendu à la découvrir chez eux. Puis son regard dériva de nouveau vers Westminster, au loin par-dessus les toits.

— Quand tu as appelé pour me dire que quelque chose était arrivé, j'ai cru que tu étais malade. Tu m'as effrayée et…

— Il y a l'ordre d'exécution de Charles Ier dans cette tour. Et la Déclaration des droits. Et des textes de lois du Parlement vieux de plus de cinq cents ans.

Il parlait comme s'il n'avait pas entendu son épouse, ni remarqué l'inquiétude dans sa voix.

— Il s'est passé quelque chose, dit-elle en s'approchant pour le prendre par le bras.

Les yeux d'Urquhart semblaient fixer au cœur de la nuit une apparition ou un espoir que lui seul pouvait voir.

— Si tu écoutes attentivement, Mortima, tu peux entendre les cris de la foule devant les portes de la tour.

— Tu les entends ?

— Oui.

— Francis ? appela-t-elle d'un ton où perçait une note d'angoisse.

Ce fut à cet instant seulement qu'il revint à elle, lui prenant la main pour la serrer dans la sienne.

— Tu es gentille d'être revenue en hâte. Je suis vraiment désolé si je t'ai inquiétée. Non, je ne suis pas malade. Je vais très bien. En fait, cela fait bien longtemps que je ne me suis pas senti aussi bien.

— Je ne comprends pas. Tu étais tellement déçu de ne rien avoir obtenu…

— Rien n'est éternel. Ni les empires, ni les Premiers Ministres velléitaires, dit-il d'une voix chargée de mépris.

Il lui tendit sa cigarette, sur laquelle elle tira une profonde bouffée.

— Tu vas avoir besoin de soutiens, murmura-t-elle en la lui rendant.

— Je crois que j'en ai trouvé un.

— Cette jeune journaliste dont tu m'as parlé ?

— Peut-être.

Mortima resta un moment silencieuse. Debout dans l'obscurité, ils partageaient cette nuit, le son étouffé des vies qui s'agitaient, le climat de conjuration perceptible dans l'air.

— Sera-t-elle loyale ?

— De la loyauté chez les journalistes ?

— Il te faut quelque chose pour la tenir, Francis.

Il riva sur elle un regard vif et intense. Un mince sourire, dénué d'humour, passa fugacement sur ses lèvres.

— Elle est bien trop jeune, Mortima.

— Trop jeune ? Trop belle ? Trop intelligente ? Trop ambitieuse ? Je ne crois pas, Francis. Pas pour un homme comme toi.

Le sourire reparut, plus chaleureux cette fois-ci.

— Je suis ton obligé, Mortima, comme si souvent.

De douze ans sa cadette, elle était encore pleine de vie, et portait avec élégance les quelques kilos que les années avaient déposés sur ses hanches. Elle était son amie la plus proche, la seule personne qu'il autorisait à voir au plus profond de lui, et sur laquelle il savait pouvoir compter en toute circonstance.

Bien sûr, chacun avait sa propre vie, lui à Westminster et elle... Eh bien, Mortima adorait Wagner – pour lequel Francis n'avait pas un faible particulier. Elle disparaissait pendant des jours, voyageait à l'étranger, avec d'autres, pour assouvir sa passion du *Ring*, le cycle wagnérien. Il ne s'interrogeait jamais sur la loyauté de sa femme. Et elle ne se posait aucune question sur celle de son mari.

— Cela ne va pas être facile, dit-il.

— Et ce ne le sera pas non plus en cas d'échec.

— Est-ce qu'on fixe une limite ? demanda-t-il sur un ton aussi doux qu'une telle question le permettait.

Elle se hissa sur la pointe des pieds pour déposer un baiser sur sa joue, avant de rentrer à l'intérieur en le laissant seul avec la nuit.

Chapitre 10

J'ai connu un homme dont la mémoire était une telle passoire qu'il en avait presque oublié avoir accroché à son mur un tableau de Howard Hodgkin et vécu presque trois ans à son côté, alors qu'il se souvenait très bien d'avoir été l'un des administrateurs de la Tate. En réalité, c'était une fonction qu'il n'avait jamais occupée. Comme de juste, il a fini ministre des Arts. Je me demande bien ce qu'il est devenu par la suite.

Mercredi 30 juin

Le *Strangers' Bar*, littéralement le « Bar des étrangers », à l'intérieur de la Chambre des communes, est une petite salle aux murs lambrissés et pleine de recoins tranquilles, dont les fenêtres surplombent la Tamise. Les membres du Parlement peuvent y accueillir leurs invités « étrangers », c'est-à-dire non membres. Généralement bondé, l'établissement est un lieu où bruissent perpétuellement mille rumeurs et ragots, et où certains exercent à l'occasion une grande violence morale, qui parfois peut prendre une tournure physique. Dans tous les sens du terme, la sobriété n'a jamais été le fort des politiciens.

Accoudé d'un bras au bar, O'Neill déployait des efforts considérables pour éviter de renverser le verre de son hôte d'un geste intempestif de sa main libre.

— Tu prends la même chose, Steve ? proposa-t-il à son compagnon de boisson, à la tenue immaculée.

Nouveau député de l'Opposition tout juste élu, Stephen Kendrick en était encore à chercher ses marques. Avec son costume Armani gris clair, ses manchettes d'un blanc éclatant et sa pinte de bière brune tenue dans sa main parfaitement manucurée, il envoyait à la ronde des messages pour le moins contrastés.

— Tu sais mieux que moi que les « étrangers » ne sont pas autorisés à commander à boire ici. De toute façon, après seulement deux semaines, je ne vais pas ruiner ma carrière en me montrant un peu trop aux côtés du lévrier irlandais préféré du Premier Ministre. Les plus dogmatiques de mes collègues pourraient y voir une forme de traîtrise. Bon, d'accord, une dernière et j'arrête !

Avec un grand sourire, il adressa un clin d'œil à la barmaid. Une pinte de brune et une double vodka-tonic apparurent devant eux.

— Tu sais, Roger, je me pince encore. Je n'ai jamais vraiment cru arriver ici un jour. Cela dit, je n'arrive toujours pas à savoir si c'est un rêve ou un putain de cauchemar.

Dans sa voix, on percevait nettement l'accent du Nord, des faubourgs de Blackburn précisément.

— C'est marrant, le destin. Pas vrai ? Il y a sept ans, quand on bossait ensemble dans cette petite agence de relations publiques, qui aurait pu dire que tu serais aujourd'hui le grognard en chef du Premier Ministre, et moi le plus prometteur des députés de l'Opposition ?

— En tout cas, pas la petite standardiste blonde qu'on se tapait chacun notre tour.

— Ah… La petite Annie.

— Je croyais qu'elle s'appelait Jennie.

— Dans mon souvenir, ce n'étaient pas leurs prénoms qui t'intéressaient le plus.

Cet aimable badinage acheva de briser la glace. Lorsque O'Neill avait téléphoné au nouvel élu pour lui suggérer de boire un verre en souvenir du bon vieux temps, ils n'avaient pas immédiatement renoué avec la camaraderie spontanée du temps passé. Pendant les deux premières tournées, ils avaient devisé gentiment, en évitant le sujet de la politique sous le signe de laquelle leurs vies étaient désormais placées. Puis le climat s'était détendu, et O'Neill songea que l'heure était venue de passer aux choses sérieuses.

— Tu sais, Steve, cela m'irait très bien si tu passais la soirée à me payer des coups à boire. Vu l'état dans lequel sont mes employeurs en ce moment, un saint lui-même se mettrait à picoler.

Kendrick accepta l'ouverture.

— C'est sûr que c'est devenu un merdier en un rien de temps. Dans ton camp, on dirait bien que tout le monde a pété un câble. Je n'arrive pas à croire ce qu'on raconte. Il y a Samuel qui est furieux après Williams parce qu'il a mis sa tête sur le billot avec celle du Premier Ministre, Williams qui a les nerfs à cause de Collingridge qui a foiré les élections, et Collingridge qui est en rage après tout le monde. C'est fabuleux !

— Ils sont tous rincés et ne pensent plus qu'aux vacances qui arrivent. Ils se chamaillent pour savoir qui fait les valises.

— Tu ne m'en voudras pas de dire ça, mais je crois bien que votre taulier devrait se magner de calmer le jeu des petites querelles. Sans quoi… Je ne suis peut-être encore qu'un bleu à Westminster, mais une fois lancées, ces rumeurs finissent toujours par mener leur chemin. Elles se transforment en réalités. Bien sûr, je suppose que c'est ici où toi et ta puissante machine entrez en scène. Comme le Septième de cavalerie au bon moment.

— Plutôt comme le dernier carré de Custer, répondit O'Neill d'un ton amer.

— Qu'est-ce qui se passe, Roger ? Tonton Teddy t'a confisqué tous tes jouets ?

O'Neill vida son verre d'un coup sec du poignet. Toute prudence étouffée par la curiosité, Kendrick commanda une nouvelle tournée.

— Ça reste entre nous, mais puisque tu poses la question, Steve… Eh bien, notre bon vieux président a sonné le repli dans la tranchée. Pile au moment où on aurait plutôt besoin de lancer un assaut.

— Qu'entends-je ? Ne serait-ce pas la complainte du directeur de la communication à qui on vient d'annoncer qu'il va devoir réduire la voilure ?

O'Neill reposa brutalement son verre sur le comptoir en un geste d'exaspération.

— Je suppose que je ne devrais pas te dire ça, mais de toute façon, tu en entendras parler bien assez tôt. Tu te souviens du programme de rénovation des hôpitaux que nous avions promis pendant la campagne, avec une participation gouvernementale à proportion des fonds levés au plan local ? Une brillante idée. Pour laquelle nous avions précisément une magnifique campagne publicitaire prête à être lancée cet été, pendant que vous autres, gens du peuple, iriez vous dorer la pilule à Cuba.

— Mais ?

— La campagne ne se fera pas. J'avais tout mis en place, Steve, tout était prêt. Et pendant que les tiens seraient partis avec leur pelle et leur seau jusqu'en octobre, moi j'aurais eu le temps de conquérir les cœurs et les esprits des représentants des circonscriptions les plus reculées du pays. La campagne était calée. Dix millions de brochures, un mailing postal, des affichages. « Pour que nos hôpitaux recouvrent la santé. » Mais… ce vieux salaud a éteint la lumière. D'un coup.

— Mais pourquoi ? s'enquit Kendrick d'un ton compatissant. Des problèmes d'argent après l'élection ?

— C'est ça le plus ridicule, Steve. Les fonds sont au budget et les brochures ont déjà été imprimées. Il ne veut tout simplement pas qu'on lance la campagne. Ce matin, il est revenu de Downing Street et il a dit qu'on arrêtait tout. Ils ont fondu un plomb, c'est tout. Il a même osé demander si ces putains de brochures seront encore d'actualité l'année prochaine. L'amateurisme dans toute sa splendeur !

Il avala une gorgée de vodka et contempla le fond de son verre. O'Neill espérait avoir bien suivi les instructions d'Urquhart, qui lui avait demandé de ne pas afficher un manque de loyauté trop flagrant. « Que cela ressemble à du dépit professionnel, mâtiné de confidences lâchées sous l'effet de l'alcool. » Au demeurant, il n'y comprenait rien. Pourquoi diable Urquhart lui avait-il demandé d'inventer une histoire au sujet d'une campagne bidon à raconter au *Strangers' Bar* ? Mais après tout, si cela permettait de mettre Williams dans la panade, c'était parfait. Alors qu'il faisait tourner la rondelle de citron dans son verre, O'Neill vit Kendrick qui l'observait attentivement.

— Qu'est-ce qui se passe au juste, Roger ?

— Si seulement je le savais. Mais aucune idée. Le désastre absolu.

Jeudi 1er juillet

La salle où se tiennent les réunions de la Chambre des communes est de construction plutôt récente. De fait, elle a été reconstruite après la guerre, puisqu'une bombe de la Luftwaffe, ayant manqué les docks, est venue frapper de plein fouet la « mère de tous les parlements ». Pourtant, en dépit de sa relative jeunesse, elle est imprégnée d'une atmosphère vieille de plusieurs siècles. Assis dans un coin sur l'un des étroits bancs verts, le visiteur ne tarde pas, lorsque la salle est vide, à oublier la nouveauté des lieux. Et les fantômes de Chatham, Walpole, Fox et Disraeli ne tardent pas à revenir hanter les travées.

Avant d'être un espace pratique, c'est un endroit de caractère. Ne peuvent s'y asseoir que quatre cents des six cent cinquante députés. Pour entendre le son des haut-parleurs rudimentaires encastrés dans les dossiers, il leur faut se pencher sur un côté, au point de paraître avachis et assoupis. Bien sûr, il arrive que tel soit effectivement le cas.

Sa conception s'inspire de celle de l'ancienne chapelle Saint-Étienne, où se réunissaient les premiers parlementaires, assis comme des choristes sur des bancs en vis-à-vis. Dans la configuration contemporaine, toute dimension angélique a disparu. Les députés se font face comme deux groupes d'ennemis prêts à la confrontation. Ils sont séparés par deux lignes rouges sur la moquette, dont l'écart correspond à la longueur de deux épées. Au demeurant, cette précaution est trompeuse, puisque le plus grand danger revient probablement à un coup de poignard dans le dos, assené du banc derrière.

Tous les Premiers Ministres finissent taillés en pièces, hachés menu ou évincés de façon sanglante. Plus de la moitié des membres du Parti dont est issu le gouvernement estiment généralement qu'ils feraient bien mieux s'ils étaient aux affaires. Ceux qui ont été remerciés, ou à qui un poste n'a jamais été offert, sont assis derrière leur chef. Une position bien pratique pour mesurer la distance entre les omoplates de celui-ci, afin d'y planter une lame. La pression est permanente. Le Premier Ministre rend des comptes chaque semaine au cours de la séance dite des « Questions au Premier Ministre » – une institution uniquement appréciée pour les débordements auxquels elle donne lieu. En principe, elle offre aux parlementaires la possibilité d'obtenir des informations du chef du gouvernement de Sa Majesté. Dans la pratique, il s'agit d'un exercice de survie qui tient plus de l'arène romaine à l'époque de Claude et de Néron que des idéaux de la démocratie parlementaire. Généralement, les questions des membres de l'Opposition ne prétendent même pas chercher un éclaircissement ou une information. Leur unique objectif est de critiquer et nuire d'une façon ou d'une autre. « Telle ou telle excuse pathétique peut-elle être invoquée pour suggérer au Premier Ministre d'aller se faire foutre ? » Ou quelque chose d'approchant. De la même manière, les réponses ont rarement pour but d'informer, mais plutôt de riposter, en infligeant douleur et humiliation. Il faut souligner que les Premiers Ministres ont toujours le dernier mot ; ce qui leur offre, dans la passe d'armes, le même avantage que celui du gladiateur autorisé à porter le coup final. C'est pour cette raison qu'on s'attend généralement à ce qu'un Premier Ministre l'emporte. Ceux qui n'y parviennent pas se préparent des temps difficiles. Le sourire confiant ne cache jamais tout à fait la tension et l'effroi de l'orateur.

Macmillan en était littéralement malade, Wilson en perdait le sommeil et Thatcher son sang-froid. Quant à Henry Collingridge, il n'avait jamais réussi à égaler ces augustes prédécesseurs en quoi que ce soit.

Le lendemain de la soirée qu'O'Neill avait passée au *Strangers' Bar* n'avait pas été une bonne journée pour le Premier Ministre. L'attaché de presse de Downing Street avait été terrassé par la varicelle de ses enfants, si bien que la conférence de presse du jour avait été de qualité médiocre. Pire encore aux yeux de l'impatient Collingridge, elle avait été tenue en retard. La réunion du Cabinet avait d'ailleurs suivi le même chemin. Commencée comme d'habitude à 10 heures, elle avait traîné en longueur et plongé dans la confusion, lorsque le chancelier de l'Échiquier avait cherché à expliquer, sans porter atteinte à l'honneur de Collingridge, en quoi l'importante hémorragie de sièges aux dernières élections avait entamé la confiance des marchés financiers – au point qu'il n'était plus possible sur l'exercice en cours de mettre en œuvre le programme de rénovation des hôpitaux promis avec ferveur pendant la campagne. Le Premier Ministre aurait dû recadrer la discussion et maintenir l'ordre, mais le chancelier s'était perdu dans ses digressions et le tout avait fini dans le désordre.

— Il est bien regrettable que le chancelier n'ait pas été plus circonspect avant de nous laisser aller sur le terrain faire des promesses bien téméraires, commenta fielleusement le ministre de l'Éducation.

Le chancelier rétorqua dans un murmure d'outre-tombe que ce n'était pas sa faute si les résultats du scrutin s'étaient révélés pires que les prévisions des cyniques de la Bourse. Il avait immédiatement regretté son commentaire. Collingridge avait alors tenté d'entrechoquer les têtes des adversaires, avant de donner instruction au ministre de la Santé de trouver une explication valable pour justifier ce changement de plan. Il avait également été décidé que cet infléchissement des décisions serait annoncé une quinzaine de jours plus tard, au cours de la dernière semaine de la session parlementaire avant la pause estivale.

— Espérons, avait conclu le chancelier septuagénaire, que tout le monde aura déjà la tête aux folies de l'été.

La réunion du Cabinet s'était donc achevée avec vingt-cinq minutes de retard, ce qui avait repoussé d'autant le briefing préparatoire du Premier Ministre pour la séance des Questions. D'une humeur de dogue, Collingridge n'avait été que très modérément attentif à ce qu'on lui disait. Lorsqu'il fit son entrée devant la Chambre, dans une salle bondée, juste avant l'heure prévue pour les Questions, il n'était ni aussi bien préparé ni aussi alerte qu'à l'ordinaire.

Au fond, cela n'avait guère d'importance. Sans grande inspiration, Collingridge repoussait les questions de l'Opposition et recevait les ovations de son camp avec une aisance de circonstance. La routine, en somme. Le président de la Chambre, chargé de veiller au bon déroulement des séances, celui qu'on appelle le *Speaker*, jeta un coup d'œil à l'horloge et se dit que la dernière minute pouvait être consacrée à une ultime question. L'intervention suivante inscrite à l'Ordre du jour était celle d'un nouveau membre du Parlement. *Une excellente occasion pour un baptême du feu*, songea-t-il.

— Stephen Kendrick, annonça-t-il d'une voix forte.

— Numéro Six, monsieur le président, répondit Kendrick en se levant brièvement, pour indiquer la question de l'Ordre du jour posée en son nom. Pour demander au Premier Ministre d'établir son programme du jour.

C'était une question de pure forme, identique aux questions Une, Deux et Quatre, qui l'avaient précédée.

Collingridge se leva pesamment et jeta un regard au dossier rouge ouvert devant lui sur la tribune, la fameuse *Despatch Box* où s'expriment face à face les membres du gouvernement et leurs homologues du « Cabinet fantôme » de l'Opposition. Il lut sa réponse d'une voix monotone. Tout le monde l'avait déjà entendue.

— Je renvoie mon honorable collègue à la réponse préalablement donnée aux questions Une, Deux et Quatre.

Dans la mesure où ladite précédente réponse n'était guère éloquente en matière de précision – le Premier Ministre allait consacrer sa journée à des réunions ministérielles, avant de recevoir à dîner le Premier ministre belge en visite officielle –, personne n'avait rien appris d'intéressant sur les activités de Collingridge. Mais là n'était pas le but de la manœuvre. Les politesses de gladiateurs ayant été expédiées, la bataille allait pouvoir commencer. Kendrick se leva pour de bon.

Steve Kendrick était un joueur dans l'âme. Il avait connu la réussite professionnelle dans un secteur qui récompense l'audace et le cran surdimensionnés. La décision qu'il avait prise de renoncer à la voiture de sport et aux notes de frais en se lançant à la conquête d'une position parlementaire relativement marginale l'avait surpris lui-même plus encore que ceux qui le connaissaient, hormis peut-être son ex-femme. À dire vrai, il n'avait pas vraiment cherché à l'emporter, ni même tablé sur une victoire – après tout, le député en place disposait d'une confortable majorité –, mais ce combat électoral pouvait tout à la fois l'aider à se faire un nom et lui être utile dans sa vie sociale et professionnelle. Pendant plusieurs semaines, il avait d'ailleurs bénéficié des honneurs de la couverture des magazines spécialisés dans les relations publiques. « L'homme qui a une conscience sociale » faisait toujours recette dans cette industrie particulièrement concurrentielle.

Sa victoire avec soixante-seize voix d'avance, après trois recomptages, avait constitué une surprise assez désagréable. Elle allait être synonyme de revenus en baisse et de quelques tiraillements dans sa vie privée, forcément placée sous surveillance étroite. En outre, il avait toutes les chances de se faire jeter aux élections suivantes. Du coup, à quoi bon jouer la prudence ? Il n'avait rien à perdre, hormis son anonymat.

Les confidences d'O'Neill avaient valu à Kendrick une nuit agitée et une matinée d'interrogations nerveuses. Pourquoi annuler la campagne de promotion d'une politique qui ne peut que rallier les suffrages ? Cela n'avait aucun sens, à moins que… À moins que ce ne soit la politique elle-même qui soit sur la sellette. *Oui, c'est forcément ça. Qu'est-ce que ça pourrait être d'autre ? Peut-être suis-je encore trop novice pour comprendre ce qui se trame…* Plus il réfléchissait à cette énigme et moins il avait de certitudes. *Qu'est-ce que je fais ? Je pose une question ou je lance une accusation ?* S'il se trompait, il n'ignorait pas que la première impression qu'il donnerait de lui-même lui collerait aux basques à jamais : l'idiot de la Chambre des communes.

Ses oreilles bourdonnaient comme un essaim de frelons lorsqu'il se mit debout. Le doute le dévorait. Il eut un instant de flottement qui fit taire le brouhaha. Tous les députés avaient senti son indécision. Le petit nouveau aurait-il le trac ? Kendrick prit une profonde inspiration et décida que cela ne servait à rien de reculer maintenant. Il se jeta dans le vide.

— Le Premier Ministre peut-il expliquer à la Chambre pour quelle raison il a annulé le programme de rénovation des hôpitaux promis pendant la campagne ?

Ni critique, ni développement. Aucune fioriture, aucun commentaire qui aurait permis au Premier Ministre d'esquiver ou de rentrer la tête dans les épaules. Un murmure s'éleva tandis que le tout nouveau député de l'Opposition se rasseyait. « Le programme pour les hôpitaux ? Annulé ? » La situation prenait une tournure aussi inattendue qu'intéressante. Les trois cents et quelques spectateurs se tournèrent comme un seul homme vers Collingridge. Le Premier Ministre se redressa avec la nette sensation d'une panne d'irrigation de sa zone cérébrale. Il savait que son dossier rouge devant lui ne contenait absolument rien qui puisse constituer une source d'inspiration. Pas la moindre branche à laquelle se raccrocher. Il y avait eu une fuite. Il était baisé. Il laissa un large sourire s'épanouir sur son visage. Ce qu'il fallait faire dans ces cas-là. Seuls ses voisins les plus proches pouvaient voir ses phalanges blanchir, tandis qu'il s'accrochait de toutes ses forces à la tribune.

— J'espère que l'honorable parlementaire sera assez prudent pour ne pas trop s'exposer aux chaleurs de l'été. Du moins avant le mois d'août. Puisqu'il est nouveau dans cette assemblée, je saisis l'occasion qui m'est offerte pour lui rappeler que, au cours des quatre années d'exercice du gouvernement actuellement aux affaires, le service de santé a vu les dépenses qui lui sont consacrées enregistrer une progression nette très importante, de l'ordre de 6 à 8 %.

Collingridge n'ignorait pas qu'il se livrait à un numéro de paternalisme pour le moins inexcusable, mais il n'avait trouvé aucune autre parade. Que pouvait-il faire de mieux ?

— Plus que tout autre service public, le service de santé a bénéficié de la lutte fructueuse que nous avons su mener…

De sa position plus élevée dans les travées de bancs doublés de cuir vert, Kendrick scrutait intensément l'orateur. En revanche, le Premier Ministre fuyait prudemment son regard. Il était perdu.

— Répondez à la question, gronda Kendrick, avec un accent du Nord qui, dans une certaine mesure, rendait son indélicatesse acceptable – ou du moins prévisible.

Plusieurs autres députés reprirent son appel en écho.

— Je répondrai à la question en temps voulu, répondit hargneusement le Premier Ministre. Nous avons affaire ici à une manœuvre pathétique de l'Opposition qui ne peut pourtant pas ignorer que les électeurs ont récemment exprimé leur opinion en élisant l'actuel gouvernement. Ils nous soutiennent et je réaffirme notre détermination à les protéger, ainsi que le service hospitalier auquel ils ont droit.

Les cris de réprobation en provenance des bancs de l'Opposition montèrent d'un ton. Dans leur ensemble, les invectives et autres noms d'oiseau ne seraient pas repris dans le Hansard, la retranscription officielle des débats parlementaires dont les rédacteurs avaient une oreille remarquablement sélective, mais ils n'en étaient pas moins audibles. Le Premier Ministre n'en perdit pas une miette. Les députés de son propre camp commencèrent à s'agiter, mal à l'aise, se demandant pour quelle raison Collingridge ne se contentait pas de réaffirmer son engagement, et de renvoyer une fois pour toutes ce Kendrick dans les cordes.

Collingridge poursuivit néanmoins face à un vent de contestations qui le contraignait à s'interrompre par instants.

— La Chambre sait pertinemment… qu'il n'est pas dans les habitudes du gouvernement… de discuter à l'avance des détails des dépenses que nous prévoyons d'engager... Nous ferons une annonce au sujet de nos intentions lorsque le moment sera venu.

— Vous l'avez fait. Putain, vous avez laissé tomber ! s'écria l'honorable député de Newcastle, bien connu pour la verdeur de son langage.

Il avait parlé si fort depuis sa place sous les galeries que même le Hansard ne pourrait prétendre n'avoir rien entendu.

Sur les bancs de l'Opposition, tous les visages affichèrent un large sourire. Ils entraient dans la danse. Assis à deux mètres à peine en face de Collingridge, leur chef se tourna vers son collègue le plus proche pour lui susurrer le plus sonore et le moins discret des apartés gallois.

— Si tu veux mon avis, il a évacué le programme. Il biaise. Il fuit !

Et sur ces paroles, il se mit à agiter son Ordre du jour, aussitôt imité par tous ses collègues. Le tableau évoquait les voiles d'une flotte d'antiques galions partant à la guerre.

Ce fut un choc. Douloureux. Collingridge n'était pas préparé à ce qui se passait. Lui-même ne parvenait pas à contempler la vérité. Et pourtant, il ne pouvait pas mentir à la Chambre. Or, il ne trouvait pas non plus les mots permettant de suivre le mince et sinueux chemin entre l'honnêteté et la franche duperie. Il voyait les mines satisfaites et entendait les quolibets, et lui revinrent en mémoire les mensonges qui avaient été débités sur son compte au fil des ans, la cruauté dont on avait fait preuve envers lui, et les larmes que son épouse avait si souvent dû ravaler. Tandis qu'il contemplait les faces grimaçantes devant lui, à quelques mètres à peine, sa patience atteignit ses limites. Il devait mettre un terme à cet instant, et peu lui importait de savoir comment. Il leva les mains.

— Je n'ai pas à supporter des commentaires pareils de la part d'une meute de chiens, grogna-t-il.

Puis il se rassit. Comme un ours se retire de l'arène où il livrait combat.

Avant même que le cri de triomphe et de rage n'ait eu le temps de s'élever des bancs de l'Opposition, Kendrick s'était remis debout.

— Monsieur le président, nous sommes sur un point de l'Ordre du jour. Les remarques du Premier Ministre sont un véritable scandale. J'ai posé une question toute simple : pour quelle raison le Premier Ministre revient-il sur sa promesse électorale ? Et je n'ai eu en réponse que dérobades et insultes. Je comprends les réticences du Premier Ministre à admettre qu'il s'est rendu coupable d'une gigantesque et scandaleuse tromperie envers ses électeurs, mais n'y a-t-il rien que vous puissiez faire pour protéger le droit des membres de cette assemblée d'obtenir une réponse simple à une question simple ? Je sais que je n'appartiens pas depuis bien longtemps à la Chambre, mais la loi contre la publicité mensongère doit bien prévoir quelque chose !

Un concert d'approbations balaya les bancs de l'Opposition, pendant que le *Speaker* haussait la voix pour se faire entendre.

— L'honorable membre est peut-être nouveau dans cette enceinte, mais il maîtrise déjà très bien les procédures parlementaires. De ce fait, il sait sûrement que je ne suis pas plus responsable du ton ou de la teneur des réponses du Premier Ministre que des questions qui lui sont posées. Affaire suivante !

Tandis que le président s'efforçait de faire avancer les débats, un Collingridge empourpré sortit de la Chambre d'un pas rageur, ordonnant d'un geste au *Chief Whip* de le suivre. Un sarcasme fort peu diplomatique accompagna sa sortie. « Lâche ! » Sur les bancs de la majorité flottait un silence incertain.

— Bon Dieu, mais comment peut-il être au courant ? Comment ce salaud peut-il savoir ?

La porte du bureau du Premier Ministre, situé à l'arrière de la Chambre, venait tout juste de claquer que déjà la litanie commençait. Le Premier Ministre de Sa Majesté avait oublié son habituel maintien dûment policé, pour révéler un tempérament de blaireau sauvage du Warwickshire.

— Francis, ça ne va pas ! Merde, ça ne va pas du tout ! Nous avons reçu hier le rapport du chancelier au comité du Cabinet. Le Cabinet en a discuté en session plénière pour la première fois ce matin même. Et voilà que cet après-midi, l'information est connue du dernier trou du cul venu de l'Opposition. Une vingtaine de ministres du Cabinet étaient informés. Plus une poignée de fonctionnaires. D'où vient la fuite, Francis ? Qui est responsable ? Vous êtes le *Chief Whip*. Je veux que vous trouviez l'enfoiré qui a fait ça. Et je veux qu'il soit pendu par les couilles à la tour de l'Horloge !

Urquhart laissa échapper un soupir de soulagement. Jusqu'à l'explosion de colère de Collingridge, il ignorait si le doigt accusateur n'était pas déjà pointé sur lui. Il s'autorisa un sourire intérieur, invisible sur son visage impassible.

— Je m'étonne quand même, Henry, qu'un de nos collègues du Cabinet éprouve l'envie de laisser fuiter une nouvelle pareille, commença-t-il, excluant implicitement l'éventualité qu'un agent de l'administration puisse être responsable.

À ses yeux, le cercle des suspects se résumait donc aux membres du Cabinet.

— Toujours est-il que le coupable m'a mis en position de faiblesse. Je veux qu'il soit viré, Francis. J'insiste, je veux que vous trouviez ce cancrelat. Et ensuite, qu'on le jette aux corbeaux.

— Henry, puis-je vous parler en ami ?

— Bien sûr !

— Je crains qu'il n'y ait eu bien trop de prises de bec parmi nos collègues depuis l'élection. Ils sont trop nombreux à convoiter le poste d'un autre.

— Ils veulent tous ma place, je le sais. Mais lequel d'entre eux est trop... trop crétin, trop calculateur, trop con pour divulguer délibérément une information pareille ?

— Je n'ai aucune... certitude, murmura Urquhart d'un ton hésitant.

La légère inflexion n'échappa pas à Collingridge.

— Une hypothèse, au moins.

— Ce ne serait pas très équitable.

— Équitable ? Vous pensez que ce qui vient de se passer est équitable ? Prendre mon cul pour une boîte aux lettres ?

— Mais...

— Il n'y a pas de « mais », Francis. Ce qui se produit une fois peut se reproduire. Et cela arrivera presque à coup sûr. Formulez une accusation. Impliquez qui vous voulez. Ce n'est pas du temps perdu. Tout ce que je veux, c'est un nom !

Collingridge abattit son poing sur la table, si fort que cela fit décoller la lampe.

— Si vous insistez, je peux me risquer à quelques conjectures. Mais comprenez bien que je n'ai aucun élément de certitude... Procédons par déduction. Compte tenu du laps de temps considéré, il paraît plus probable que la fuite provienne du comité d'hier, plutôt que de la réunion plénière d'aujourd'hui. Vous êtes d'accord ?

Collingridge confirma d'un hochement de tête.

— En plus de vous et moi, qui y a-t-il dans ce comité ?

— Le chancelier de l'Échiquier, le secrétaire aux Finances et les ministres de la Santé, de l'Éducation, de l'Environnement, et du Commerce et de l'Industrie, répondit le Premier Ministre en énumérant les personnages présents.

Urquhart resta silencieux, manière d'obliger Collingridge à poursuivre le travail de déduction.

— Il est peu vraisemblable que les deux ministres en charge du Trésor aient clamé qu'ils avaient merdé. En revanche, le ministre de la Santé était opposé à ce projet, de sorte que Paul McKenzie avait une raison de laisser fuiter l'information. Harold Earle à l'Éducation n'a jamais su tenir sa langue. Quant à Michael Samuel, il apprécie le contact avec les médias, un peu trop à mon goût.

Les doutes et les incertitudes tapis dans les recoins sombres de l'esprit du Premier Ministre émergeaient à la lumière.

— Il y a d'autres possibilités, Henry, mais elles me semblent plutôt hasardeuses, renchérit Urquhart. Comme vous le savez, Michael est très proche de Teddy Williams. Ils discutent de tout ensemble. L'information a pu fuiter du siège du Parti. Non pas de Teddy lui-même, j'en suis sûr. Il ne ferait jamais ça… Mais d'un autre responsable. Certains d'entre eux passent leur vie à se répandre à droite et à gauche.

Collingridge réfléchit un instant en silence.

— Est-ce que cela ne pourrait pas être Teddy ? murmura-t-il. Il n'a jamais été mon plus fervent soutien – on n'est pas de la même génération –, mais je l'ai tiré des oubliettes. Je l'ai inclus dans l'équipe. Et voilà comment il me remercie ?

— Ce n'est qu'une supposition, Henry…

Le Premier Ministre se renversa en arrière dans son fauteuil, épuisé. Il n'avait plus ni l'envie ni la volonté de repousser l'idée qui s'imposait à lui.

— Je m'en suis peut-être trop remis à lui ces derniers temps. Je pensais qu'il n'avait plus d'ambition, plus de raisons d'affûter sa hache. Pas à la Chambre des lords. Un membre de la vieille garde. Un homme loyal. J'avais tort, Francis ?

— Je ne sais pas. Je n'ai fait que réfléchir à voix haute.

— Je veux des certitudes. Faites ce qu'il faut. Je veux le coupable, quel qu'il soit. Je veux qu'on lui arrache les couilles en passant par les oreilles. Et je veux que tout Westminster l'entende crier.

Urquhart hocha la tête et baissa les yeux, comme il sied à un serviteur fidèle. Il ne voulait pas que le Premier Ministre surprenne la lueur de délectation qui y brillait. Collingridge avait annoncé l'ouverture de la chasse. Urquhart se retrouvait à l'affût sur la lande, les pieds fermement ancrés dans la bruyère, attendant que les oiseaux prennent leur envol.

Chapitre 11

Christophe Colomb est très décevant. Lorsqu'il est parti, il ne savait pas où il allait. Et lorsqu'il est arrivé, il ne savait pas où il était. Pour la mettre profond aux indigènes, autant rester chez soi.

Vendredi 16 juillet – Jeudi 22 juillet

La vie à la Chambre des communes peut être exaltante, historique parfois, mais ce n'est pas la norme. Le plus souvent, c'est de la merde. Les journées interminables, les charges de travail écrasantes, trop de divertissements et un repos insuffisant, autant de raisons pour lesquelles la trêve estivale exerce une attraction sur les députés comparable à celle d'une oasis en plein désert. Et, pendant qu'ils comptent les jours, leur patience diminue et les esprits s'échauffent. Dans les jours précédents la fin de la session, Urquhart sillonna les couloirs et les bars de la Chambre, faisant de son mieux pour apaiser les doutes et soutenir le moral des troupes. Les députés de base de la majorité étaient de moins en moins à l'aise devant les résultats erratiques de Collingridge. Il est plus facile de casser le moral que de lui redonner des couleurs. Quelques vieux de la vieille se dirent sans doute qu'Urquhart y mettait peut-être un peu trop de cœur. Au bout du compte, ses efforts inlassables ne faisaient que rappeler à tous à quel point le Premier Ministre s'était fourvoyé en eaux troubles. Néanmoins, de l'avis général, la seule chose qu'on pouvait reprocher au *Chief Whip*, c'était sa loyauté exceptionnelle – même si un brin agressive de temps à autre. Mais à quoi cela pouvait bien servir ? Les cigales du sud de la France faisaient déjà entendre leur doux chant. Bientôt, les députés iraient y oublier tous leurs soucis parlementaires.

Le mois d'août était une soupape de sécurité, raison pour laquelle les gouvernements ne manquaient jamais de glisser les annonces difficiles dans les toutes dernières journées avant la fin de la session parlementaire, allant jusqu'à enfouir les détails au beau milieu d'une réponse écrite publiée dans le Hansard, le volumineux compte-rendu officiel des débats parlementaires. Cette tactique permettait d'affirmer que tel ou tel sujet avait bien été clairement et ouvertement posé dans le débat public, mais à un moment où la plupart des députés avaient déjà la tête ailleurs. Même si l'un d'eux repérait l'entourloupe, il n'avait ni le temps ni l'occasion d'en faire un foin. Tout ce qui est écrit, même en tout petit, devient la vérité, toute la vérité et rien que la vérité.

De ce fait, il est bien regrettable qu'une photocopie d'un projet de réponse écrite émanant du secrétaire d'État à la Défense ait été retrouvée dix jours avant la date prévue de sa publication. Elle traînait sous une chaise au *Annie's Bar*, un établissement où députés et journalistes ont coutume de se retrouver pour papoter. Le fait que ladite réponse écrite faisait état d'importantes coupes budgétaires à venir dans la *Territorial Army*, la TA, autrement dit l'armée de réserve de la *British Army*, n'a bien évidemment rien fait pour arranger les choses. Le texte arguait que la TA avait de moins en moins sa place dans le dispositif de défense du pays à l'ère nucléaire. Le plus embêtant, et le plus étonnant aussi, c'est que cette photocopie fut découverte par le correspondant de l'*Independent*. C'était un homme aimé et respecté de tous. Il savait recouper une information. Aussi, lorsque l'affaire parut à la une de son journal, quatre jours plus tard, au tout début de la toute dernière semaine avant la trêve estivale, chacun pouvait être certain que c'était un vrai lièvre qui venait d'être levé. Bien vite, la boulette prit la dimension d'un véritable chaos.

Le châtiment arriva par un canal plutôt inhabituel. La solde au sein de la TA n'est pas mirobolante, mais ses effectifs sont importants et influents. C'est une question de prestige. Dans toutes les circonscriptions du pays, les instances du Parti étaient un véritable vivier de membres vénérables qui ajoutaient fièrement à la suite de leur nom les initiales « TD », pour *« Territorial Decoration »*, la médaille territoriale. C'étaient autant de farouches combattants, tous prêts à défendre leur institution bien-aimée et à verser pour elle jusqu'à la dernière goutte de l'encre de leur stylo.

Aussi, lorsque les députés se réunirent pour boucler les ultimes dossiers de la session sous la houlette du *Leader*, c'est-à-dire le ministre du gouvernement chargé des relations avec la Chambre des communes, l'atmosphère était un peu lourde. Et la touffeur de l'été n'y était pas pour grand-chose. L'air bruissait d'accusations de trahison et d'appels vibrants à reconsidérer les décisions, dont la plupart d'ailleurs émanaient des bancs de la majorité. L'Opposition n'avait même pas besoin de transpirer sur ce coup-là. Ses membres étaient comme des lions tranquillement installés qui auraient regardé les chrétiens faire tout le boulot à leur place.

Officier de l'Ordre de l'Empire britannique, officier de police judiciaire, sir Jasper Grainger était donc « OBE » et « JP », mais aussi et surtout extrêmement « TD ». Dressé sur ses ergots, le vieil homme arborait une cravate régimentaire soigneusement repassée, ainsi qu'un lourd costume trois pièces de tweed, refusant toute forme de compromis vestimentaire en dépit d'une climatisation approximative, voire défaillante. Il n'était qu'un député de base, mais élu de longue date, et président en outre du Comité de défense des membres du Parlement sans fonction ministérielle. Sa parole avait un certain poids.

— Je souhaiterais revenir à un point soulevé par plusieurs de mes honorables collègues au sujet de ces coupes budgétaires aussi inutiles que gravement préjudiciables. Le *Leader* de la Chambre des communes ne s'interroge-t-il pas sur la douleur suscitée par cette question y compris dans les rangs de sa propre famille politique ?

À mesure que son courroux gagnait en intensité, la salive s'agglomérait en mouchetures blanches aux commissures de ses lèvres.

— A-t-il seulement la moindre idée du tort que cela va causer au gouvernement au cours des prochains mois ? Compte-t-il accorder un peu de temps à la Chambre pour débattre et inverser cette décision ? Mais qu'il sache que s'il refusait, il laisserait le gouvernement sans défense face aux accusations de mauvaise foi, tout comme le pays serait livré sans défense à la vindicte de ceux qui ne sont pas ses amis.

Des rugissements virils montèrent de tous côtés pour saluer sa tirade, hormis des places occupées par les ministres du gouvernement. Simon Lloyd, le *Leader* de la Chambre des communes, se redressa de toute sa taille, se préparant à venir une nouvelle fois à la tribune. Il commençait à se dire qu'il aurait peut-être été avisé de disposer quelques sacs de sable devant celle-ci. C'était un homme solide, avec du fond, mais les vingt minutes qu'il venait de vivre le laissaient un peu à vif. La réponse qu'il avait préparée plus tôt dans la journée le protégeait de moins en moins bien contre les grenades lancées depuis son propre camp. Il se félicitait que le Premier Ministre et le secrétaire d'État à la Défense soient assis à ses côtés sur le banc du premier rang. Pourquoi aurait-il fallu qu'il soit le seul à déguster ? Il prit place en se dandinant d'un pied sur l'autre, avec aussi peu d'assurance et d'équilibre que l'argument qu'il s'apprêtait à avancer.

— Mon honorable ami et collègue oublie un point absolument essentiel. Le document publié dans la presse a été volé à une administration officielle. Je dis bien « volé » ! C'est une question bien plus grave que les détails que peut contenir ce document. S'il y a matière à débat, ce devrait plutôt être au sujet de ces manquements flagrants à l'honnêteté. Mon honorable collègue est un homme d'honneur et d'expérience. Sincèrement, je l'aurais plutôt vu se rallier à moi sans réserve pour condamner cet inqualifiable vol de documents gouvernementaux. Il devrait comprendre qu'en discutant des éléments qu'il contient, c'est exactement comme s'il fermait les yeux sur un larcin.

L'espace d'un instant, l'argument parut avoir porté. Du moins, jusqu'à ce que sir Jasper se lève pour demander à poursuivre la question. En temps normal, l'autorisation ne lui aurait pas été accordée, mais le moment avait perdu une bonne part de sa normalité. Alors que les députés agitaient l'Ordre du jour un peu partout dans la Chambre, le *Speaker* donna son accord. Le vieux soldat se redressa, droit comme un « I », la moustache hérissée et le visage empourpré par une colère absolument authentique.

— C'est mon très honorable collègue qui ne voit pas l'essentiel, tonna-t-il. Ne comprend-il pas que je préférerais encore vivre avec un voleur britannique plutôt qu'en compagnie d'un soldat russe ? Or, c'est très exactement l'avenir que nous promet sa politique.

Il s'ensuivit un vacarme assourdissant, que le *Speaker* mit une bonne minute à juguler. Pendant ce temps, le *Leader* de la Chambre des communes s'était tourné vers le Premier Ministre et le secrétaire de la Défense, blottis l'un contre l'autre, le visage fermé, pour leur jeter un regard de pur désespoir. Finalement, Collingridge hocha doucement la tête à l'intention de son ministre. Le *Leader* se remit debout.

— Monsieur le président..., attaqua-t-il, avant de s'interrompre pour s'éclaircir la voix. Monsieur le président, mes très honorables collègues et moi-même avons écouté attentivement les opinions de la Chambre. Le Premier Ministre et le secrétaire d'État à la Défense m'autorisent à dire que, à la lumière des éléments avancés, le gouvernement va procéder à un nouvel examen de cette importante question pour voir...

Ce qu'il comptait voir ne semblait plus intéresser grand monde. La fin de sa phrase se perdit dans le flot de l'immense cri sorti d'innombrables poitrines. Il avait hissé le drapeau blanc. Les voisins de sir Jasper lui assenaient des claques dans le dos. L'Opposition conspuait le camp d'en face, et les correspondants prenaient fiévreusement des notes dans leurs calepins. Au milieu du vacarme général et de la confusion, Henry Collingridge restait assis sur son banc, seul, abandonné, tassé sur lui-même, les yeux fixés sur ses chaussettes.

— Ils sont grillés, vous êtes bien d'accord ? Cuits à point et croustillants, annonça Manny Goodchild, tandis que Mattie se frayait un chemin à travers la foule encombrant la salle des pas perdus juste à l'extérieur de la Chambre.

Elle ne s'arrêta pas. Dans tous les coins, les députés discutaient à qui mieux mieux : les membres de l'Opposition exultaient, clamant qu'ils avaient remporté une victoire, tandis que ceux d'en face expliquaient – avec considérablement moins de conviction – que la victoire revenait au simple bon sens. Néanmoins, des deux côtés, on partageait la conviction d'avoir vu un Premier Ministre au supplice.

Mattie poursuivit son chemin en direction de sa proie. Au-dessus de la mêlée, elle apercevait la haute silhouette d'Urquhart, le visage impassible, qui avançait en fuyant les questions de plusieurs députés de base passablement agités. Il disparut par une petite porte, et Mattie s'engouffra derrière lui. Elle le vit qui gravissait quatre à quatre l'escalier de marbre menant aux galeries supérieures.

— Monsieur Urquhart, cria-t-elle hors d'haleine. S'il vous plaît ! J'aurais besoin de votre éclairage.

— Je ne suis pas sûr d'en avoir un aujourd'hui, mademoiselle Storin, répondit-il par-dessus son épaule sans s'arrêter.

— Ne me dites pas que nous en sommes revenus au temps du petit jeu « Le *Chief Whip* refuse de soutenir le Premier Ministre ».

Soudain, Urquhart s'arrêta et se retourna, ce qui le mit nez à nez avec une Mattie haletante. Ses yeux fulminaient. Dans leur éclat, il n'y avait pas la moindre trace d'humour.

— D'accord, Mattie, je suppose que vous avez le droit à quelque chose. Que voulez-vous savoir ?

— Il se fait écharper. C'est la position officielle. Mais si les pieds de Collingridge étaient déjà dans le feu avant ça, alors maintenant il a une partie plus sensible de son anatomie qui doit commencer à avoir chaud.

— Oui, vous pouvez dire ça. Bien sûr, ce n'est pas la première fois qu'un Premier Ministre doit se démettre. Mais se retrouver à poil de cette manière en public…

Mattie attendit qu'Urquhart termine sa phrase ; il n'en fit rien. Il n'allait pas condamner ouvertement son Premier Ministre dans l'escalier. Mais s'il n'y avait pas de condamnation, il n'y avait pas non plus tentative de justification.

— C'est la deuxième fuite importante en quelques semaines. D'où peuvent-elles venir ?

Il fixa sur elle son regard d'oiseau de proie, qu'elle trouvait tout à la fois irrésistible et un peu effrayant.

— En tant que *Chief Whip*, je suis chargé de faire régner la discipline chez les députés de la majorité gouvernementale. Vous ne pouvez pas me demander en plus de jouer les proviseurs pour mes collègues du Cabinet.

Les lèvres de la jeune femme se mirent à trembler.

— Ça vient du Cabinet ?

Il haussa un sourcil.

— Ai-je dit cela ?

— Mais qui ? Et pourquoi ?

Il se rapprocha d'elle.

— Ainsi, vous lisez en moi, mademoiselle Mattie Storin.

Il se moquait d'elle à présent. Il était si proche qu'elle pouvait sentir la chaleur qui émanait de son corps.

— Pour répondre à votre question, je ne sais tout simplement pas, poursuivit-il. Mais je ne doute pas que le Premier Ministre va me demander de le découvrir.

— Officiellement ou officieusement ?

— Je crois que j'en ai déjà assez dit, répondit-il en reprenant sa montée.

Mattie n'était cependant pas du genre à se laisser congédier.

— C'est fascinant. Merci. Et bien sûr, c'est du « off ».

— Mais je ne vous ai rien dit.

— Le Premier Ministre est sur le point de lancer une enquête pour savoir lequel de ses collègues du Cabinet fait fuiter des informations sensibles.

Il s'arrêta de nouveau pour se retourner.

— Oh, Mattie, je ne peux faire absolument aucun commentaire. Mais vous êtes infiniment plus intuitive que la plupart de vos lourdauds de collègues. J'ai l'impression que c'est votre esprit déductif bien plus que mes paroles qui vous a conduite à ces conclusions.

— Je ne voudrais pas vous créer d'ennuis.

— Mattie, je crois plutôt que c'est exactement ce que vous voudriez faire.

Il jouait avec elle, pratiquant presque ce qui pouvait s'apparenter à du flirt.

Elle soutint son regard et répliqua d'une voix qui n'était guère plus qu'un murmure.

— Vous avez tellement plus d'expérience que moi en matière d'ennuis. Si vous voulez m'apprendre, je serai une élève très attentive.

Elle ne savait pas au juste ce qui l'avait poussée à dire ça. Ses joues auraient dû s'enflammer, mais elle ne rougit pas. Il aurait dû détourner le sous-entendu, mais il l'accepta, avec un plaisir de gourmet comme en témoignait son regard.

Subitement, elle le saisit par la manche.

— Si on décide de jouer les méchants, il faut qu'on puisse se faire confiance. Mettons les choses au clair : vous ne niez pas que le Premier Ministre va ordonner la conduite d'une enquête sur les membres de son Cabinet. Et en ne le niant pas, vous le confirmez.

Ce fut au tour d'Urquhart de baisser la voix.

— Libre à vous de le penser, Mattie. Je ne peux faire aucun commentaire.

— C'est ce que je vais écrire dans mon article. Si c'est faux, je vous en supplie, arrêtez-moi maintenant.

La main de Mattie étreignit plus fort l'avant-bras du *Chief Whip*. Celle de Francis était sur l'épaule de la jeune journaliste.

— Vous arrêter, Mattie ? Pourquoi, nous venons à peine de commencer.

CHAPITRE 12

Il est peu probable qu'une vie de crédit à long terme, de cuisine indienne et de garçons anglais soit le secret de la tranquillité pour un homme. Mais des trois, je recommanderais quand même le crédit à long terme.

Jouer les méchants. C'est ça qu'on fait ? Oui, probablement, décida Urquhart en achevant son ascension. Sur le palier, il s'adossa contre le mur pour laisser éclater un grand rire – à la grande consternation de deux collègues qui passaient par là. Ils s'éloignèrent en hâte en secouant la tête. Il vit qu'il était dans la galerie des étrangers, où le public venait s'entasser sur d'étroites rangées de bancs afin de suivre les débats en contrebas. Il croisa le regard d'un homme d'affaires indien, à qui il avait obtenu un siège dans la galerie, et lui fit un petit signe. L'homme se dégagea tant bien que mal de la masse des spectateurs, enjambant des genoux en murmurant des excuses, pour parvenir enfin jusqu'à son hôte. D'un geste, Urquhart lui intima de ne pas parler en ce lieu, et le conduisit dans un petit hall derrière la galerie.

— Monsieur Urquhart, sir, je viens d'assister aux quatre-vingt-dix minutes les plus excitantes et instructives de ma vie. Je vous suis infiniment obligé de m'avoir permis d'obtenir une place aussi confortable.

L'homme parlait avec un lourd accent indubitablement venu du sous-continent, tout en agitant la tête de droite et de gauche à la manière indienne.

Urquhart savait pertinemment que ces paroles n'étaient que des sornettes. Même un homme affable et bien élevé comme l'était Firdaus Jhabwala devait trouver les sièges de la galerie atrocement inconfortables. Néanmoins, le *Chief Whip* accueillit le compliment d'un hochement de tête empreint de gratitude. Ils continuèrent ainsi à discuter poliment jusqu'à ce que Jhabwala ait récupéré son attaché-case de cuir noir à la consigne du poste de sécurité. À son arrivée, le visiteur avait fermement refusé d'abandonner son précieux bagage, mais on lui avait expliqué que l'accès à la galerie lui serait interdit s'il ne se conformait pas au règlement.

— Je suis bien heureux de constater que nous autres Britanniques pouvons encore remettre nos biens en toute confiance à la bonne garde de travailleurs ordinaires, déclara-t-il le plus sérieusement du monde en tapotant les flancs de sa serviette pour s'assurer que rien n'y manquait.

— En effet, répondit Urquhart qui, quant à lui, ne croyait pas plus à l'honnêteté des travailleurs qu'à celle de Jhabwala.

Cela étant, l'homme était un électeur de sa circonscription, apparemment à la tête de plusieurs entreprises locales particulièrement florissantes. Il avait fait un don de 500 livres au candidat Urquhart pour sa campagne, n'escomptant en retour rien d'autre qu'une entrevue privée à la Chambre des communes. « Non, non. Pas à sa permanence locale », avait-il expliqué au téléphone à la secrétaire d'Urquhart. « Il s'agit d'une affaire de portée nationale et pas locale. »

À 500 livres la tasse de thé, l'affaire restait intéressante. Tout en conduisant son visiteur, le *Chief Whip* lui fit les honneurs de la maison – les glorieuses mosaïques de Pugin dans le vestibule central, les fresques de la chapelle Saint-Étienne, la charpente voûtée en bois de chêne de Westminster Hall, si haute et si sombre qu'on n'en distingue pratiquement pas le faîte. Ces poutres et chevrons vieux de près de mille ans, forment la partie la plus ancienne de l'édifice. C'est à cet endroit que Jhabwala voulut se recueillir un instant.

— Je voudrais faire silence en ce lieu où le roi Charles a été condamné et où Winston Churchill a reposé avant d'être inhumé.

De surprise, le *Chief Whip* haussa les sourcils.

— Monsieur Urquhart, ne me jugez pas prétentieux, insista l'homme d'affaires indien. Les liens de ma famille avec les institutions britanniques remontent à plus de deux siècles et demi, au temps de Lord Clive et de l'honorable Compagnie des Indes orientales. Mes ancêtres le conseillaient et ils lui ont même prêté des sommes considérables. Déjà avant cette époque, et depuis lors, ma famille a toujours occupé des postes prestigieux dans l'administration et le système judiciaire du gouvernement indien.

Sans doute aucun, Jhabwala n'était pas peu fier de sa généalogie, mais alors même qu'il prononçait ces paroles de sa voix chantante, ses yeux se baissèrent, soudain voilés de tristesse.

— Malheureusement, monsieur Urquhart, depuis l'indépendance, le sous-continent autrefois glorieux s'enfonce lentement dans les ténèbres. La dynastie moderne des Gandhi s'est révélée bien plus corrompue que n'importe lequel des maîtres que ma famille a pu servir à l'époque coloniale. Je suis un Parsi. J'appartiens à une minorité culturelle qui vit des temps difficiles dans le nouvel empire. C'est pour cette raison que je suis venu m'installer en Grande-Bretagne. Mon cher monsieur Urquhart, croyez-moi quand je vous dis que je me sens plus appartenir à ce pays et à cette culture qu'à celle de l'Inde moderne. Chaque jour, je m'éveille en me félicitant d'être un citoyen britannique et d'éduquer mes enfants dans les universités de ce pays.

— C'est très… émouvant, répondit Urquhart, qui n'avait pourtant jamais vu d'un bon œil l'arrivée d'étudiants étrangers dans les universités britanniques, au point de le déclarer publiquement à plusieurs reprises.

Il mena son invité vers les petites salles de réunion sous le vestibule central. Leurs pas résonnaient sur les grandes dalles usées, que le soleil, entré par les antiques fenêtres, inondait de sa lumière.

— Et dans quoi êtes-vous exactement, monsieur Jhabwala ? demanda Urquhart d'un ton hésitant, effrayé à l'idée de déclencher un nouveau monologue.

— Je suis négociant, sir. Pas un homme éduqué comme mes fils. J'ai abandonné tout espoir dans ce domaine pendant la grande tourmente de l'indépendance indienne. Ce n'est donc pas avec mon cerveau que j'ai fait mon chemin, mais en travaillant dur et avec un grand zèle. Aujourd'hui, je suis heureux de dire que j'ai assez bien réussi.

— Du négoce de quel type ?

— J'ai des intérêts dans plusieurs secteurs, monsieur Urquhart. L'immobilier. La vente en gros. Un peu de services financiers à l'échelle locale. Mais je ne suis pas un capitaliste obtus et étroit d'esprit. Je suis bien conscient de mes devoirs envers la communauté. C'est d'ailleurs à ce sujet que je voudrais vous entretenir.

Ils étaient arrivés. À l'invitation d'Urquhart, Jhabwala prit place dans l'un des fauteuils verts. Il fit courir avec ravissement ses doigts sur la herse dorée dont le relief ornait le cuir du dossier.

— Alors, monsieur Jhabwala, en quoi pourrais-je vous être utile ? attaqua Urquhart.

— Mais non, pas du tout mon cher monsieur Urquhart, c'est moi qui souhaite vous aider.

Le front d'Urquhart se plissa sous l'effet de l'étonnement.

— Monsieur Urquhart, je ne suis pas né dans ce pays. Par nécessité, je suis donc obligé de travailler particulièrement dur pour obtenir la respectabilité au sein de la communauté dans laquelle je vis. Et je m'y efforce. J'appartiens au Rotary Club de ma ville, ainsi qu'à diverses œuvres de charité. Et, comme vous le savez, je suis un partisan enthousiaste du Premier Ministre.

— Je crains que vous ne l'ayez pas vu sous son meilleur jour cet après-midi.

— Je suppose qu'il a plus que jamais besoin de ses amis et supporters, déclara Jhabwala en assenant une tape sur son attaché-case posé sur la table devant lui.

Les rides sur le front d'Urquhart se creusèrent encore plus, tandis qu'il essayait de percer le mystère du sens profond des paroles de son invité.

— Monsieur Urquhart. Vous savez que j'ai une grande admiration pour vous.

— Euh… ou-u-u-i, répondit prudemment le *Chief Whip*.

— J'ai été ravi de répondre, même modestement, à l'appel aux dons en faveur de votre réélection. Et je serai heureux de le refaire. Pour vous, monsieur Urquhart. Et pour notre Premier Ministre !

— Vous… vous voulez… faire… une donation ?

La tête de son interlocuteur avait repris son mouvement de va-et-vient latéral. Urquhart trouvait la chose pour le moins déconcertante.

— Les campagnes électorales doivent être extrêmement onéreuses, mon cher monsieur Urquhart. Je me demande si vous m'autoriseriez à faire une petite donation ? À vous aider à remplir les coffres ?

Dès qu'il s'agissait de donations en provenance de sources extérieures, Urquhart se retrouvait très loin de sa zone de confort. Ces questions-là avaient déjà valu bien des ennuis à d'innombrables hommes politiques. Des séjours en prison à l'occasion.

— Eh bien, je suis sûr que… Comme vous dites, ces choses coûtent beaucoup d'argent… Je pense que nous pourrions…

Par pitié, Urquhart, ressaisis-toi !

— Monsieur Jhabwala, puis-je vous demander quelle somme vous souhaiteriez donner ?

Pour toute réponse, Jhabwala composa un code sur le verrou à combinaison de sa serviette, puis fit jouer les deux serrures de laiton dans un claquement sec. Le couvercle se leva et l'homme tourna la mallette vers Urquhart pour lui montrer le contenu.

— Est-ce qu'un soutien de 50 000 livres vous paraît acceptable ?

Urquhart résista à la quasi irrépressible tentation d'attraper l'une des liasses de billets pour se mettre à compter. Il vit néanmoins qu'elles étaient pour la plupart composées de coupures de 20 livres usagées, et entourées de simples élastiques. De toute évidence, elles n'avaient pas été attachées dans un établissement bancaire. Le *Chief Whip* n'avait aucun doute : cet argent n'avait jamais transité par un compte officiel.

— C'est… très généreux, monsieur Jhabwala. Oui, vraiment. Très généreux. Mais… pour un don de cette importance au Parti, c'est un peu inhabituel… de verser du liquide.

— Mon cher monsieur Urquhart, vous devez bien comprendre que ma famille a tout perdu pendant la guerre civile en Inde. Nos maisons et nos entreprises ont été détruites. C'est tout juste si nous avons eu la vie sauve. La foule a incendié notre banque. Celle qui détenait tous nos avoirs et tous nos papiers. Bien sûr, le siège de l'établissement a présenté ses excuses, mais comme nous n'avions plus de justificatifs, il n'a offert à mon père que des regrets, sans rembourser les fonds en dépôt. Alors oui, je sais, c'est peut-être un peu vieux jeu, mais je fais plus confiance au numéraire qu'aux guichets des banques.

L'homme d'affaires offrit au politicien l'éclat rassurant de son sourire. Urquhart avait l'absolue conviction que cette histoire pouvait attirer des ennuis. Il prit une profonde inspiration.

— Vous me permettez d'être franc, monsieur Jhabwala ?

— Bien sûr.

— Bien souvent, les donateurs imaginent que le Parti peut faire quelque chose pour eux, en remerciement de leur soutien. Mais vous savez, nos pouvoirs sont en réalité très limités…

Jhabwala acquiesça pour montrer qu'il comprenait tout à fait – sans pour autant que sa tête ne cesse ses oscillations latérales.

— Je ne souhaite rien d'autre qu'apporter mon plus ferme soutien au Premier Ministre. Et à vous-même, monsieur

Urquhart. En tant que député issu d'une représentation locale, vous comprendrez certainement que mes activités m'amènent parfois à nouer des contacts amicaux avec les autorités locales sur des questions telles que des permis de construire ou des appels d'offres. Un jour ou l'autre, je peux être amené à solliciter vos conseils, mais je vous assure que je ne cherche aucunement à obtenir vos faveurs. Je ne demande rien en échange. Absolument rien ! Sauf peut-être l'immense plaisir, pour ma femme et moi, de rencontrer le Premier Ministre au moment qui lui conviendra, par exemple au cours d'une éventuelle visite dans notre circonscription. Est-ce que cela vous paraît acceptable ? Cela signifierait beaucoup pour ma femme.

La tasse de thé à 500 livres, la photo avec le Premier Ministre à 50 000. Décidément généreux, ce monsieur.

— Je suis sûr que cela peut s'arranger. Votre femme et vous-même souhaiteriez peut-être assister à une réception à Downing Street.

— Ce serait un honneur. Et peut-être la possibilité d'échanger quelques mots avec lui en privé, pour lui exprimer mon enthousiasme personnel ?

Un peu plus qu'une simple photo, mais rien d'anormal non plus.

— Vous comprendrez que le Premier Ministre ne peut pas accepter votre donation à titre personnel. Ce serait un peu… comment dire ? Un peu délicat, pour lui, d'être impliqué dans ces questions.

— Bien sûr, bien sûr, monsieur Urquhart. C'est pour cette raison que je vous demande d'accepter cet argent en son nom.

— Je crains de ne pouvoir vous remettre qu'un reçu assez sommaire. Peut-être serait-il préférable que vous remettiez cet argent directement au trésorier du Parti.

Jhabwala leva les deux mains en un mouvement horrifié.

— Monsieur Urquhart, sir, je ne veux aucun reçu. Pas de votre part. Vous êtes mon ami. J'ai pris la liberté de faire graver vos initiales sur cette mallette. Regardez, monsieur Urquhart.

De l'index, il tapotait le monogramme en lettres majuscules dorées sur le cuir. « FU ».

— Un modeste présent, que vous voudrez bien accepter, j'espère, en remerciement du magnifique travail que vous accomplissez dans le Surrey.

Espèce de petit enfoiré mielleux et roublard, songea Urquhart, en rendant à Jhabwala son sourire. *Combien de temps avant le premier coup de fil me demandant un permis de construire ?* Il aurait dû virer l'homme d'affaires indien. Mais il n'en fit rien. Au lieu de cela, il tendit la main par-dessus la table pour serrer chaleureusement celle de son visiteur. Une idée prenait corps dans son esprit. Oui, sans l'ombre d'un doute, cet homme et son argent étaient synonymes de problèmes. Mais pour qui ?

Chapitre 13

Autrefois, Westminster était un marécage au bord de la rivière. Puis l'homme a transformé l'endroit, bâti un palais et une immense abbaye, où dominent la belle architecture et l'insatiable ambition.

Mais dessous, c'est toujours un marécage.

Vendredi 23 juillet

Praed Street, quartier de Paddington. L'échoppe d'un marchand de journaux miteux dans une rue modeste et calme le jour et, à en juger par l'état du poste de police local, bien plus animée la nuit. Sur le trottoir, une jeune femme noire hésitait. Après une profonde inspiration de l'air de l'ouest londonien, elle se décida à entrer. Derrière la grille métallique et la vitrine crasseuse, la boutique était sombre et sentait le renfermé. Engoncé dans un tee-shirt ajusté et la cigarette aux lèvres, le boutiquier – un Italien d'âge mûr et en net surpoids – était absorbé dans la lecture d'un de ces magazines où le texte importe moins que les images. À contrecœur, il leva le regard. Elle lui demanda le prix du service de domiciliation postale, dont une affichette dans la vitrine faisait la publicité. Elle expliqua que c'était pour un ami qui avait besoin d'une adresse où recevoir des courriers personnels. L'homme balaya d'un revers de la main les cendres tombées sur le comptoir.

— Cet ami dont vous me causez, il a un nom ?

Pour toute réponse, elle déposa la copie d'une vieille facture d'électricité devant l'Italien.

— Faut payer d'avance. Et en liquide.

— Ça me va parfaitement.

Un sourire apparut sur les lèvres charnues du bonhomme pendant qu'il promenait sur elle un regard lubrique.

— Vous me feriez une petite ristourne ? demanda-t-il avec gourmandise.

Elle fixa sa panse rebondie.

— Pour vous, il y aurait plutôt un supplément.

Il eut un rictus méprisant, puis remplit rapidement la fiche d'inscription. Elle acquitta les trois mois d'avance prévus, remisa dans son sac le reçu dont elle aurait besoin ensuite pour récupérer le courrier, puis s'en fut. Le marchand de journaux la suivit du regard, admirant les courbes de sa chute de reins, avant d'être tiré de sa rêverie par un retraité furieux de ne pas avoir eu son journal du matin. Il ne vit donc pas la jeune femme monter dans le taxi qui l'attendait à l'extérieur.

— Tout s'est bien passé, Penny ? demanda O'Neill, tandis qu'elle claquait la portière et s'installait à côté de lui.

— Aucun problème, Roger, répondit son assistante. Mais pourquoi est-ce qu'il ne pouvait pas faire ça lui-même ?

— Écoute, je t'ai déjà expliqué. Il a un genre de problème. Il gère ça comme il peut. Et pour ça, il lui faut une adresse discrète. Je crois qu'il s'agit de magazines qu'on vend généralement sous le manteau. Alors pas de questions. Et pas un mot à quiconque. D'accord ?

Mal à l'aise, O'Neill en devenait irritable. Urquhart lui avait fait jurer le secret. Et O'Neill avait dans l'idée que le *Chief Whip* serait furieux s'il découvrait qu'il avait poussé le bouchon un peu loin en chargeant Penny Guy de la sale besogne. En même temps, il avait toute confiance en Penny. Et il en voulait à Urquhart de la façon dont celui-ci le traitait comme un larbin. Il se sentait ridiculement insignifiant.

Comme le taxi démarrait, O'Neill se laissa aller contre le dossier. Ses doigts s'agitaient nerveusement dans sa poche, jusqu'à ce qu'ils touchent le petit sac de plastique glissé tout au fond. Voilà qui allait bientôt tout régler. Il allait enfin se sentir lui-même.

La température devenait étouffante lorsque l'homme vêtu d'une veste de sport, un chapeau mou sur la tête, pénétra dans la succursale du nord de Londres de la *Union Bank of Turkey* sur Seven Sisters Road. Il se présenta devant l'employé chypriote au comptoir et demanda à ouvrir un compte. Son regard était dissimulé derrière des lunettes aux verres teintés. Il s'exprimait avec un accent nettement perceptible, dont l'employé ne parvenait pas à deviner l'origine.

Quelques minutes plus tard, le directeur de l'agence fut enfin disponible et l'on fit entrer le nouveau client potentiel dans son bureau. Les deux hommes échangèrent d'abord quelques politesses et plaisanteries, puis le visiteur expliqua qu'il vivait au Kenya, mais qu'il était de passage au Royaume-Uni pour quelques mois, le temps d'étoffer ses activités dans le secteur de l'immobilier de tourisme. Il était notamment intéressé par un hôtel présentement en construction à l'extérieur de la station balnéaire d'Antalya, sur la côte méditerranéenne de la Turquie.

Le directeur lui répondit qu'il ne connaissait pas personnellement Antalya, mais qu'il avait entendu dire que le coin était magnifique. Bien entendu, la banque serait enchantée de l'aider dans ses affaires dans toute la mesure du possible. Il demanda à son futur client de remplir une fiche d'enregistrement simplifiée, en précisant son nom, son adresse, ses références bancaires antérieures et quelques autres détails. Ce dernier s'excusa de ne pouvoir fournir une autre référence bancaire que celle d'un établissement au Kenya, mais il expliqua que c'était la première fois qu'il revenait à Londres en plus de vingt ans. Le directeur tranquillisa le sexagénaire, l'assurant que sa banque avait l'habitude de travailler avec l'étranger. Une référence bancaire du Kenya ne posait aucun problème.

Le client sourit. Le système fonctionnait à un rythme tranquille. Il faudrait compter au moins quatre semaines pour que les références soient vérifiées, puis quatre encore pour établir qu'elles étaient parfaitement fausses. Un délai plus que suffisant pour mener à bien ce qu'il avait en tête.

— Et pour l'ouverture du compte, monsieur ? demanda le directeur.

Le client ouvrit un fourre-tout de velours côtelé qu'il déposa sur le bureau.

— Je souhaiterais procéder à un dépôt initial de 50 000 livres. En liquide.

— Mais certainement..., répondit le directeur en faisant de son mieux pour dissimuler sa satisfaction.

Francis Urquhart se laissa aller en arrière dans son fauteuil et se frotta les yeux sans retirer ses lunettes. Les verres étaient déjà anciens, leur correction moins forte que celle des lentilles qu'il utilisait à présent. Un début de migraine lui venait. Le déguisement était rudimentaire, mais il le pensait suffisant pour éviter d'être reconnu. Seuls ses collègues les plus proches ne s'y seraient pas laissé prendre. Après tout, il y avait du bon à être l'un des membres les moins en vue du gouvernement de Sa Majesté.

Pendant qu'Urquhart apposait un vague gribouillis en bas des documents, le directeur avait compté l'argent et préparait à présent un reçu. *Les banques sont comme les plombiers*, songea Urquhart. *On leur donne du liquide et ils ne posent pas de questions.*

— Une dernière chose, dit Urquhart.

— Bien sûr.

— Je préférerais que cet argent ne dorme pas sur un compte. Pouvez-vous acheter des actions pour moi. C'est possible ?

Le directeur hocha la tête, positivement enchanté. Une telle opération ne manquerait pas d'arrondir sa commission.

— Prenez vingt mille actions ordinaires de la *Renox Chemical Company PLC*. Au cours du jour, elles doivent être à un peu plus de 240 pence l'unité, sauf erreur de ma part.

Après avoir consulté son écran, le directeur assura à son client que l'opération serait conclue à 16 heures le jour même, pour un total de 49 288 livres et 40 pence, droits de timbre et commissions de courtage inclus. Le solde du nouveau compte serait très exactement de 711 livres et 60 pence. Urquhart signa de nouveaux documents, au bas desquels il apposa son paraphe parfaitement illisible.

C'est avec un large sourire satisfait que le directeur remit les reçus à son nouveau déposant.

— C'est un plaisir de faire affaire avec vous, monsieur Collingridge.

Lundi 26 juillet – mercredi 28 juillet

La fin de la session parlementaire. La dernière semaine avant la trêve et la perspective de fuir la vague de chaleur qui s'était abattue sur Londres. Bon nombre de députés avaient déjà abandonné Westminster, et ceux restés à leur poste avaient la tête ailleurs. Survivre à des températures de vingt-sept degrés, enfermés dans un bâtiment où une fenêtre ouverte et un Ordre du jour agité faisaient office de climatisation, était un véritable supplice. Mais tout serait bientôt fini. Il ne restait plus que soixante-douze heures de prise de bec.

Le gouvernement ne se laissait pas distraire. Les archives montreraient à tous que, jusqu'au bout, ses membres seraient restés à leur poste, pour rédiger des tonnes de Réponses écrites et autres communiqués de presse, pendant que d'autres lâchaient prise. Les agents du ministère de la Santé se félicitaient grandement de cette ambiance de moindre vigilance, puisque l'une des Réponses écrites auxquelles ils travaillaient portait précisément sur l'ajournement du programme de rénovation des hôpitaux. La nouvelle était déjà ancienne, grâce à la fameuse fuite, mais elle était désormais gravée dans le marbre. À présent, ils pouvaient de nouveau sortir au grand jour, et cesser de raser les murs chaque fois que quelqu'un leur posait la question.

Le ministère avait d'autres dossiers à traiter. Les listes d'attente dans les établissements de soin. Un communiqué de presse au sujet de la récente épidémie d'oreillons au Pays de Galles. Et un autre de pure routine relatif à l'autorisation de mise sur le marché de trois nouveaux médicaments, sur avis favorable de la Direction des affaires sanitaires et de son agence de sûreté des produits pharmaceutiques.

L'une de ces trois substances était le Cybernox, un nouvel antinicotinique particulièrement efficace mis au point par le laboratoire *Renox Chemical Company PLC*. À la suite de premiers essais concluants menés sur des rats et des chiens rendus dépendants, une étude elle aussi positive avait été menée sur l'homme. À présent, la population tout entière allait pouvoir se le faire prescrire.

L'annonce avait donné le signal d'une activité intense au sein de l'entreprise *Renox Chemicals*. Une conférence de presse avait été convoquée pour le lendemain. Le directeur du marketing avalisa l'envoi d'un mailing de masse à destination de tous les médecins du pays, et le courtier de la société informa la Bourse de l'élargissement de sa gamme de médicaments.

Les résultats ne se firent pas attendre. Le cours de l'action bondit de 244 à 295 pence. Les vingt mille actions ordinaires achetées deux jours plus tôt par les courtiers de l'*Union Bank of Turkey* représentaient dès lors un pactole de 59 000 livres, à peu de choses près.

Un peu avant midi le jour suivant, un coup de téléphone demanda au directeur de l'*Union Bank of Turkey* de vendre les actions, et de porter la somme correspondante au crédit du compte récemment ouvert. Le correspondant expliqua également que l'affaire de l'hôtel d'Antalya avait capoté, en conséquence de quoi le détenteur du compte retournait au Kenya. « Vous serez donc bien aimable de clôturer le compte. La personne passera dans vos locaux cet après-midi. »

Un peu avant 15 heures, juste avant la fermeture de la banque, l'homme à la veste de sport, au chapeau mou et aux lunettes teintées se présenta à l'agence sur Seven Sisters Road. On le convia à passer dans le bureau du directeur, où une tasse de thé l'attendait. Il déclina. Il regarda le directeur et son aide poser des liasses de billets de 20 livres sur le bureau, pour une valeur totale de 58 250 livres, plus un reste de 92,16 livres en pièces et plus petites coupures. Le client fourra le tout dans son sac de velours marron, puis haussa les sourcils en constatant que la banque avait prélevé 742 livres de frais pour un compte tout simple à la longévité plus qu'éphémère. Cependant, comme le directeur en avait eu l'intuition, le mystérieux client n'en fit pas une histoire. Il demanda qu'on lui envoie le relevé de clôture à son adresse postale à Paddington, puis remercia l'employé de son amabilité.

Le lendemain matin, un peu moins d'une semaine après la rencontre entre Firdaus Jhabwala et lui-même, le *Chief Whip* remit 50 000 livres en liquide au trésorier du Parti. Un versement en numéraire n'était pas chose inédite, et cette manne inattendue ravit manifestement le chargé des cordons de la bourse de l'organisation politique. Urquhart suggéra que le bureau du trésorier se charge de prendre les dispositions pour inviter le donateur et son épouse à une ou deux réceptions de charité à Downing Street, en demandant expressément à être prévenu à l'avance pour faire en sorte que M. et Mme Jhabwala puissent avoir dix minutes en tête à tête avec le Premier Ministre.

Après avoir soigneusement noté les coordonnées du donateur, le trésorier annonça qu'il allait immédiatement lui envoyer une lettre de remerciement judicieusement cryptique. Puis il remisa l'argent au coffre.

Seul de tous les ministres du Cabinet, Urquhart choisit de partir en vacances dès le soir même. Le cœur léger et avec la satisfaction du devoir accompli, il se sentait parfaitement détendu.

Deuxième partie

La chute

Chapitre 14

Un jour, on m'a décerné un deuxième prix à l'école. Une bible reliée de cuir. Sur la page de garde intérieure, une mention écrite en rondes anglaises indiquait que c'était un prix d'excellence. D'excellence ? Pour avoir fini deuxième ?

J'ai lu cette bible d'un bout à l'autre. Saint Luc y disait que nous devons pardonner à nos ennemis. J'ai lu tout ce qu'il disait d'autre, ainsi que tout ce que disaient tous les autres saints. Sincèrement, j'ai tout lu. Et nulle part il est dit que nous devons pardonner à nos amis.

Août

Un temps de répit, où l'on met de côté les soucis. Un temps de fraîcheur et de petites pluies d'été, de crèmes glacées, de fraises, de friandises et de rires. Un temps pour se souvenir des petits bonheurs et de toutes ces choses qui sont le sel de nos vies. Sauf que ce qu'on put lire dans les journaux de ce mois d'août était vraiment épouvantable.

Tandis que la classe politique et les principaux correspondants spécialisés se baguenaudaient au loin, les remplaçants de la presse se démenaient pour meubler le vide et se pousser du col. Ils étaient donc à l'affût du moindre bruit de couloir. Ce qui le mardi n'était qu'une vague supposition en page cinq, finissait parfois le vendredi par faire la une. Les gens du mois d'août voulaient imprimer leur marque, ce qui se résumait bien souvent à quelques piques faites pour nuire à la réputation d'Henry Collingridge. Les sans-grade de la Chambre des communes, oubliés depuis longtemps dans un coin, retrouvaient subitement les honneurs de la presse, où ils se voyaient qualifier de « figures éminentes du Parti ». Les blancs-becs tout frais émoulus devenaient les « espoirs » ou les « gloires montantes ». Et on leur ouvrait toutes grandes les colonnes pour peu qu'ils aient des choses salaces et pimentées à raconter. Les rumeurs sur la défiance des membres du Cabinet envers le Premier Ministre étaient innombrables, tout comme les récits de leurs mécontentements. Et comme il n'y avait personne à la ronde qui fasse suffisamment autorité pour les démentir, le silence était interprété comme un aveu. Le bruit se nourrissait de lui-même et se propageait.

Un article de Mattie avait déclenché une vague de rumeurs au sujet d'une « enquête officielle » sur les fuites du Cabinet. Rapidement, celles-ci avaient culminé en quasi-certitude d'un remaniement à l'automne. Il se murmurait dans le monde gravitant autour de Westminster que les humeurs d'Henry Collingridge devenaient de plus en plus erratiques. Or, au même instant, celui-ci passait des vacances solitaires dans une propriété privée à plus d'un millier de kilomètres, quelque part du côté de Cannes.

C'est au cours de ces journées de canicule du mois d'août que le frère du Premier Ministre commença à apparaître régulièrement dans les journaux, et tout particulièrement ceux tout près du caniveau. À Downing Street, le bureau chargé des relations avec la presse recevait sans cesse des coups de fil demandant des éclairages sur les bruits selon lesquels le Premier Ministre renflouait régulièrement ce « bon vieux Charlie » pour calmer ses créanciers, dont le fisc britannique. Bien entendu, Downing Street refusait de commenter. C'était une affaire privée et absolument pas officielle. Seulement, la traditionnelle formule « pas de commentaire » était relayée dans la presse associée aux accusations les plus fantaisistes, avec généralement un ton d'insinuation qui donnait à l'ensemble un relief bien préjudiciable.

Au mois d'août, le destin du Premier Ministre fut encore plus étroitement associé à celui de son frère dans le besoin. Ce n'était pas tant que Charlie se répande en propos stupides ; il avait assez de bon sens pour se tenir prudemment à l'écart. Mais un coup de téléphone anonyme à l'un des tabloïds à sensation du dimanche permit à cette presse de le débusquer dans une pension bon marché des environs de Bordeaux. Un journaliste fut dépêché sur place, histoire de le faire boire pour l'encourager à livrer quelques-unes de ses saillies millésimées. Résultat des courses, le pauvre Charlie vomit tripes et boyaux sur l'échotier, avant de tomber dans les pommes. Ni une ni deux, le journaliste offrit 50 livres à une fille à la poitrine généreuse pour qu'elle se penche sur le pauvre endormi, tandis qu'il immortalisait l'instant, pour la postérité bien sûr, mais aussi pour les onze millions de lecteurs de son journal.

Sous la manchette « Je ne sais plus à quel sein me vouer », l'article racontait que le frère du Premier Ministre était au bord de l'indigence et commençait à perdre sacrément les pédales en raison de l'échec de son mariage et de l'écrasante notoriété de son cadet. Dans ces circonstances, la formule « aucun commentaire » de Downing Street prit une résonnance plus sordide encore qu'à l'ordinaire.

La semaine suivante, la même photo fut republiée à côté d'une autre montrant le Premier Ministre faisant relâche dans le luxe et le confort sur la Côte d'Azur. Vu d'Angleterre, c'était comme si le politique se pavanait à un jet de pierre à peine de son frère malade. Le sous-entendu était limpide : Henry n'entendait pas plus lever le petit doigt que quitter le bord de sa piscine pour aider un membre de sa famille. Apparemment, le journal avait complètement oublié avoir dit, pas plus tard que la semaine précédente, combien Henry se démenait pour sortir Charlie de son pétrin financier. Le bureau chargé des relations avec la presse de Downing Street se fendit donc d'un coup de fil au rédacteur en chef.

— Que voulez-vous ? répondit celui-ci. Nous donnons toujours les deux faces d'une même pièce. Nous l'avons soutenu sans réserve pendant la campagne. Il est temps de rétablir un peu l'équilibre.

Oui, pendant le mois d'août, la presse s'était montrée épouvantable. À un point terrifiant.

Septembre – Octobre

Et les choses empirèrent. Au tout début de septembre, le chef de l'Opposition annonça qu'il quittait son poste pour laisser la place « à un bras plus fort et mieux armé pour porter haut nos couleurs ». Il avait toujours eu une propension un peu trop marquée à faire des phrases, ce qui lui valait en partie d'être ainsi déposé – plus, bien sûr, le fait de n'avoir pas remporté les élections. Il avait été évincé par les hommes plus jeunes de son entourage, plus énergiques et plus ambitieux, qui avaient agi sans faire de bruit, sans qu'il ne se rende compte de rien jusqu'à ce qu'il soit trop tard.

C'est dans une interview nocturne et chargée d'émotion qu'il avait annoncé, depuis sa circonscription au cœur du Pays de Galles, son intention de se retirer. Le week-end venu, il sembla presque avoir changé d'avis, sous la pression de son épouse à l'ambition toujours intacte, mais il s'aperçut alors qu'il ne pouvait plus compter sur la moindre voix au sein du Cabinet fantôme. Néanmoins, dès l'instant où il quitta définitivement la scène, tout le monde fut unanime à saluer ses mérites. Un leader était tombé, et sa chute contribua à unifier son parti plus sûrement et plus efficacement que tout ce qu'il avait pu entreprendre au cours de son mandat.

L'arrivée d'un nouvel opposant en chef électrisa les médias. C'était une chair fraîche dont ils pouvaient se repaître. Bien sûr, ce n'était pas assez pour les rassasier. Pour tout dire, cet amuse-gueule ne fit qu'aiguiser encore plus leur appétit. Un concurrent à terre. L'autre allait-il suivre ?

Lorsque Mattie reçut le message lui demandant de rappliquer ventre à terre au bureau, elle était en compagnie de sa mère dans la cuisine de son vieux cottage de pierres des environs de Catterick, dans le nord de l'Angleterre.

— Mais tu viens à peine d'arriver, ma chérie, protesta sa mère.

— Ils ne peuvent plus se passer de moi, répondit Mattie.

L'argument sembla faire son petit effet.

— Ah... Ton père aurait été tellement fier de toi, dit la veuve à sa fille, occupée à gratter la partie noircie du toast qu'elle venait de brûler. Tu es sûre qu'il n'y aurait pas aussi un certain jeune homme qui te manque ? ajouta-t-elle, taquine.

— C'est le boulot, maman.

— Mais... tu n'as pas trouvé quelqu'un à Londres ? Tu sais..., insista sa mère tout en faisant glisser les œufs au bacon de la poêle sur une assiette.

Mattie s'était montrée remarquablement calme depuis son arrivée deux jours plus tôt. Il y avait forcément anguille sous roche.

— Je me suis fait un tel sang d'encre quand tu as rompu avec... Machin.

— Tony, maman. Il a un nom. Tony.

— Pas pour moi. Pas depuis le jour où il a été assez idiot pour te laisser tomber.

— C'est moi qui l'ai laissé tomber, maman. Tu le sais très bien.

Pas le mauvais bougre, ce Tony, loin de là, mais absolument pas motivé pour aller dans le Sud. Même avec Mattie.

— Alors, marmonna sa mère en s'essuyant les mains sur un torchon. Tu as quelqu'un ? À Londres ?

Mattie ne répondit rien. Le regard perdu au loin par la fenêtre, elle ne toucha même pas à son déjeuner. Pour sa mère, c'était un silence parfaitement éloquent.

— Vous en êtes au tout début, n'est-ce pas, ma belle ? Les meilleurs moments. Tu sais, je me suis tellement fait de souci quand tu es partie pour Londres. Une ville hostile où on peut se sentir bien seul. Mais si tu as trouvé ton petit bonheur là-bas, alors tout est pour le mieux. Je suis contente, dit-elle en mettant une cuillère de sucre dans son thé. Je ne sais pas si je fais bien de te dire ça, mais tu sais ce que tu représentais pour ton père. Rien ne lui aurait fait plus plaisir que d'être là pour te voir t'installer.

— Je sais, maman.

— Est-ce qu'il a un nom ?

Mattie secoua la tête.

— Ce n'est pas ce que tu crois, maman.

Mais sa mère était fine mouche. Elle lisait sur le visage de sa fille comme dans un livre ouvert. Depuis le jour de son arrivée, elle savait que sa Mattie était ailleurs, à Londres.

— Chaque chose en son temps, dit-elle en posant les mains sur les épaules de sa fille. Ton père serait fier de toi, ma chérie.

— Tu crois ?

Pour tout dire, Mattie n'en était pas du tout certaine. Elle n'avait fait que toucher de la main la manche de cet homme, mais depuis lors, depuis des semaines, elle n'avait cessé de penser à lui. La nuit, elle ne dormait plus. Elle tressaillait lorsque le téléphone sonnait, espérant que ce soit lui. Son esprit était peuplé d'images qui n'auraient jamais dû y éclore s'agissant d'un homme trois ans plus âgé que feu son propre père. Non, son cher papa n'aurait jamais compris, et encore moins approuvé. D'ailleurs, Mattie ne comprenait pas elle-même. Sans dire un mot de plus, elle se pencha sur son assiette où son déjeuner refroidissait.

Chapitre 15

Il y a moyen de s'amuser aux congrès du Parti. Ce qui s'y passe n'est pas sans évoquer une scène à mi-chemin entre le panier de crabes et le nid de coucous. Installez-vous tranquillement et regardez-les se démener pour pousser leur voisin à l'extérieur.

L'Opposition choisit son nouveau chef au cours de son congrès annuel, organisé un peu avant celui du Parti, au début du mois d'octobre. Le processus consistant à se doter d'un nouveau visage sous la bannière duquel mener le combat eut pour effet de galvaniser le principal parti opposé au gouvernement, de resserrer ses rangs, et de lui donner, enveloppés dans un même paquet, l'espoir, la résurrection et la rédemption. Le parti rassemblé n'avait plus rien de la troupe vaincue aux élections quelques mois plus tôt. Pour affirmer ce renouveau, tous les hiérarques se retrouvaient sous une immense banderole sur laquelle un mot, un seul, était écrit : « Victoire ».

La semaine suivante, ce fut au tour des ouailles de Collingridge de se retrouver. Et le tableau était bien différent. Le centre de conférences de Bournemouth pouvait être un lieu exaltant pour peu que quatre mille militants enthousiastes le remplissent. Seulement, il manquait quelque chose. Le souffle. L'ambition. Les tripes. Dans ce décor de murs de briques nues et de mobilier chromé, la morosité des participants n'en devenait que plus évidente.

Ce climat posait un véritable défi pour O'Neill. En tant que directeur de la communication, c'était à lui qu'il incombait de susciter l'engouement, de mettre en scène la conférence et de réchauffer les cœurs. Or, on le voyait, en proie à une agitation croissante, parler avec des journalistes pour expliquer, justifier, s'excuser – et accuser. En particulier, quand l'alcool lui déliait la langue, il ne tarissait pas de reproches au sujet de Lord Williams. C'était le président du Parti qui avait coupé le budget, retardé les décisions, et tout laissé partir à vau-l'eau. D'après certaines rumeurs, il voulait un congrès discret et sans éclat, car il s'attendait à ce que le Premier Ministre y connaisse des heures difficiles. Pour son premier article consacré au congrès de Bournemouth, le *Guardian* titra : « LE PARTI DOUTE DU *LEADERSHIP* DE COLLINGRIDGE ».

Dans la salle de conférences, les débats se déroulaient suivant un strict emploi du temps établi à l'avance. Une immense pancarte avait été accrochée au-dessus de l'estrade – « TROUVONS LA BONNE VOIE ». Pour beaucoup, la formule était un peu ambivalente. Les orateurs faisaient de leur mieux pour suivre cette instruction, tandis que des travées latérales montait le bourdonnement d'innombrables conversations que les hôtesses et le reste du personnel d'accueil étaient bien incapables de réduire au silence. Rassemblés en petits groupes dans les cafétérias et les zones de détente, journalistes et politiciens prenaient le thé et entretenaient leur insatisfaction. Partout où ils laissaient traîner l'oreille, les gens des médias n'entendaient que plaintes et critiques. D'anciens membres du Parlement, qui venaient de perdre leur siège à la récente élection, faisaient état de leur ressentiment, en demandant toutefois que leur nom ne soit pas cité, de manière à ne pas compromettre leurs chances de se voir désigné la fois suivante sur une circonscription plus facile à conquérir. En revanche, les représentants du Parti dans les circonscriptions de tout le pays n'avaient pas de ces pudeurs. Non seulement ils avaient perdu le siège, mais ils contemplaient devant eux la perspective de plusieurs années d'opposition pendant lesquelles ils allaient perdre la main sur les conseils, comités et autres instances locales.

Et puis, pour réduire les plus hardis des hommes à la colère et au désespoir, il y eut encore ce qu'un ancien Premier Ministre, Harold Macmillan, avait appelé avec mélancolie « les événements, mon cher, les événements ». En particulier, il y eut cette semaine-là, le jeudi précisément, une élection partielle. Le député de la circonscription du Dorset Est, sir Anthony Jenkins, avait eu une attaque quatre jours seulement avant les élections générales. Il avait été élu alors qu'il était en soins intensifs, puis porté en terre le jour où il aurait dû prêter le serment d'allégeance. Une nouvelle bataille électorale allait donc avoir lieu pour la conquête du siège du Dorset Est, pas très loin de Bournemouth. Comme la majorité gouvernementale disposait dans la circonscription d'une avance de près de vingt mille voix, le Premier Ministre avait décidé d'organiser le scrutin pendant la semaine du congrès. Certains l'avaient mis en garde, mais Collingridge avait estimé que le jeu en valait la chandelle. La tenue du congrès dans la région assurerait une bonne campagne publicitaire, et le triste sort subi par sir Anthony vaudrait à coup sûr un vote de sympathie pour son parti (« Du moins, de la part des électeurs qui ne connaissaient pas personnellement ce vieux con », avait tout de même murmuré son agent électoral). Les petites mains du Parti mobilisées sur le congrès pourraient prendre quelques heures pour aller faire du porte à porte, puis, une fois la victoire acquise, le Premier Ministre aurait la joie immense (et la publicité gratuite) d'accueillir le candidat victorieux sur son estrade. Tel était le plan. Dans les grandes lignes.

Seulement, au retour des cars qui les avaient transportés sur place, les militants du Parti avaient raconté avoir été fraîchement reçus. Bien sûr, le siège serait remporté, personne n'en doutait – le Parti tenait la circonscription depuis la guerre –, mais la belle victoire voulue par Collingridge semblait s'éloigner chaque jour un peu plus.

Et merde. Oui, la semaine s'annonçait vraiment difficile, bien loin de la marche victorieuse imaginée par les caciques du Parti.

Mercredi 13 octobre

Mattie s'éveilla avec une migraine de première force. Par la fenêtre, elle regarda le linceul de nuages gris qui occupait tout le ciel. Un vent humide et frisquet soufflait de la mer, chahutant le vol des mouettes et agitant sa fenêtre.

— Une nouvelle journée au paradis, marmonna-t-elle en repoussant ses couvertures.

Pourtant, elle n'avait guère de motifs de se plaindre. En tant que représentante d'un grand journal national, elle était l'un des rares journalistes à bénéficier d'une chambre dans l'hôtel qui tenait lieu de quartier général. Les autres n'étaient pas logés à la même enseigne – mais plutôt dans établissements bien plus excentrés. À leur arrivée au centre de conférences, ils seraient probablement tous trempés comme des soupes. Avec le gîte sur place, Mattie avait la possibilité de se mêler à la foule des élus et officiels du Parti. D'où son mal de tête. Pour tout dire, elle s'était montrée un peu trop sociable la veille au soir. Par deux fois, on lui avait d'ailleurs fait des avances. La première, c'était un confrère qui avait tenté sa chance, tandis que la seconde offre de services lui était venue d'un ministre du Cabinet – qui avait surmonté sa déception en reportant *illico* ses attentions sur une jeune femme employée d'une société de relations publiques. Aux dernières nouvelles, ils avaient été aperçus marchant ensemble en direction du parking.

Mattie n'était pas du genre à jouer les vierges effarouchées. À l'instar de ses collègues, elle poussait délibérément les hommes politiques à boire. Seulement, il y avait parfois un prix à payer lorsque ces messieurs finissaient par entrer en surchauffe. Dans un bar, un politicien a généralement en tête l'un des deux objectifs suivants : trouver une partenaire pour la nuit ou débiter d'horribles calomnies sur ses collègues. Pour Mattie, c'était toujours l'occasion de faire le plein de ragots. Ce matin-là, le problème était de savoir combien de fragments épars son esprit embrumé allait pouvoir recoller ensemble. Elle s'étira les jambes, dans l'espoir d'obliger son sang à circuler dans tout son organisme, et tenta même quelques mouvements de gymnastique suédoise. Tous ses membres lui signifièrent que ce n'était pas une bonne idée pour soigner une gueule de bois. Elle se résolut donc à ouvrir la fenêtre – avant de conclure immédiatement que c'était sa deuxième mauvaise décision de la journée. Perché au sommet d'une falaise, l'hôtel offrait une position idéale pour l'ensoleillement estival, mais redoutable face à la pluie et aux embruns d'automne. Sa chambre surchauffée devint une véritable glacière en quelques secondes. Mattie décida donc de renoncer à toute initiative tant qu'elle n'aurait pas pris son petit déjeuner.

Au sortir de la douche, elle entendit du bruit dans le couloir. Elle s'enveloppa dans une serviette, puis entrouvrit sa porte. *Du boulot.* Plus précisément, une pile de journaux du matin posés sur le seuil. Elle les ramassa et les jeta négligemment sur son lit. Comme ils se répandaient sur sa couette froissée, une feuille de papier s'échappa de la pile pour tomber au sol. Elle la ramassa, avant de se frotter vigoureusement les yeux. Les brumes matinales étaient bien longues à se dissiper. Pourtant, les mots étaient bien là, écrits en gros en haut de la page : « ÉTUDE D'OPINION NO. 40, 6 OCTOBRE ». Et puis, en plus gros encore : « CONFIDENTIEL ».

Elle s'assit sur le lit et se frotta une nouvelle fois les yeux – juste au cas où. *Ils ne se sont quand même pas mis à les distribuer avec le* Mirror *du jour*, songea-t-elle. Bien sûr, elle n'ignorait pas que le Parti faisait procéder chaque semaine à des sondages, mais les résultats étaient toujours à diffusion restreinte – ministres du Cabinet et hauts dirigeants du Parti. En de rares occasions, on lui en avait montré des copies, mais uniquement lorsque celles-ci contenaient de bonnes nouvelles que le Parti voulait voir étaler. Pour le reste, ces documents restaient sous strict embargo. Deux questions vinrent immédiatement à l'esprit de Mattie, qui retrouvait toute son acuité. Quelle bonne nouvelle pouvait bien apporter la dernière étude en date ? Et pourquoi la lui faire parvenir emballée dans du journal comme un vulgaire *fish and chips* ?

Elle lut et sa main se mit à trembler, tant elle n'en croyait pas ses yeux. Quelques semaines seulement s'étaient écoulées depuis la victoire du Parti aux élections avec 43 % des suffrages, et voilà que sa cote de popularité était tombée à 31 %, 14 points derrière l'Opposition. Un véritable séisme. Mais ce n'était pas tout. Les chiffres concernant le Premier Ministre étaient stupéfiants. Il était à des kilomètres derrière le chef de l'Opposition. À peu près aussi populaire qu'un eczéma. Collingridge était le Premier Ministre avec la plus belle cote de désamour depuis Anthony Eden – quand il n'était pas au mieux de sa forme.

Mattie rajusta la serviette autour d'elle et s'assit en tailleur sur son lit. Elle ne se posait plus la question de savoir pourquoi on lui avait fait parvenir cette information. C'était de la dynamite. Elle n'avait plus qu'une seule chose à faire : allumer la mèche. Si la nouvelle explosait au beau milieu du congrès, les dégâts promettaient d'être considérables. Quelqu'un était en train de mener une action de sabotage, qui allait faire un article génial. *Mon article.* À condition qu'elle parvienne à être la première à le sortir.

Elle composa un numéro sur le téléphone.

— Qu'est-ce que c'est ? demanda une femme d'une voix lourde de sommeil.

— Madame Preston ? Mattie Storin à l'appareil. Désolée de vous réveiller. Pourrais-je parler à Greville, s'il vous plaît ?

Il y eut quelques propos étouffés, puis son rédacteur en chef prit l'appareil.

— Qui est mort ? aboya-t-il.

— Quoi ?

— Putain, il y a forcément quelqu'un qui a cassé sa pipe. Pour quelle autre raison à la con est-ce que tu oserais m'appeler à cette heure-là ?

— Personne n'est mort. Je… Je suis désolée. Je n'ai pas fait attention à l'heure.

— Et merde.

— Mais peu importe l'heure, dit-elle en se ressaisissant. J'ai un scoop.

— Quoi donc ?

— Quelque chose que j'ai trouvé avec mes journaux du matin.

— Voilà qui est rassurant. On a juste une journée de retard sur la concurrence.

— Non, Greville. Écoutez-moi. J'ai les chiffres de la dernière étude d'opinion du Parti. Et c'est de la bombe !

— Comment te les es-tu procurés ?

— Quelqu'un les a laissés sur le pas de ma porte.

— Emballés dans du papier cadeau ?

Le rédac-chef ne cherchait jamais à dissimuler ses sarcasmes. Et surtout pas si tôt le matin.

— Mais ils sont absolument incroyables, Greville.

— Tu m'étonnes. Et qui a mis ça dans tes petits souliers ? Le Père Noël ?

— Euh... Je ne sais pas.

Pour la première fois, une note dubitative s'était glissée dans sa voix. Sa serviette avait glissé et elle se retrouvait en tenue d'Ève sur son lit. Elle avait l'impression que son supérieur la regardait. D'un coup, elle se sentit définitivement réveillée.

— Je suppose que ce n'est pas Henry Collingridge qui est venu les poser là. Alors qui d'autre d'après toi ?

Le silence de Mattie dit tout de sa confusion.

— Et je suppose que tu n'as pas fait la bringue hier soir avec tes collègues ?

— Greville, qu'est-ce que ça vient faire dans cette histoire ?

— C'est un canular, fillette. Ils sont probablement assis au bar devant un rince-cochon, en train de se pisser dessus de rire. Alors que moi, je ne rigole pas. Tu peux me croire.

— Mais comment pouvez-vous en être certain ?

— Je n'en sais foutre rien. Mais une chose est sûre, Wonder Woman. Tu n'en sais rien non plus !

Mattie observa un autre instant de silence gêné, tout en essayant de récupérer sa serviette tombée par terre. Pour finir, elle se risqua à une dernière tentative pour convaincre son rédacteur en chef.

— Vous ne voulez pas au moins entendre ce qu'ils disent ?

— Non. Si tu ne sais pas d'où ils viennent, je ne veux rien savoir. Et n'oublie pas : plus c'est énorme et plus tu as des chances d'être tombée dans un piège. Un putain de traquenard !

Le son du combiné brutalement reposé sur sa fourche lui explosa à l'oreille. Même sans gueule de bois, il aurait suffi à lui fendre le crâne. Les gros titres en page une qu'elle s'était déjà imaginés s'évanouirent dans la brume grise du petit matin. Son mal aux cheveux était un million de fois pire qu'à son réveil. Elle avait désespérément besoin d'une tasse de café. Elle venait de se ridiculiser. Certes, la chose lui était déjà arrivée, mais à poil c'était la première fois.

Chapitre 16

À quoi bon tracer une ligne dans le sable ? Le vent souffle, et avant même d'avoir eu le temps de dire « ouf », on se retrouve exactement là où en était au départ.

Tout en descendant l'escalier en direction de la salle du petit déjeuner, Mattie continuait de maudire son rédacteur en chef à voix basse. Il était encore tôt et seule une poignée d'enthousiastes était déjà là. Elle s'installa à une table, toute seule, en priant pour n'être pas dérangée. Elle avait besoin d'un peu de temps pour récupérer. Installée dans un renfoncement, elle se dissimula derrière l'exemplaire du jour de l'*Express*, en espérant que les gens concluent qu'elle travaillait et non pas qu'elle essayait d'oublier sa gueule de bois.

La première tasse de café lui fit l'effet d'une purge atroce, mais la deuxième lui fit du bien. Du moins, un peu de bien. Peu à peu, son coup de mou s'atténua. Elle retrouvait un semblant d'intérêt pour le reste du monde. D'un regard à la ronde, elle parcourut la petite salle victorienne. De l'autre côté, elle aperçut un autre correspondant politique en conversation discrète avec un ministre. Plus loin, il y avait encore une figure du Parti avec son épouse, un présentateur de la télévision, le rédacteur en chef d'un journal du dimanche, et deux autres personnes encore qu'elle ne parvenait pas à reconnaître. Quant au jeune homme assis à la table voisine de la sienne, avec son air d'universitaire un peu miteux, elle ne le connaissait absolument pas. Tout comme Mattie, il faisait des efforts pour n'être pas vu du reste de la salle. Une pile de dossiers et de papiers était posée sur la chaise à côté de lui. *Un chercheur qui travaille pour le Parti*, conclut-elle, non pas tant parce que son intellect fonctionnait à nouveau, mais parce qu'il y avait sur la table, entre la théière et l'assiette de toasts, un dossier orné du logo du Parti avec un nom écrit dessous : « K.J. Spence ».

Sous l'effet de l'apport régulier de caféine, son instinct professionnel reprenait le dessus. Dans son sac qui ne la quittait jamais, elle prit le répertoire interne des cadres du Parti, qu'elle avait un jour récupéré – en le volant ou en suppliant quelqu'un de le lui donner, elle ne se souvenait plus au juste.

« Spence. Kevin. Poste 371. Études d'opinion. »

Elle vérifia une nouvelle fois le nom inscrit sur le dossier. Il s'agissait de procéder avec ordre et méthode, un pas à la fois. Elle avait déjà assez pataugé comme ça. Elle ne voulait plus se rendre ridicule – au moins jusqu'à l'heure du déjeuner. Les piques de Greville Preston avaient sapé la confiance qu'elle pouvait avoir dans les chiffres qui lui étaient miraculeusement parvenus, mais ranimé en même temps sa volonté de sauver les meubles d'une façon ou d'une autre. Après tout, peut-être pouvait-elle découvrir ce que donnaient les vrais sondages. Elle parvint à accrocher le regard de son voisin de table.

— Vous êtes Kevin Spence, n'est-ce pas ? Du siège du Parti ? Je suis Mattie Storin, du *Chronicle*.

— Oh, je sais qui vous êtes, bafouilla-t-il, à la fois embarrassé et ravi d'avoir été reconnu.

— Puis-je me joindre à vous pour une tasse de café, Kevin ? demanda-t-elle en s'installant à sa table sans attendre la réponse.

À trente-deux ans, Kevin Spence en paraissait plus. Il était depuis toujours une créature de la machine administrative du Parti, rémunéré tout de même à hauteur de 10 200 livres, hors primes et autres à-côtés. Célibataire, timide, portant lunettes à double foyer, il s'inclina maladroitement en se levant à moitié, incapable de décider si l'étiquette exigeait qu'il se lève pour accueillir une jeune femme à sa table. Mattie lui serra la main en souriant. Quelques instants plus tard, il expliquait avec enthousiasme et force détails la nature du travail qu'il avait effectué pendant la période électorale pour alimenter régulièrement le Premier Ministre et le comité directeur du Parti en études statistiques.

— Ils ont passé toute la campagne à dire qu'ils ne tenaient aucun compte des études d'opinion, dit-elle pour l'appâter. Que le seul sondage qui compte…

— … c'est le choix des électeurs le jour du vote, acheva-t-il, enchanté de découvrir qu'ils étaient sur la même longueur d'onde. Oui, cela fait partie du jeu. Mon travail consiste à faire en sorte qu'ils prennent les choses au sérieux, même si, de vous à moi, mademoiselle Storin…

— Appelez-moi Mattie, je vous en prie.

— On pourrait dire que certains prennent les sondages un peu trop au sérieux.

— Comment cela, Kevin ?

— Il y a toujours une marge d'erreur, vous savez. Sans compter les résultats venus de nulle part, qui surgissent toujours au pire moment ! Ces petites créatures parviennent à nous échapper de temps en temps.

— Comme celui que je viens de lire, dit Mattie, avec une petite pointe d'angoisse.

Elle n'était pas encore tout à fait remise de la honte qu'elle avait éprouvée un peu plus tôt.

— Que voulez-vous dire ? demanda Spence en reposant sa tasse de thé, subitement sur le qui-vive.

Mattie vit alors que l'affable responsable des études s'était fait d'un coup bien plus formel, les mains croisées, posées devant lui sur la nappe. Une rougeur lui avait envahi le bas du visage, du col de sa chemise jusqu'en haut des joues. Et ses yeux avaient perdu leur lueur enthousiaste. N'ayant pas la pratique d'un politicien aguerri, Spence était incapable de cacher ses émotions. Son trouble était manifeste. Mais pour quelle raison perdait-il ses moyens de la sorte ? Mattie se botta mentalement les fesses. Les chiffres qu'on lui avait fait parvenir ne pouvaient raisonnablement pas être vrais. Soit. Mais pourquoi ne pas agiter le chiffon rouge, histoire de voir si quelqu'un allait réagir ? Elle avait déjà effectué plusieurs sauts périlleux depuis son réveil. Ce n'était pas un de plus qui allait définitivement piétiner sa fierté professionnelle.

— Si j'ai bien compris, Kevin, vos derniers chiffres sont pour le moins décevants. En particulier pour le Premier Ministre.

— Je ne vois vraiment pas de quoi vous voulez parler.

Ses mains étaient toujours jointes, accrochées l'une à l'autre, comme s'il avait été en train de prier. Ou comme s'il avait voulu les empêcher de trembler ? Puis, d'un geste machinal, il tenta de prendre sa tasse, mais ne parvint qu'à la renverser. Au désespoir, il attrapa sa serviette pour éponger les dégâts.

Pendant ce temps, Mattie avait pris dans son sac la mystérieuse feuille de papier pour la poser sur la table. Du plat de la main, elle la défroissait soigneusement. C'est à cet instant qu'elle remarqua pour la première fois les initiales « KJS » inscrites au bas de la page. Le souvenir de sa gueule de bois disparut pour de bon.

— Ce ne sont pas vos derniers chiffres, Kevin ?

Spence tenta d'éloigner la feuille de lui comme si elle avait été porteuse d'une effroyable maladie contagieuse.

— Comment diable vous êtes-vous procuré ça ? demanda-t-il en jetant des coups d'œil désespérés à la ronde.

Mattie prit la feuille et commença à lire à voix haute.

— Étude d'opinion numéro 40...

— Mademoiselle Storin, je vous en supplie !

Absolument dépourvu du moindre talent pour la dissimulation, il était aussi transparent qu'un verre de cristal. Et il le savait. Ne voyant aucune solution pour échapper au dilemme qui se posait à lui, il se dit que sa seule chance de survie consistait à s'en remettre à la clémence de celle assise à sa table. À voix basse, il plaida sa cause.

— Je ne suis pas censé vous parler. Ces informations sont strictement confidentielles.

— Mais Kevin, ce n'est qu'un morceau de papier.

D'un coup d'œil agité, le jeune homme s'assura une nouvelle fois que tout était calme dans les environs.

— Vous ne savez pas comment ça se passe. Si ces chiffres sortent et qu'on me soupçonne de vous les avoir communiqués, je suis foutu. Cramé. Définitivement grillé. En ce moment, tout le monde cherche un bouc émissaire. Il y a tellement de rumeurs qui circulent. Le Premier Ministre ne fait pas confiance au président du Parti, qui lui se méfie de nous. Et j'aime autant vous dire que personne n'aura pitié d'un type comme moi. J'aime mon travail, mademoiselle Storin. Je ne peux pas me permettre d'être accusé d'avoir fait fuiter des sondages confidentiels.

— Je n'avais pas mesuré que le moral était aussi bas.

Spence prit un air véritablement misérable.

— Vous ne pouvez même pas imaginer. Je n'ai jamais connu ça. Franchement, on garde tous la tête rentrée dans les épaules pour ne pas prendre la sauce quand ça va dégringoler, dit-il en levant la tête pour regarder la jeune femme droit dans les yeux. S'il vous plaît, Mattie, ne m'entraînez pas dans cette histoire.

À certains moments, elle haïssait son boulot et se détestait elle-même. Cet instant en faisait partie. Mais elle n'avait pas d'autre choix que de presser le citron jusqu'au bout.

— Kevin, ce n'est pas vous qui m'avez fait parvenir ce rapport. Vous le savez aussi bien que moi. Et je le confirmerai à qui voudra l'entendre. Mais si je dois vous aider, il va falloir que vous me filiez vous aussi un coup de main. Il s'agit bien de votre dernière étude d'opinion ? Vous me le confirmez ?

Elle repoussa la feuille dans sa direction. Après y avoir jeté un coup d'œil tout aussi effrayé que le précédent, Spence hocha la tête.

— C'est vous qui menez les études et préparez les rapports, qui sont ensuite diffusés à un cercle très restreint.

Nouveau hochement de tête.

— Tout ce que j'ai besoin de connaître, Kevin, c'est la liste des destinataires. Ce n'est quand même pas un secret d'État.

À en juger par l'atonie de ses yeux, Kevin Spence n'était plus en mesure de lutter. Il resta en apnée pendant un long moment, avant de répondre enfin à la question.

— Des exemplaires numérotés de la note de synthèse sont distribués sous double enveloppe cachetée uniquement aux ministres du Cabinet et à cinq hauts responsables du siège du Parti : le vice-président et quatre directeurs.

Sa bouche était aussi sèche que de l'amadou. Il voulut boire une gorgée de thé, avant de s'apercevoir qu'il avait déjà tout renversé.

— Comment avez-vous fait pour vous procurer ce document ? demanda-t-il encore, au bord de la syncope.

— Disons que quelqu'un s'est montré un peu étourdi.

— Dites-moi que ce n'est pas quelqu'un de mon bureau !

— Mais non, Kevin. Réfléchissez. Vous venez de me donner les noms de plus d'une vingtaine de personnes qui ont accès à ces chiffres. Ajoutez-y les secrétaires, les assistants, et on dépasse la cinquantaine, dit-elle en le gratifiant d'un de ses sourires les plus chaleureux et rassurants. Ne vous inquiétez pas, je ne vous impliquerai pas.

Le soulagement submergea les traits du gratte-papier.

— Mais on reste en contact, ajouta-t-elle.

C'est donc avec la gratitude de Spence que Mattie quitta la salle du petit déjeuner – ce qui la délivrait d'un grand poids. Mais mieux encore, elle partait avec le numéro privé de l'expert sondeur du Parti, ce qui la comblait d'aise. Une part d'elle-même était folle de joie à l'idée de l'article qu'elle allait pouvoir écrire pour la première page du *Chronicle*, et la perspective de voir son rédacteur en chef manger son chapeau ajoutait à son ravissement. Le service politique allait arroser ce coup d'éclat pendant au moins une semaine. Mais une autre pensée, insistante au point d'en devenir obsédante, envahissait son esprit. Une cinquantaine de personnes seulement avaient été en mesure d'orchestrer ce coup bas contre Collingridge. Le traître se cachait parmi elles. Qui pouvait-il bien être ?

La chambre 561 de l'hôtel n'avait rien d'une suite cinq étoiles. C'était l'une des plus petites de l'établissement, tout au bout d'un couloir au dernier étage, tassée quelque part dans les combles. Les hiérarques du Parti n'y auraient pas logé. C'était définitivement une piaule de soutier.

Penny Guy fut prise au dépourvu. Elle n'avait pas entendu le moindre bruit de pas quand la porte s'ouvrit soudain à la volée. De saisissement, elle se redressa d'un coup dans son lit, exposant deux seins magnifiques et admirablement dessinés.

— Merde, Roger, on ne t'a jamais appris à frapper ? s'exclama-t-elle en lançant un oreiller à l'intrus, plus sous le coup de l'exaspération que de la colère. Et d'abord, qu'est-ce que tu fais debout aussi tôt ? D'habitude, tu n'émerges jamais avant l'heure du déjeuner.

Elle ne prit même pas la peine de couvrir sa nudité quand O'Neill s'assit sur le bord du lit. Il y avait entre eux une tranquille familiarité, dépourvue de toute dimension sexuelle. Pour la plupart, la nature de leur relation aurait été un motif de grand étonnement. O'Neill flirtait en permanence avec elle, en particulier en public, et se montrait parfois possessif quand d'autres hommes venaient lui tourner autour. Pourtant, les deux ou trois fois où Penny avait donné à ces signaux une interprétation directe au point d'offrir plus que des services de secrétariat, O'Neill s'était montré attentionné et chaleureux, mais n'en avait pas moins décliné l'invitation en prétextant une trop grande fatigue. Penny avait compris que cela n'avait rien à voir avec elle. Roger devait se comporter ainsi avec toutes les femmes. Sous ses manières tout en charme, flatteries et insinuations, il cachait en fait une profonde insécurité sexuelle. Il avait été marié par le passé, mais ce souvenir douloureux le poursuivait à travers la brume des années. C'était un autre pan de sa vie privée sur lequel il maintenait le plus grand secret. Cela faisait trois ans que Penny travaillait pour O'Neill. Elle lui était profondément dévouée et n'aurait rien demandé de mieux que de l'aider à surmonter ses fêlures, mais il ne semblait jamais disposé à baisser la garde. Ceux qui ne le connaissaient pas voyaient en lui un extraverti amusant, bourré de charme, d'idées et d'énergie. Pour sa part, Penny l'avait vu devenir de plus en plus erratique. La méfiance quasiment paranoïaque que lui inspirait la perspective d'entretenir une relation n'avait fait qu'empirer au cours des derniers mois. Les pressions de la vie politique lui tournaient de plus en plus la tête, mais il éprouvait aussi des difficultés croissantes à faire face. Depuis quelque temps, il n'arrivait pratiquement plus jamais au bureau avant midi. Il passait de nombreux coups de fil mystérieux, était souvent agité, et disparaissait subitement à intervalles réguliers. Penny n'était certainement pas naïve, loin de là, mais elle était amoureuse de lui. Et sa dévotion la rendait aveugle. Elle savait qu'il avait besoin d'elle, si ce n'est dans son lit, au moins pour presque tout le reste tout au long de ses journées. Le lien entre eux était fort, et même s'il n'était pas tout à fait ce qu'elle aurait voulu, elle était résolue à attendre.

— Tu t'es levé à l'aube pour venir me faire la cour, c'est ça ? dit-elle, avec une petite moue enjôleuse.

— Mais cache-moi donc ces deux-là, espèce de petite traînée. C'est déloyal. Absolument déloyal ! s'exclama-t-il en désignant la poitrine de la jeune femme d'un grand geste.

Aguicheuse en diable, elle repoussa les couvertures avec un petit air taquin et résolument provocateur, exposant sa complète nudité.

— Oh, Penny, ma belle, comme j'aimerais pouvoir te peindre pour t'accrocher à mon mur.

— Mais pas me mettre dans ton lit.

— Penny, s'il te plaît ! Tu sais bien que je ne suis pas au mieux de ma forme le matin.

À contrecœur, elle attrapa son peignoir.

— Oui, c'est un petit peu tôt pour toi, Roger. Ne me dis pas que tu n'as pas fermé l'œil de la nuit ?

— Eh bien, il y a une gymnaste brésilienne qui est venue me montrer des trucs absolument incroyables. Comme on n'avait pas d'anneaux, on a fini accrochés au lustre. C'est bon ?

— Tais-toi, Roger, dit-elle d'un ton sec, tandis que son humeur devenait aussi grise que le ciel. Qu'est-ce qui se passe encore ?

— Si jeune et déjà cynique.

— Et ce n'est pas près de disparaître.

— De quoi ? La jeunesse ou le cynisme ?

— Les deux. Et en particulier quand il est question de toi. Alors, explique-moi la vraie raison de ta présence ici.

— D'accord, d'accord. J'avais une livraison à faire. Dans le coin. Alors je me suis dit… que j'allais passer te dire bonjour.

C'était pratiquement la vérité – du moins, ce qu'il pouvait faire de mieux dans le genre –, mais ce n'était pas tout à fait ça non plus. Par exemple, il ne précisa pas que Mattie Storin l'avait pratiquement pris sur le fait pendant qu'il glissait le document dans sa pile de journaux, et qu'il avait donc dû trouver un lieu sûr où effectuer un repli stratégique. Coudes au corps, il avait filé dans le couloir exactement comme pour percer la défense anglaise en direction de la ligne d'essai. Quel pied! Et avec tout ça, il allait mettre le président du Parti dans la panade. Excellent. Ce vieux con acariâtre l'avait vraiment pris de haut au cours des semaines précédentes, exactement comme Urquhart l'en avait averti. La paranoïa qui embrumait le cerveau d'O'Neill l'empêchait de voir que Williams traitait tout le monde de la même manière.

— On va faire comme si je te croyais, dit Penny. Mais par pitié, Roger, la prochaine fois que tu viens me dire bonjour, frappe à la porte. Et viens après 8 h 30.

— Ne sois pas si dure avec moi. Tu sais bien que je ne peux pas vivre sans toi.

— Tu me déclareras ta flamme une autre fois, Roger. Qu'est-ce que tu attends de moi au juste? Il doit bien y avoir quelque chose que tu veux, même si ce n'est pas mon corps.

Les yeux d'O'Neill s'obscurcirent, comme si une pensée secrète et coupable venait d'être révélée au grand jour.

— En fait, j'aurais bien un service à te demander. C'est un peu délicat...

Il fit appel à tout son charme de VRP et débita l'histoire qu'Urquhart lui avait fait apprendre la veille au soir.

— Penny, tu te souviens de Patrick Woolton, le secrétaire aux Affaires étrangères? Tu as tapé quelques-uns de ses discours pendant la campagne. Toujours est-il que lui ne t'a pas oubliée. Il... euh, il m'a demandé de tes nouvelles quand je l'ai vu hier soir. Je crois qu'il a le béguin pour toi. Toujours est-il qu'il voudrait savoir si tu accepterais de dîner avec lui. Comme il ne voulait pas t'offenser ou te mettre dans l'embarras en te posant directement la question, je lui ai proposé de jouer les intermédiaires, tu vois, de t'en parler directement parce que c'est plus facile pour toi de me dire non à moi plutôt qu'à lui. Tu comprends, Penny ?

— Oh, Roger…, murmura la jeune femme avec des larmes dans la voix.

— Qu'est-ce qu'il y a, Penny ?

— Tu joues les maquereaux pour lui.

Son ton était amer. Accusateur.

— Mais pas du tout, Penny. Pas du tout. Il ne s'agit que d'un dîner.

— Ce n'est jamais qu'un dîner. Depuis que j'ai quatorze ans, cela ne s'arrête jamais au dessert.

Fille de parents immigrés, représentante de la deuxième génération, elle avait grandi dans un immeuble surpeuplé sur Ladbroke Grove dans le quartier cosmopolite de Notting Hill. Elle savait tout des compromis auxquels une jeune fille noire est contrainte dans un monde d'hommes blancs. Elle n'en était pas ébranlée outre mesure. Cet état de fait pouvait même être synonyme d'opportunités. Mais elle entendait bien ne pas être dépouillée de sa dignité. Pas comme ça.

— C'est tout de même le secrétaire aux Affaires étrangères, Penny, protesta O'Neill.

— Avec une réputation aussi longue que le tunnel sous la Manche.

— Mais tu n'as rien à perdre.

— Si. Mon amour-propre.

— Oh, Penny, je t'en prie. Tu sais, c'est important. Je ne te demanderais pas ce service si ce n'était pas le cas.

— Mais quelle image as-tu de moi ?

— Je te trouve magnifique. Sincèrement. Je te vois tous les jours et tu es la personne qui met des rires et du soleil dans mon existence. Mais je suis dans une situation désespérée. Je t'en prie, Penny, ne me demande pas… Il faut vraiment que tu m'aides sur ce coup-là. Un dîner, rien de plus. Je te le promets.

Ils étaient en larmes tous les deux. Et amoureux l'un de l'autre. Elle savait combien il en coûtait à Roger de lui demander ce service. Mais elle savait aussi que, pour une raison ou une autre, il n'avait pas le choix. Et comme elle l'aimait, elle ne voulait pas savoir pourquoi.

— D'accord. Juste un dîner, dit-elle dans un murmure, en se mentant à elle-même.

Il se jeta dans ses bras pour l'embrasser joyeusement, avant de quitter la pièce comme une tornade, exactement comme il y était entré.

Cinq minutes plus tard, de retour dans sa chambre, il appelait Urquhart.

— Livraison effectuée et dîner arrangé, Francis.

— Magnifique, Roger. Vous avez été très utile. J'espère que le secrétaire aux Affaires étrangères vous en saura gré.

— Je ne vois toujours pas comment vous allez faire pour qu'il invite Penny à dîner.

— En fait, mon cher Roger, il ne va même pas avoir à l'inviter du tout. Ce soir, il sera présent à ma réception. Venez avec Penny, et je les présenterai l'un à l'autre autour d'un verre de champagne. Nous verrons bien ce qui se passera. Mais si je connais bien mon Patrick Woolton – ce qui est le cas en tant que *Chief Whip* –, il ne s'écoulera pas vingt minutes avant qu'il propose de lui montrer ses estampes japonaises.

— Je ne vois toujours pas où cela nous mène.

— Ce qui se passera alors – et laissons deux adultes consentants en décider – nous n'en saurons rien.

— Je ne saisis toujours pas le but de la manœuvre, insista O'Neill, avec l'espoir que son interlocuteur accepte de l'éclairer.

— Faites-moi confiance, Roger.

— Mais je vous fais confiance. D'ailleurs, je n'ai pas vraiment le choix, n'est-ce pas ?

— C'est exact, Roger. Vous commencez à comprendre. Et n'oubliez pas, le pouvoir est dans la connaissance.

La communication fut coupée. La conversation était terminée. O'Neill pensait avoir compris, mais il n'en était pas absolument sûr. Pour tout dire, il n'arrivait pas à savoir s'il était partenaire ou prisonnier de Francis Urquhart. Incapable de trancher, il fouilla dans sa table de nuit et en tira une petite boîte. Après avoir avalé deux somnifères, il s'effondra sur son lit, tout habillé.

Chapitre 17

La responsabilité politique n'est guère différente de la vie. Dans un cas comme dans l'autre, la façon dont on aborde les choses varie selon qu'on vient juste d'arriver ou qu'on est sur le point de partir.

— Patrick. Merci de prendre le temps de me recevoir, s'exclama aimablement Urquhart lorsque le secrétaire aux Affaires étrangères ouvrit la porte.

— Vous aviez l'air tellement sérieux au téléphone. Lorsque le *Chief Whip* annonce qu'il a des choses importantes à discuter en privé, cela signifie généralement qu'il a réussi à coincer le photographe, mais que les négatifs sont déjà parvenus au *News of the World* !

Avec un sourire, Urquhart se glissa par l'entrebâillement à l'intérieur de la suite de Woolton. L'après-midi touchait à sa fin et la tempête s'était calmée, mais le parapluie ouvert dans l'entrée en train de sécher au milieu d'une flaque disait combien le climat de la journée avait été tourmenté. Urquhart n'avait pas eu beaucoup de chemin à faire. Sa propre suite était à quelques mètres, dans l'enfilade des luxueux bungalows édifiés dans le parc de l'hôtel. Ce secteur avait intégralement été réservé aux ministres du Cabinet, et faisait l'objet d'une surveillance constante des forces de police locales. Comme de juste, la facture n'allait pas être donnée à l'arrivée. Au commissariat local, on l'avait d'ailleurs baptisée la « zone des heures sup' ».

— Je vous sers quelque chose ? proposa l'aimable élu du Lancashire.

— Volontiers, Patrick. Un scotch.

Le Très Honorable Patrick Woolton, secrétaire d'État des Affaires étrangères et du Commonwealth de Sa Majesté, qui comme tant d'autres avant lui avait quitté le Merseyside pour réussir ailleurs, s'affaira autour du minibar – dont tout donnait à penser qu'il avait déjà largement été mis à contribution au cours de l'après-midi. Pendant ce temps, Urquhart déposait, dans l'entrée près du parapluie, sa mallette ministérielle rouge à côté des quatre appartenant à son collègue, de toute évidence surchargé de travail. D'un cuir rouge rutilant, ces attachés-cases sont le plus fidèle compagnon des ministres du Cabinet, dans lequel ils gardent précieusement leurs papiers officiels, leurs discours et d'autres bricoles confidentielles. Un secrétaire des Affaires étrangères a besoin de plusieurs mallettes, alors que pour un *Chief Whip*, qui n'a ni discours à tenir ni crise internationale à gérer, une seule suffit. Urquhart était arrivé à Bournemouth avec trois bouteilles d'un vieux malt de douze ans d'âge dans la sienne. « Le prix des boissons est toujours extravagant dans les hôtels », avait-il expliqué à sa femme. « Et on ne trouve pas toujours la marque qu'on veut. »

Ils prirent place de part et d'autre d'une table basse couverte de papiers, et Francis entra dans le vif du sujet.

— Patrick, j'aimerais avoir votre avis. En toute confidentialité, bien sûr. En ce qui me concerne, cet entretien n'aura jamais eu lieu.

— Bon Dieu, c'étaient de sacrés photographes ! s'exclama Woolton en ne plaisantant plus qu'à moitié.

Son goût pour les jeunes et jolies femmes l'avait plus d'une fois conduit sur des chemins périlleux. Dix ans plus tôt, alors qu'il entamait tout juste sa carrière ministérielle, il avait passé plusieurs heures éprouvantes à répondre à des questions dans un poste de police en Louisiane. C'était après un week-end passé dans un motel de la Nouvelle-Orléans, en compagnie d'une jeune Américaine qui avait l'air d'avoir vingt ans, se comportait comme si elle en avait trente, mais n'en avait en réalité que seize depuis quelques jours. L'incident avait été étouffé, mais Woolton n'avait jamais oublié combien la ligne est mince entre un avenir politique brillant et une inculpation pour détournement de mineur.

— Il s'agit de quelque chose qui pourrait se révéler bien plus grave, murmura Urquhart. J'ai capté quelques vibrations malsaines au cours des dernières semaines. Au sujet d'Henry. Vous-même, vous avez senti l'irritation qu'il suscite dans les réunions du Cabinet. Pour ne rien dire du divorce qui paraît consommé avec les médias.

— Eh bien, je suppose qu'il ne fallait pas s'attendre à une lune de miel prolongée après l'élection, mais il est vrai que les nuages n'ont pas traîné à s'amonceler.

— Patrick, en toute confidentialité, j'ai été approché par deux des membres du Parti les plus influents et les plus proches du terrain. Ils disent que le climat devient exécrable au niveau local. Rien que la semaine dernière, nous avons perdu deux municipalités dans des élections partielles, alors que la victoire aurait dû être acquise. Et ce n'était pas fini. D'autres défaites sont à prévoir dans les semaines à venir.

— Et cette saleté d'élection partielle pour le Dorset Est demain. Si vous voulez mon avis, on va se prendre un coup de pied bien placé. Par les temps qui courent, on aurait du mal à gagner l'élection à un poste de garde champêtre.

— Certains estiment, poursuivit Urquhart d'une voix atone qui traduisait son malaise, que l'impopularité d'Henry entraîne tout le Parti vers le bas.

— Franchement, c'est un point de vue que je partage, dit Woolton en sirotant son whisky.

— La question est maintenant de savoir de combien de temps il dispose pour rétablir la situation.

— Avec une majorité de vingt-quatre sièges, pas très longtemps, répondit Woolton en prenant son verre entre ses deux mains comme pour y puiser du réconfort. Encore quelques défaites à des élections partielles et c'est la perspective d'élections générales anticipées qui nous pendra au nez.

Il s'absorba un instant dans la contemplation du liquide ambré, avant de relever la tête pour regarder fixement son collègue dans les yeux.

— Quel est votre point de vue, Francis ?

— En tant que *Chief Whip*, je n'ai pas de point de vue.

— Vous avez toujours été un sacré filou, Francis.

— Mais en tant que *Chief Whip*, certains de nos collègues seniors m'ont demandé d'effectuer quelques sondages pour évaluer l'ampleur du problème. En bref, Patrick, et vous apprécierez combien la tâche est difficile…

— Vous n'avez même pas touché à votre verre.

— Je vous réclame encore un instant. On m'a demandé d'évaluer à quel point nos collègues estiment que nous sommes dans la mouise. Autrement dit, si l'on joue cartes sur table : est-ce qu'Henry est toujours le leader qu'il nous faut ?

Il leva son verre, contempla Woolton un moment, puis but une gorgée avant de se laisser aller en arrière dans son fauteuil.

Le silence enveloppa le secrétaire aux Affaires étrangères, tandis que la question traçait son chemin dans son esprit.

— Putain, on en est déjà là ?

De sa poche, il tira une pipe, une blague à tabac et une boîte d'allumettes. Puis il fit tout un cérémonial, bourrant méticuleusement le fourreau de son pouce. Le craquement de l'allumette sur le grattoir parut extrêmement sonore dans le silence. Woolton tira quelques bouffées dans un nuage de fumée, jusqu'à ce que le tabac odorant soit bien rougeoyant. Son visage disparaissait presque entièrement dans le brouillard bleuté. D'un geste de la main, il dispersa les volutes.

— Vous allez devoir m'excuser, Francis, mais quatre années aux Affaires étrangères ne m'ont pas particulièrement bien préparé à répondre à des questions directes de ce genre. J'ai peut-être perdu l'habitude d'aller à l'essentiel. Vous m'avez déstabilisé.

Bien entendu, c'était n'importe quoi. Woolton était bien connu pour son franc-parler et son style politique direct et souvent combatif – ce qui n'avait d'ailleurs pas simplifié ses premiers pas dans son ministère. En fait, il gagnait du temps pour faire le tri dans ses pensées.

— Essayons de voir les choses en faisant abstraction des points de vue subjectifs…, suggéra-t-il en soufflant un énorme nuage de fumée, sans doute pour dissimuler l'absence flagrante de sincérité dans sa remarque. Analysons la question dans l'esprit d'une note de synthèse.

Urquhart hocha la tête. Intérieurement, il souriait. Il n'ignorait absolument rien des vues personnelles de

Woolton. Il savait déjà à quelle conclusion son argumentaire allait aboutir.

— Premièrement, avons-nous un problème ? Oui. Et un sérieux. Dans le Lancashire, tous mes soutiens sont en train de griller un fusible. Je crois qu'il est parfaitement légitime que vous procédiez à quelques coups de sonde. Deuxièmement, existe-t-il une solution indolore à ce problème ? N'oublions tout de même pas que nous avons remporté ces fichues élections. En revanche, nous n'avons pas gagné comme nous l'aurions dû. Et ça, Henry n'y est probablement pas pour rien. Cela étant…, poursuivit-il en agitant sa pipe pour donner de l'emphase à ses paroles, s'il y avait un mouvement visant à son éviction – et je crois bien que c'est exactement ce dont nous parlons…

Urquhart parvint à prendre un air peiné devant le franc-parler de Woolton.

— Alors ce serait un bordel monstre dans le Parti, et ces salauds de l'Opposition s'en donneraient à cœur joie, poursuivit-il. Tout cela pourrait tourner à la catastrophe, Francis. Rien ne garantit qu'Henry accepte de se retirer en douceur. Sans compter que cela donnerait une image désespérée. Après cela, il faudrait au moins une année à son remplaçant pour recoller les morceaux. Non, ne nous y trompons pas. Se débarrasser d'Henry n'est pas une option facile. Certainement pas. Troisièmement, au bout du compte, Henry est-il en mesure de trouver lui-même une solution au problème ? Vous connaissez ma position sur ce sujet. Je me suis opposé à sa désignation quand Margaret est partie, et je n'ai pas changé d'avis. Faire de lui notre chef était une erreur.

Urquhart baissa la tête, le visage impassible, comme s'il remerciait silencieusement Woolton de sa sincérité.

En réalité, il s'autofélicitait. Il avait parfaitement cerné le secrétaire aux Affaires étrangères.

Woolton remplit leurs verres, tout en poursuivant son analyse.

— Margaret était parvenue à un extraordinaire équilibre entre l'exigence personnelle et la détermination. Elle savait se montrer impitoyable quand il le fallait – et aussi quand il ne fallait pas. Elle donnait toujours l'impression de foncer vers son but à marche forcée, si vite qu'elle n'avait le temps ni de faire de prisonniers ni de se soucier de piétiner les siens. Mais ce n'était pas bien grave dans la mesure où elle menait la charge en première ligne. Il faut lui reconnaître ça à la Dame de fer. En revanche, Henry n'a pas l'esprit volontaire. Rien d'autre que l'amour de la fonction. Or, sans cette qualité chez notre chef, nous sommes perdus. Il essaie d'imiter Margaret, mais il n'a pas les couilles, dit-il en posant virilement un verre bien dosé devant son collègue. Et donc, voilà où nous en sommes. Si on tente de se débarrasser de lui, on est dans la panade. Mais si on le garde, on est dans la merde, conclut-il en levant son verre. À la défaite de l'ennemi, Francis.

Et il but.

Urquhart n'avait pas dit un mot depuis près de dix minutes. De l'extrémité du majeur, il caressait doucement le rebord de son verre, tirant du cristal une plainte dissonante. Il releva la tête pour fixer son interlocuteur de son œil bleu et pénétrant.

— Mais qui est l'ennemi, Patrick ?

Woolton soutint son regard.

— Qui est le plus susceptible de nous mener à la défaite aux prochaines élections ? Cet enfoiré de chef de l'Opposition ? Ou Henry ?

— Mais quel est votre point de vue à vous, Patrick ? Qu'essayez-vous de dire précisément ?

Woolton éclata d'un rire rugissant.

— Désolé, Francis. Trop de blabla diplomatique pour moi. Vous savez que quand j'embrasse ma femme pour lui dire bonjour le matin, elle ne peut pas s'empêcher de se demander quelles sont mes intentions cachées. D'accord, vous voulez une réponse franche et directe ? Eh bien, notre majorité est trop faible. Au rythme où vont les choses, on se fera balayer au prochain coup. On ne peut pas continuer comme ça.

— Alors quelle est la solution ? Il faut absolument en trouver une.

— Attendons notre heure. Quelques mois. Préparons l'opinion publique, puis mettons la pression sur Henry pour qu'il démissionne. À ce moment-là, nous donnerons le sentiment de nous incliner devant la volonté générale, et non pas de nous complaire dans nos petites querelles. La façon dont l'affaire est perçue est un facteur essentiel, Francis. Nous avons besoin de temps pour mettre la troupe au pli et faire marcher tout le monde dans le même sens.

Et tu as besoin de temps pour préparer le terrain pour toi, pensa Urquhart pour lui-même. *Vieille crapule. Tu n'as pas changé. Tu veux toujours ce poste à tout prix.*

Urquhart connaissait bien Woolton. Ce n'était pas un imbécile, du moins pas dans tous les domaines. Il devait déjà être en train de s'organiser pour passer le plus de soirées possible dans les couloirs et les bars de la Chambre des communes, pour resserrer les relations établies de longue date, nouer de nouveaux contacts, faire la tournée des popotes dans les circonscriptions, bouffer du meeting, papoter avec les rédacteurs en chef et les éditorialistes, se bâtir une stature. Son agenda officiel allait être sérieusement élagué, et il passerait bien moins de temps à l'étranger pour sillonner le Royaume-Uni et y faire des discours sur les défis auxquels le pays serait confronté au cours de la prochaine décennie.

— Et c'est votre boulot, Francis, reprit Woolton. Une tâche sacrément difficile. Il faut nous aider à choisir le bon moment. Trop tôt et on aura tous l'air d'assassins. Trop tard et le Parti sera en miettes. Il va falloir que vous gardiez l'oreille collée au sol. Je suppose que vous prenez la température ailleurs également ?

Urquhart hocha prudemment la tête, pour une confirmation silencieuse. *Il vient de faire de moi son Cassius*, songeait-il. *Il a mis la dague dans ma main.* Urquhart était euphorique de constater que la sensation ne le dérangeait nullement. Pas le moins du monde.

— Patrick, je suis honoré que vous vous soyez montré si franc avec moi. Je vous suis infiniment reconnaissant de la confiance que vous m'avez accordée. Les mois à venir vont être difficiles pour nous tous. Je serai amené à solliciter de nouveau vos conseils. En tout cas, vous trouverez toujours en moi un ami fidèle.

— Je sais, Francis.

Urquhart se leva.

— Et bien sûr, pas un mot de tout cela ne doit sortir de cette pièce.

— L'équipe des services spéciaux qui s'occupe de moi n'arrête pas de me rappeler à quel point les murs ont des oreilles. Je suis bien content que ce soit vous qui dormiez dans le bungalow d'à côté ! s'exclama Woolton en raccompagnant Urquhart vers l'entrée, tout en lui tapotant familièrement l'épaule.

Le geste du secrétaire aux Affaires étrangères n'était pas exempt d'un certain paternalisme.

— J'organise une petite réception ce soir, Patrick. Tout le monde sera là. Une réunion qui promet d'être utile. Vous n'oublierez pas ?

— Bien sûr que non. Vos fêtes sont toujours un plaisir. Et puis ce serait inconvenant de ma part de refuser votre champagne !

— À tout à l'heure alors, répondit Urquhart, en récupérant une mallette rouge.

Woolton referma la porte sur son visiteur et se resservit un verre. Il allait se passer d'assister aux débats de l'après-midi dans la salle de conférences, pour prendre un bon bain et s'offrir une petite sieste. L'emploi du temps de la soirée s'annonçait chargé et il entendait bien être en forme. En réfléchissant à la conversation qu'il venait d'avoir, il se demanda si le whisky ne lui avait pas quelque peu émoussé la pensée. Impossible de se rappeler comment Urquhart avait exprimé sa propre opposition à Collingridge. *Futé, l'enfoiré. Il m'a laissé faire toute la conversation.* En même temps, c'était la qualité qu'on attendait d'un *Chief Whip. Et pour ça, je peux lui faire confiance, non ?* Pendant qu'il était en train de se demander s'il n'avait pas fait preuve d'une trop grande franchise, Woolton ne remarqua pas qu'Urquhart était reparti avec une valise rouge qui n'était pas la sienne.

Depuis l'instant où elle avait envoyé son article, un peu après le déjeuner, Mattie ne se sentait plus de joie. « L'Horreur des sondages. » Une exclusivité en première page, pile au moment où elle se trouvait au beau milieu de tous ses concurrents réunis. Sûr et certain, elle avait bien gagné le droit de rouler des mécaniques. Elle avait passé le plus clair de son après-midi à rêvasser sur les portes qui commençaient tout doucement à s'ouvrir devant elle. Elle venait de fêter sa première année au *Chronicle* et ses talents commençaient à être reconnus. Encore une année du même acabit et elle pourrait passer à l'étape supérieure. Rédactrice en chef adjointe, voire éditorialiste avec une page à elle pour écrire des analyses politiques de fond, et non plus seulement des articles strictement alimentaires. Avec des amis tels que Francis Urquhart, elle ne risquait pas d'être à court d'inspiration.

Bien sûr, il y avait un prix à payer. Sa mère restait convaincue qu'elle avait quelqu'un à Londres, un compagnon qui partageait sa vie. En réalité, elle menait une existence difficile et souvent solitaire – dans laquelle elle rentrait tard chez elle le soir et fouillait dans son panier de linge sale le matin. Au-delà de la vanité professionnelle, elle avait des désirs – de plus en plus pressants et difficiles à ignorer.

Tout comme elle ne put ignorer le message reçu un peu avant 17 heures, lui demandant de rappeler de toute urgence sa rédaction. Elle venait de prendre le thé sur la terrasse en compagnie du ministre de l'Intérieur. Ce dernier comptait sur le *Chronicle* pour faire mousser son discours du lendemain, mais il préférait également passer une heure à papoter avec une jolie blonde plutôt que passer un interminable après-midi à écouter les discours de ses collègues. Soudain, un réceptionniste de l'hôtel vint lui remettre le message. Le hall d'entrée était bondé, mais l'une des cabines téléphoniques était libre. Elle se dit qu'elle s'accommoderait du bruit. Lorsque la communication fut établie, la secrétaire de Preston lui annonça que le rédacteur en chef était déjà en ligne et qu'elle lui passait donc son adjoint, John Krajewski, un aimable géant qu'elle avait appris à connaître et apprécier au cours des longs mois d'été. Outre qu'ils aimaient tous deux le bon vin, le fait que son père à lui, tout comme son grand-père à elle, ait fui l'Europe en guerre pour se réfugier au Royaume-Uni les avait rapprochés. Il n'y avait encore rien de sexuel entre eux, mais il lui avait clairement laissé entendre qu'il n'aurait rien contre. Seulement, cette fois-ci, son ton était pour le moins étrange.

— Salut, Mattie. Écoute, euh…, commença-t-il, mal à l'aise. Oh et puis merde, je ne vais pas tourner autour du pot. Nous n'allons pas… ou plutôt, il ne va pas publier ton article. Je suis vraiment désolé.

Il y eut un instant de silence stupéfait, pendant lequel elle retourna en tous sens ce qu'il venait de dire, comme pour s'assurer d'avoir bien compris. Mais quel que soit le bout par lequel elle prenait sa phrase, le résultat restait le même.

— Qu'est-ce que ça veut dire, « ne pas publier mon article » ?

— Exactement ce que j'ai dit, Mattie. Ça ne sort pas.

De toute évidence, cette conversation posait un vrai cas de conscience à Krajewski.

— Écoute, je suis vraiment désolé, reprit-il. Je ne peux pas te donner tous les détails parce que c'est Greville qui s'en est occupé personnellement. Je te promets, je n'y suis vraiment pour rien. Toujours est-il que notre très estimé rédac-chef semble penser que c'est trop brûlant pour qu'on puisse l'imprimer sans être absolument sûrs de nous. Il dit que nous avons toujours soutenu ce gouvernement et que nous n'allons pas balancer notre politique éditoriale par la fenêtre sur la foi d'un document anonyme. Nous devons être absolument sûrs avant de décider quoi que ce soit. Et on ne peut avoir aucune certitude tant qu'on ne sait pas d'où vient l'information.

— Mais bon sang, qu'est-ce que ça peut faire de savoir d'où vient ce foutu bout de papier ? Celui qui me l'a fait parvenir se serait abstenu si c'était pour que son nom se répande dans toute la rédaction. Ce qui importe, c'est que tout soit exact. Et ça, je l'ai vérifié.

Krajewski poussa un soupir.

— Crois-moi, je sais ce que tu ressens, Mattie. J'aimerais tellement ne pas être impliqué dans cette histoire. Tout ce que je peux te dire, c'est que Greville est inflexible. Ton papier ne sortira pas.

Mattie avait envie de hurler. Très fort. Et des mots très grossiers. Subitement, elle regretta d'avoir appelé depuis le hall de l'hôtel.

— Passe-moi Greville.

— Désolé. Je crois qu'il est en ligne.

— J'attendrai.

— En fait, dit le rédacteur en chef adjoint d'une voix presque honteuse, il va être en ligne très longtemps. Il m'a demandé expressément de t'expliquer. Je sais qu'il veut te parler, Mattie. Mais demain. Cela ne sert à rien d'essayer de l'obliger à faire machine arrière ce soir.

— Demain, ce sera trop tard ! Depuis quand on risque de passer à côté d'une exclusivité tout ça parce que Greville s'est collé son téléphone dans le cul ? cracha Mattie d'un ton plein de mépris. C'est quoi ce journal où on bosse, Johnnie ?

Elle entendit son interlocuteur se racler la gorge, incapable de trouver les mots justes.

— Désolé, Mattie, dit-il finalement, faute de mieux.

— Va te faire foutre, Johnnie ! répliqua-t-elle entre ses dents serrées, avant de raccrocher rageusement.

Le pauvre n'avait pas mérité ça, mais elle non plus n'avait rien fait pour mériter son sort. Elle reprit le combiné pour rappeler, pour voir s'il était toujours là et s'il n'allait pas cette fois-ci lui dire que tout cela n'avait été qu'une blague idiote. Elle n'eut que le retour de sonnerie et rien d'autre.

— Putain ! s'exclama-t-elle en raccrochant de nouveau.

Dans la cabine voisine, un employé de la conférence lui jeta un regard torve.

— Putain ! répéta-t-elle en lui retournant son regard, histoire de s'assurer qu'il l'avait bien entendue.

D'un pas saccadé, Mattie mit le cap sur le bar. Le serveur était précisément en train d'ouvrir la grille lorsqu'elle arriva. Elle laissa tomber son sac sur le comptoir vernis, avant de déposer un billet de 5 livres à côté.

— J'ai besoin d'un verre ! déclara-t-elle.

Elle était toujours dans une rage telle qu'elle cogna le bras d'un consommateur qui venait de prendre place à côté d'elle, de toute évidence bien décidé à attaquer son premier verre de la soirée.

— Excusez-moi, dit-elle sur un ton qui indiquait qu'elle n'en pensait rien.

L'autre buveur se retourna vers elle.

— Ma jeune demoiselle, vous dites avoir besoin d'un verre. Et effectivement, c'est l'impression que vous donnez. Pourtant, mon médecin me dit que ça n'est physiologiquement pas possible d'avoir besoin d'un verre. Mais qu'est-ce qu'il y connaît ? Verriez-vous un inconvénient à ce qu'un homme assez âgé pour être votre père se joigne à vous ? Mais avant cela, permettez que je me présente. Collingridge, Charles Collingridge. Bien entendu, vous pouvez m'appeler Charlie. Tout le monde m'appelle Charlie.

— Eh bien, Charlie, du moment qu'on ne parle pas de politique, ce sera un plaisir. Permettez à mon rédacteur en chef de faire son premier geste sensé de la journée et de vous offrir un verre. Un grand !

Chapitre 18

Ce sont l'ambition, l'éreintement et l'alcool qui mènent le monde de Westminster. Et la luxure aussi. Oui, particulièrement la luxure.

La pièce était basse de plafond et bondée. Même avec les fenêtres grandes ouvertes, la « zone des heures sup' » commençait à avoir des allures d'aéroport de pays du tiers-monde. De ce fait, on réclamait à cor et à cri le champagne frappé à souhait, que le secrétaire de la circonscription d'Urquhart distribuait libéralement. Avec la chaleur et l'alcool, chacun en oubliait le formalisme. Cette soirée promettait déjà d'être l'une des réceptions du *Chief Whip* les plus décontractées de tous les congrès auxquels il avait participé.

Malheureusement pour lui, Urquhart n'était pas en mesure de circuler parmi ses invités pour recevoir leurs remerciements. De fait, il était présentement coincé dans un angle par l'énorme masse de Benjamin Landless. Le magnat de la presse originaire des quartiers populaires de l'*East End* londonien transpirait abondamment. Il avait ouvert son col et retiré sa veste, exposant à tous les énormes bretelles vertes qui retenaient son gigantesque pantalon – et n'étaient pas sans évoquer les sangles d'un parachute. Totalement concentré sur la proie qu'il était parvenu à piéger, Landless faisait fi de l'inconfort qu'il devait éprouver.

— Mais c'est un tas de conneries, mon Frankie, et tu le sais. J'ai mis tous mes canards sur le coup aux dernières élections. Pour vous soutenir. J'ai transféré mon siège mondial à Londres. J'ai investi des millions dans ce pays. Tel que je vois les choses, vous m'êtes tous redevables. Mais si Henry ne se sort pas les doigts, tout ce foutu cirque va être balayé aux prochaines élections. Et comme j'ai été si gentil avec vous, ces enfoirés de l'Opposition vont me crucifier s'ils prennent le manche. Alors faudrait voir à arrêter de jouer aux cons. Merde !

Il interrompit sa diatribe pour tirer un vaste mouchoir de soie des tréfonds d'une de ses poches. Il s'essuya le front pendant qu'Urquhart continuait sciemment à l'aiguillonner.

— Voyons, Ben, les choses ne sont sûrement pas aussi graves que vous le dites. Tous les gouvernements connaissent des passages difficiles. Nous sommes déjà passés par là. Nous nous en sortirons, vous verrez.

— N'importe quoi ! C'est de l'autosatisfaction et tu le sais très bien, Frankie. Tu n'as pas vu les résultats du dernier sondage que vous avez fait ? On m'a appelé pour m'avertir cet après-midi. Cata-merda-strophique ! Si l'élection avait lieu aujourd'hui, vous seriez éjectés. Une mégabranlée !

Urquhart sentit une bouffée de satisfaction monter en lui à la pensée de la une du *Chronicle* du lendemain. Bien sûr, il ne pouvait rien en montrer.

— Mince. Comment avez-vous mis la main dessus ? Voilà qui risque de faire mal à l'élection partielle de demain.

— Ne va pas te cailler la laitance, Frankie. J'ai dit à Preston d'écraser le coup. Bien sûr, ça finira par fuiter, mais après le vote. Moi, dit-il en plantant son index boudiné sur son torse, j'ai évité que votre congrès ne tourne en eau de boudin. Et c'est bien plus que vous ne méritez, conclut-il avec un soupir.

— Henry vous en sera très reconnaissant, Ben. J'en suis sûr, dit Urquhart, quasiment malade de dépit.

— Un peu qu'il va l'être, gronda Landless en tournant son doigt vers la poitrine d'Urquhart cette fois-ci. Mais la gratitude du Premier Ministre le moins populaire depuis la mise en croix du Christ, ça ne vaut pas tripette à la banque.

— Comment cela ?

— Ouvre les yeux, Frankie. La popularité politique, c'est de l'or en barre. Tant que vous pilotez le pays, moi, je peux m'occuper de mes affaires et faire ce que je fais le mieux : de l'argent. C'est pour ça que je vous ai soutenus. Mais si votre rafiot prend l'eau, c'est panique générale. La Bourse plonge. L'investissement s'arrête. Les syndicats jouent les bolchos. Et moi, je n'ai plus aucune visibilité. C'est exactement ce qui se passe depuis le mois de juin. Au jour d'aujourd'hui, le Premier Ministre ne pourrait même pas organiser un concours pour savoir qui pisse le plus loin. S'il embrasse un bébé, il se fait arrêter pour agression. Il entraîne tout le Parti vers le fond – et mes affaires par la même occasion. Si vous ne faites rien, on va tous disparaître dans un grand trou.

— Vous le pensez vraiment ?

Landless ne répondit pas sur-le-champ, histoire qu'Urquhart comprenne bien que ce n'était pas le champagne qui l'influençait.

— Passionnément et à la folie, gronda-t-il.

— Alors on dirait bien que nous avons un problème.

— Un peu, mon neveu.

— Que voulez-vous que nous fassions, Ben ?

— Frankie, si mes actionnaires savaient à quel point je patauge, je ne survivrais pas jusqu'à demain midi. Je serais mort.

— Vous voulez dire…

— Oui. Débarrassez-vous de lui. *Adiós* et on n'en parle plus !

Urquhart haussa les sourcils. Seulement, une fois lancé, Landless n'était pas du genre à s'arrêter facilement.

— La vie est trop courte pour perdre du temps à porter des tocards à bout de bras. Je n'ai pas passé vingt ans de ma vie à bosser comme un chien pour regarder ton taulier pisser sur ce que j'ai bâti.

Urquhart sentit son bras douloureusement saisi par les énormes doigts de son invité. Derrière la masse et le volume, il y avait une vraie puissance. Urquhart commença à comprendre comment Landless parvenait toujours à obtenir ce qu'il voulait. Ceux qu'il ne domptait pas par l'argent, il les coinçait physiquement et les soumettait avec sa dent dure et sa langue acérée. Urquhart avait toujours détesté qu'on l'appelle « Frankie », et Landless était la seule personne au monde à employer ce nom systématiquement. Toutefois, ce soir-là, exceptionnellement, Francis n'y trouverait rien à redire. C'était un détail sur lequel il allait se faire un plaisir de céder.

Avec une mine de conspirateur, Landless se rapprocha d'Urquhart, le coinçant encore plus dans le coin.

— Je vais te donner un exemple – confidentiel. D'accord, Frankie ? poursuivit-il en s'assurant d'un coup d'œil à la ronde que personne ne les espionnait. Mon petit doigt me dit que le groupe *United Newspapers* sera très bientôt à vendre. Si c'est le cas, je veux l'acheter. En fait, j'ai déjà entamé les discussions avec eux. Mais il y a ces gonzesses d'avocats qui me disent que je possède déjà un groupe de presse et que le gouvernement ne me laissera jamais en acheter un autre. Je leur ai dit : « Vous êtes en train de me raconter que je ne peux pas devenir le plus gros patron de presse du pays, même si je mets tous mes titres au service du gouvernement ! »

Son visage était inondé de sueur, mais il s'en fichait royalement.

— Et tu sais ce qu'ils m'ont dit, Frankie ? Tu sais ce que ces couilles molles m'ont expliqué ? Que c'est précisément parce que je soutiens le gouvernement que j'ai des ennuis. Si je fais ne serait-ce qu'un clin d'œil à *United Newspapers*, l'Opposition va péter un boulon. Faire un putain de foin de tous les diables. Et il n'y aura personne pour prendre ma défense. Voilà ce qu'ils m'ont dit. Le dossier sera transmis à la Commission des monopoles et des fusions, où il sera enlisé pendant des mois. Il faudra enfermer un troupeau complet d'avocats hors de prix dans une salle d'un comité, et moi je devrai en plus écouter ces homos refoulés m'expliquer comment je dois gérer mes affaires. Et tu sais ce qui me rend vraiment dingue, Frankie ?

Urquhart cligna des yeux. De près, l'homme était vraiment effrayant.

— Je n'en ai pas la moindre idée, Ben. Dites-moi.

— Ce qui me rend vraiment dingue, reprit-il en enfonçant de nouveau l'extrémité de son index dans les pectoraux d'Urquhart, c'est que quoi que je puisse dire, quoi que je puisse faire, le gouvernement finira inévitablement par refuser que l'accord aille au bout. Pourquoi ? Parce qu'ils n'ont pas les couilles de se battre.

Il souffla la fumée de son cigare au visage de Francis.

— Et parce que ton gouvernement n'a pas de couilles, moi, il faut que je me passe les miennes à la moulinette. Ça ne vous suffit pas de faire foirer votre petite industrie, il faut que vous vous occupiez de faire foirer la mienne !

C'est à cet instant seulement que Landless retira son doigt de la poitrine de son hôte. Il l'avait enfoncé durement. Urquhart était sûr qu'il aurait un bleu le lendemain. Néanmoins, il répondit d'une voix parfaitement calme et posée.

— Ben, vous vous êtes comporté en excellent ami du Parti. Personnellement, j'apprécie énormément ce que vous avez fait. Ce serait impardonnable de notre part de ne pas vous remercier de votre amitié. Je ne peux pas parler au nom du Premier Ministre sur ce sujet… À dire vrai, j'ai de plus en plus de mal à m'exprimer pour lui par les temps qui courent. Toujours est-il que je ferai tout ce qui est en mon pouvoir pour vous aider quand vous en aurez besoin.

Landless hocha la tête.

— Je suis content de te l'entendre dire, Frankie. J'aime bien ce que tu me racontes. Vraiment beaucoup. Si seulement Henry pouvait être aussi résolu.

— Je crains que ce ne soit pas dans sa nature. Mais je sais qu'il vous sera infiniment reconnaissant.

— De quoi ?

— D'avoir étouffé ce sondage. Je n'imagine pas les dégâts que cela aurait pu causer pour lui s'il était paru. Le congrès tout entier deviendrait une vraie fosse aux lions.

— Ouais. Ça, c'est sûr.

— Vous savez que pour certains, aucun progrès ne peut être réalisé sans une part de sacrifice… Quelle que soit la gêne occasionnée.

Les rides sur le front de Landless s'atténuèrent lentement, tandis que les commissures de ses lèvres s'étiraient vers le haut. La peau de son visage était rose et douce. Son sourire étincelant.

— Je crois que je vois ce que tu veux dire, Frankie.

— Et de quoi s'agit-il, Ben ?

— Ah ! Je crois qu'on se comprend tous les deux. Toi et moi.

— Oui, Ben, je le crois aussi.

Landless serra à nouveau le bras du *Chief Whip*, mais plus doucement cette fois-ci, pour exprimer sa gratitude. Puis il regarda sa montre.

— La vache, c'est déjà l'heure ? Il faut que j'aille bosser, Frankie. La première édition part au marbre dans moins d'une demi-heure. Il faut que je passe un coup de fil.

Il posa sa veste sur une épaule.

— Merci pour la soirée. On s'est bien amusés. Je ne l'oublierai pas, Frankie.

Urquhart regarda l'industriel fendre la foule, la chemise plaquée à son large dos, avant de passer la porte et de disparaître.

De l'autre côté de la pièce bondée, caché derrière la masse des corps, Roger O'Neill était blotti sur un sofa, en compagnie d'une jeune et jolie militante. Il était dans un état d'enthousiasme très avancé. Ses doigts s'agitaient en permanence et ses yeux dansaient sans relâche. Les mots jaillissaient de sa bouche à une cadence proprement stupéfiante. La jeune femme, originaire de la ville de Rotherham dans le nord-est de l'Angleterre, avait été submergée par les noms prestigieux dont O'Neill l'avait abreuvée, pour ne rien dire des secrets qu'il avait partagés avec elle. Elle était la spectatrice innocente d'une conversation à sens unique.

— Bien sûr, le Premier Ministre fait l'objet d'une surveillance constante des services de sécurité. La menace est permanente. Les Irlandais. Les Arabes. Les militants noirs. Et je suis visé moi aussi. Cela fait des mois qu'ils essaient de m'avoir. Les gars des services spéciaux ont insisté pour me mettre sous protection pendant les élections. Nos deux noms figuraient sur une liste de personnes à abattre. Celui d'Henry et le mien. J'ai donc eu une équipe 24 heures sur 24. Bien sûr, c'est resté confidentiel. Mais tous les journalistes sont au courant.

Il tira furieusement sur sa cigarette et se mit à tousser. Il saisit son mouchoir, à la netteté approximative, et se moucha bruyamment. Il examina le produit de ses efforts, avant de le remiser dans sa poche.

— Mais pourquoi vous, Roger ? demanda la jeune femme.

— Parce que je suis une cible exposée et facile, répondit-il d'une voix rocailleuse. Mais l'impact serait énorme. S'ils ne peuvent pas atteindre le Premier Ministre, ils s'en prennent à quelqu'un comme moi.

Nerveusement, il regarda tout autour de lui. Ses yeux étaient incapables de rester fixés sur un point.

— Tu es capable de garder un secret ? demanda-t-il en tirant sur sa cigarette. Un vrai ? Ce matin, j'ai découvert qu'on avait touché à ma voiture. L'équipe de démineurs l'a passée au peigne fin. Eh bien, j'avais un écrou desserré sur une roue avant. Tu imagines, quand je rentre chez moi, à 120 km/h sur l'autoroute, la roue qui part toute seule. Hop là ! Du boulot pour les gars du nettoyage ! Ils pensent que c'est un sabotage délibéré. La Criminelle est en route. Ils viennent enquêter.

— Roger, c'est horrible ! s'exclama-t-elle.

— Pas un mot, hein ? Les services spéciaux ne veulent pas alerter les coupables. Il y a peut-être une chance de les coincer.

— Je n'avais pas mesuré à quel point vous étiez proche du Premier Ministre, dit-elle, de plus en plus fascinée. Quelle épreuve pour…

Elle s'interrompit soudain, la bouche grande ouverte.

— Roger, vous êtes sûr que ça va ? Vous avez l'air… Vos… Vos yeux…, bafouilla-t-elle.

De fait, les yeux d'O'Neill tournoyaient follement, envoyant à son cerveau des images toujours plus hallucinées. Son attention semblait être partie ailleurs. Il n'était plus en compagnie de la jeune femme, mais dans un autre monde, en train de mener une autre conversation. Son regard revint se poser sur elle un instant, avant de repartir tout aussi vite. Le blanc de ses yeux était injecté de sang. Des larmes lui coulaient le long des joues. Il ne parvenait pas à se focaliser sur quoi que ce soit. Son nez coulait comme celui d'un vieillard en hiver à l'heure de la soupe. D'un revers de la main, il tenta d'essuyer la goutte qui y pendait. Sans succès. D'un coup, son visage devint gris comme la cendre. Son corps se raidit et il se leva vivement. Il avait l'air terrifié, comme si les murs s'écroulaient soudain sur lui.

Impuissante et stupéfaite, la pauvre militante le regardait sans savoir quoi faire. Par ailleurs, elle était bien trop gênée pour se faire remarquer par une initiative. Pour finir, elle se leva à son tour pour lui prendre le bras et le soutenir, mais Roger pivota sur lui-même à cet instant et perdit l'équilibre. Il se raccrocha à elle pour ne pas tomber, attrapant son chemisier. Deux boutons giclèrent et tombèrent à terre.

— Bouge ! Dégage de là, gronda-t-il.

Il la repoussa violemment vers l'arrière. Elle s'abattit sur une table couverte de verres, avant de choir les quatre fers en l'air sur le sofa. Le bruit de verre brisé interrompit toutes les conversations. Tout le monde se retourna pour voir ce qui se passait. D'autres boutons avaient lâché et le sein gauche de la jeune femme était exposé à la vue de tous.

Dans un silence de cathédrale, O'Neill tituba en direction de la porte, repoussant sans ménagement ceux qui se trouvaient sur son chemin. Puis il disparut dans la nuit, laissant derrière une salle médusée et une jeune fille, la main crispée sur son corsage déchiré, qui faisait de son mieux pour contenir ses larmes d'humiliation. Une invitée plus âgée vint l'aider à remettre de l'ordre dans sa tenue, avant de l'emmener vers la salle de bains. Instantanément, chacun y alla de son commentaire étonné. On s'interrogeait, on conjecturait. Les convives avaient un sujet de conversation tout trouvé pour le reste de la soirée.

Penny Guy ne joignit pas sa voix aux commérages. L'instant d'avant, elle riait joyeusement, appréciant sincèrement le charme et l'esprit de Patrick Woolton. Urquhart les avait présentés l'un à l'autre une heure plus tôt, et avait veillé à ce que le champagne coule à flots pour accompagner le flux charmant de leur conversation. Malheureusement, la magie s'en était allée, emportée par le tumulte. Le sourire lumineux de Penny s'étiola, jusqu'à n'être plus que l'expression de la plus sombre détresse. Malgré ses efforts, elle perdit son combat contre les larmes. Rien ne paraissait pouvoir endiguer son chagrin, pas même la prévenance de Woolton, ou le grand mouchoir blanc qu'il lui avait galamment proposé. La tristesse qu'elle éprouvait était bien trop réelle.

— Il est toujours très gentil. Et c'est un homme brillant dans ce qu'il fait, expliqua-t-elle. Parfois, tout semble prendre des proportions insupportables pour lui et il devient un peu fou. Mais ce n'est pas lui. Il n'est pas comme ça.

Tandis qu'elle s'efforçait de prendre sa défense, les sanglots se bousculaient dans sa gorge.

— Penny. Je suis vraiment désolé, ma belle. Écoutez, vous avez sûrement besoin de changer d'air. Mon bungalow est juste à côté. Que diriez-vous d'aller y sécher vos larmes ?

Elle savait parfaitement ce qui allait arriver, mais cela ne lui paraissait plus si grave. D'un hochement de tête, elle lui exprima sa gratitude, puis ils traversèrent la foule en direction de la sortie. Personne ne sembla remarquer qu'ils s'éclipsaient – à part Francis Urquhart. Il ne les quitta pas des yeux jusqu'à ce qu'ils franchissent la porte par laquelle Landless et O'Neill les avaient précédés. Le *Chief Whip* était extrêmement satisfait. À coup sûr, c'était une soirée que personne n'était près d'oublier.

Chapitre 19

Le plus souvent, les candidats à une élection partielle ne servent à rien d'autre qu'à remplir une obligation légale. Ils sont là pour que le vainqueur ait le sentiment d'avoir fait quelque chose de valable. Ce qui est très rarement le cas.

Jeudi 14 octobre

— Tu ne vas quand même pas prendre l'habitude de me tirer du page chaque matin ?

Malgré la distance et le téléphone, Preston parvenait à faire comprendre qu'il s'agissait bien plus d'une instruction que d'une figure interrogative de pure rhétorique.

Après quelques heures de flagellation éthylique en compagnie de Charles Collingridge, Mattie réussissait l'exploit de se sentir encore plus mal que la veille au réveil. Elle avait encore bien du mal à saisir toutes les nuances du monde autour d'elle.

— Merde, Greville. Je me suis couchée en me disant que j'avais envie de vous tuer parce que vous ne vouliez pas publier mon article. Et ce matin, qu'est-ce que je trouve en page une ? Une version abâtardie de mon scoop sur les sondages, signée de quelqu'un qui s'appelle « Notre rédacteur politique ». Alors maintenant, je ne me dis plus que j'ai envie de vous tuer. Je sais que je vais le faire. Mais avant ça, j'aimerais bien comprendre pourquoi vous déconnez comme ça avec mon article. Pourquoi vous avez changé d'avis ? Qui a réécrit l'article ? Et qui c'est « Notre rédacteur politique » si ce n'est pas moi ?

— Tout doux, Mattie. Respire un grand coup avant de craquer ta gaine.

— Je ne porte pas de gaine, Greville !

— Et hier soir, tu ne portais rien du tout. C'est bien ça ? Qu'est-ce que tu faisais ? Les yeux doux à un pair en position éligible ? Ou alors tu brûlais ton soutif à une manif féministe ? En tout cas, quand je t'ai appelée, *nada* ! Personne pour répondre. Si tu avais été là, tu saurais tout de cette histoire.

Mattie se remémora les événements de la soirée. La quête de ses souvenirs dans la brume de son esprit ne fut pas une mince affaire. Preston mit à profit le silence de la jeune femme pour poursuivre sa diatribe.

— Comme Krajewski te l'a raconté, une part de la rédaction était d'avis que tu n'avais pas assez de biscuit pour qu'on imprime ton papier. Pas de preuve indiscutable.

Il entendit Mattie renifler d'indignation.

— Franchement, ton article m'a tout de suite plu, ajouta-t-il en faisant de son mieux pour paraître sincère. J'étais prêt à le sortir, mais il nous fallait quelque chose d'un peu plus consistant pour décider de laminer le Premier Ministre du pays pile le jour d'une élection partielle cruciale. Un document de provenance anonyme, ce n'était pas suffisant.

Je n'ai pas laminé le Premier Ministre. C'est vous qui l'avez fait. Le temps que Mattie élabore sa contre-attaque, Preston l'avait déjà devancée.

— J'ai donc bavardé avec quelques-uns de mes contacts de haut niveau au sein du Parti. Et hier soir, tard, nous avons eu les confirmations voulues. À temps pour le bouclage.

— Mais mon article…

— Il a fallu l'adapter. La situation avait évolué. J'ai essayé de te joindre, mais comme tu ne répondais pas, je l'ai réécrit moi-même. Je ne voulais pas que quelqu'un d'autre y touche. L'angle que tu as trouvé est excellent. Donc, en l'occurrence, « Notre rédacteur politique » c'est moi.

— J'ai écrit un article au sujet d'une étude d'opinion. Vous en avez fait une crucifixion de Collingridge. Il y a des citations de « sources de haut rang à l'intérieur du Parti », des critiques et des condamnations sans appel. Vous avez envoyé quelqu'un d'autre à Bournemouth en plus de moi ?

— Mes sources ne regardent que moi, Mattie, tu devrais le savoir.

— Arrêtez les conneries, Greville. Je suis censée être la correspondante politique du journal à ce putain de congrès. Vous n'avez pas le droit de me laisser dans le flou comme ça. Par rapport au mien, cet article a fait un saut périlleux complet. Plus un autre au sujet de Collingridge. Il y a encore quelques semaines, c'est tout juste s'il n'incarnait pas le soleil. Et aujourd'hui… Que dit l'article ? Qu'il est « une catastrophe ambulante, susceptible à tout moment d'entraîner le gouvernement dans sa chute ». Tout le monde va me regarder comme un furoncle de sorcière, c'est sûr. Vous devez absolument me dire ce qui se passe !

Preston avait essayé. Il lui avait fourni une explication. Bien sûr, ce n'était pas la vérité. Et après ? Il jugea que l'heure était venue de jouer du galon.

— Je vais te dire ce qui se passe. Une putain d'exclusivité, voilà ce qui se passe. Et au cas où tu n'aurais pas remarqué, je suis le rédacteur en chef de ce journal. Autrement dit, je n'ai pas à passer ma journée à me justifier auprès de tous les apprentis reporters perdus en province. Tu fais ce qu'on te dit de faire, et moi je fais pareil de mon côté. Comme ça, on garde tous les deux notre boulot. D'accord ?

— Qui vous dit ce que vous devez faire, Greville ? demanda Mattie.

Mais seule la tonalité lui répondit. Preston avait raccroché. De rage, elle frappa l'accoudoir de son fauteuil. Cela ne pouvait plus durer. Elle n'allait pas supporter cette situation plus longtemps. Elle avait cru que de nouvelles portes allaient s'ouvrir devant elle, mais son rédac-chef s'ingéniait à les lui refermer sur les doigts. Tout cela n'avait aucun sens.

Une demi-heure plus tard, alors qu'elle tentait de s'éclaircir les idées avec sa deuxième tasse de café dans la salle du petit déjeuner, elle n'y voyait pas plus clair. Au moins, l'absence de Kevin Spence était un soulagement. Tous les journaux du matin gisaient à ses pieds, empilés par terre. Force lui était d'admettre que Preston avait dit vrai : c'était un véritable scoop pour le *Chronicle*, la meilleure une de tout le lot. Du style, de la précision et d'excellentes citations. En fait, c'était trop bon pour que Greville Preston ait pu pondre un texte pareil depuis Londres. Tandis qu'elle se martyrisait le cerveau sur cette énigme, elle sentit la présence d'une ombre dans la pièce. Elle releva la tête pour apercevoir l'énorme silhouette de Benjamin Landless, qui marchait de son pas pesant vers la table de Lord Peterson, le trésorier du Parti. Après avoir déposé sa massive corpulence sur une chaise qui paraissait bien frêle et petite, il se pencha en avant aussi loin que son ventre le lui permettait. Il sourit à Peterson et lui serra la main. En revanche, il avait totalement ignoré

Mattie. Subitement, elle se dit que les choses avaient enfin trouvé leur logique.

Le conseiller politique du Premier Ministre fit la grimace. Pour la troisième fois, le conseiller presse assis de l'autre côté de la table avait poussé vers lui le journal du matin. Et pour la troisième fois, il l'avait repoussé dans l'autre sens. Il savait exactement ce que saint Pierre avait dû ressentir.

— Bon Dieu, Grahame, aboya le conseiller presse en haussant le ton. On ne peut quand même pas cacher tous les exemplaires du *Chronicle* expédiés à Bournemouth. Il faut qu'il sache. Tu dois aller lui montrer. Maintenant !

— Pourquoi fallait-il que ça arrive aujourd'hui ? gémit le conseiller politique. Il y a une élection partielle qui nous attend, et on a passé toute la nuit à peaufiner le discours qu'il doit prononcer demain. Maintenant, il va vouloir le réécrire de A à Z. Où va-t-on trouver le temps ? Il va devenir fou.

D'un coup sec, il rabattit le couvercle de son attaché-case, en proie à une frustration tout à fait inhabituelle.

— Après la pression de toutes ces dernières semaines, il fallait qu'une chose pareille nous tombe sur la tête. Cela ne s'arrête donc jamais ?

Son collègue opta pour le silence, préférant contempler la vue par la fenêtre de l'hôtel. De nouveau, il pleuvait sur la baie.

Le conseiller politique attrapa le journal pour en faire une boule qu'il jeta de l'autre côté de la pièce. Elle atterrit dans la poubelle avec une violence telle que celle-ci bascula sur le côté, répandant son contenu sur le tapis. Des pages de discours chiffonnées, quelques canettes de bière et une brique de jus de tomate, le tout saupoudré de cendres et de mégots.

— Le pauvre, il mérite quand même de déjeuner en paix. Je le préviendrai quand il aura fini de manger, annonça-t-il.

Ce ne fut pas la décision la plus sage de toute sa carrière.

Henry Collingridge aurait pu savourer ses œufs à la coque. Il avait achevé la rédaction de son discours aux petites heures du matin, puis était allé se coucher en leur laissant le soin de mettre la dernière touche et de le dactylographier. Il avait bien dormi. Peu, mais comme un bébé, ce qui ne lui était pas arrivé depuis des semaines.

Le discours de clôture du congrès restait en suspension au-dessus de sa tête comme un nuage noir. Il n'aimait ni les congrès, ni les bavardages inutiles, ni non plus le fait de passer une semaine loin de chez lui, et encore moins la complaisance affichée par tout le monde au cours des dîners. Mais par-dessus tout, il détestait avoir à faire ce discours. Des heures d'interminables discussions dans une chambre d'hôtel enfumée, des interruptions pile au moment où les choses paraissaient se décanter, tout ça pour aller assister à quelque réception atrocement chiante, puis retour au travail bien plus tard – bien plus fatigué et bien moins inspiré. À l'arrivée, si le discours se passait bien, ce ne serait finalement rien d'autre que le résultat attendu. En revanche, s'il n'était pas à la hauteur escomptée, tout le monde applaudirait, mais commencerait *illico* à gloser sur la fatigue et les carences du gouvernement. La loi de l'emmerdement maximal.

Cela étant, tout était presque fini. Il ne lui restait plus qu'à le prononcer. Le Premier Ministre se sentait suffisamment détendu pour avoir suggéré à son épouse une petite promenade avant de manger, histoire de s'aérer. Au diable les giboulées. Les hommes chargés de sa protection suivaient quelques pas en arrière. Tout en marchant,

Collingridge discutait des mérites comparés d'un séjour à Antigua ou au Sri Lanka pour Noël.

— Je dirais le Sri Lanka cette année, dit-il. Tu pourras rester sur la plage, Sarah, mais moi j'aimerais assez faire une ou deux randonnées dans les montagnes. Il y a des monastères bouddhistes à voir, et il paraît que les réserves naturelles sont magnifiques. Le président sri-lankais m'en parlait justement l'an dernier et cela avait l'air... Chérie, tu m'écoutes ?

— Excuse-moi, Henry. Je... Je regardais le journal de ce monsieur, répondit-elle en montrant d'un signe de tête le quotidien qu'un militant tenait tant bien que mal déployé devant lui dans le vent.

— C'est plus intéressant que ce que je te raconte ?

Son humeur badine s'assombrit tout à coup, tandis qu'une sensation de malaise s'insinuait en lui. Il venait de se rappeler que personne ne lui avait encore apporté sa revue de presse du jour. Quelqu'un serait sûrement venu l'avertir s'il y avait eu quoi que ce soit d'important, mais... Quelques mois plus tôt, il avait commis une erreur en se laissant convaincre de ne plus perdre de temps à lire toute la presse. « Une synthèse sera tout aussi efficace », lui avait-on dit. Seulement, les fonctionnaires avaient une vision très étroite et très personnelle de ce qui pouvait être important pour la journée d'un Premier Ministre. De plus en plus souvent, il se faisait la réflexion que leurs synthèses étaient bien incomplètes – en particulier sur les questions de politique intérieure, et plus encore lorsque les nouvelles n'étaient pas bonnes. Certes, ils agissaient ainsi pour le protéger, mais il avait toujours craint que le cocon tissé autour de lui ne finisse un jour par l'étouffer.

Il se souvint du jour où il avait pénétré pour la première fois au 10 Downing Street en tant que Premier Ministre, au retour de Buckingham Palace. Il avait quitté la foule et les caméras sur le seuil et, tandis que la lourde porte noire se refermait derrière lui, il avait découvert un spectacle extraordinaire. Sur tout un côté du grand hall, quelque deux cents fonctionnaires l'applaudissaient bien fort – tout comme ils l'avaient fait auparavant pour Thatcher, Callaghan, Wilson ou Heath, et comme ils le feraient encore pour son successeur. De l'autre côté du hall, face à eux, il y avait son équipe de fidèles, ceux qu'il avait hâtivement rassemblés autour de lui quand sa campagne pour succéder à Margaret Thatcher avait commencé à décoller. Il les avait invités à Downing Street pour partager avec eux ce moment historique. Ils n'étaient que sept, un peu écrasés par ce nouvel environnement. La lutte était absolument inégale. Au cours des six mois suivants, il avait à peine vu ses conseillers du Parti, implacablement refoulés par la machine officielle. Depuis, ils avaient tous disparu de son horizon. *Ce n'est pas une si bonne idée de s'en remettre entièrement aux officiels*, se dit-il. Dans le même mouvement, il décida également de renoncer aux revues de presse pour revenir à une lecture concrète des journaux. *Dès la semaine prochaine.*

Son attention revint sur le journal que son propriétaire parvenait enfin à tenir ouvert. Il était à quelques mètres de distance, trop loin pour déchiffrer aisément les titres. Il fit de son mieux pour ne pas fixer du regard le quidam, tout en se concentrant sur les lettres. Peu à peu, les mots apparurent.

LA CRISE DES SONDAGES FRAPPE LE GOUVERNEMENT DE PLEIN FOUET

Collingridge fit les cinq pas qui le séparaient du lecteur, et lui arracha le journal des mains.

L'AVENIR DU PREMIER MINISTRE PARAÎT COMPROMIS. L'EFFONDREMENT DE SA COTE DE POPULARITÉ NUIT AU PARTI. UNE DÉROUTE À L'ÉLECTION PARTIELLE EST À CRAINDRE.

— Henry ! s'écria son épouse, subitement inquiète.

— Merde, qu'est-ce que…, postillonna l'homme, avant que les mots ne se figent dans sa bouche.

Il venait de reconnaître son agresseur.

— Tout va bien, monsieur le Premier Ministre ? demanda l'un des agents de protection en venant s'interposer entre eux.

La tête de Collingridge s'affaissa sur sa poitrine.

— Pardonnez, je ne voulais pas… Je suis désolé, murmura-t-il.

— Non, monsieur le Premier Ministre. C'est moi qui suis désolé, dit l'homme en se ressaisissant. Vous méritez bien mieux que ça.

— Vraiment ? marmonna encore Collingridge, avant de tourner les talons pour rejoindre l'hôtel.

Récupérer l'exemplaire du *Chronicle* dans la corbeille pleine de mégots écrasés ne fit rien pour améliorer l'humeur du Premier Ministre.

— Je le découvre en lisant le journal d'un parfait étranger, Grahame. Pour une fois, serait-il possible que je ne sois pas le dernier à être informé ?

— Je suis désolé, monsieur le Premier Ministre. Nous comptions vous le montrer après votre petit déjeuner, répondit le conseiller d'une voix docile.

— Parce que vous croyez que je vais encore avoir de l'appétit ? Regardez-moi ces conneries ! Ce n'est pas bon, Grahame, ce n'est…

Il s'interrompit. Il venait d'arriver au passage où l'article du *Chronicle* abandonnait les faits pour se livrer sans retenue à la spéculation et aux effets d'annonce.

> La chute de popularité mise en évidence par les toutes dernières études confidentielles réalisées par le Parti ne va pas manquer d'exercer une pression considérable sur le Premier Ministre. Alors qu'il doit tenir demain son grand discours au congrès de son Parti à Bournemouth, cette situation au regard de l'opinion va prendre une importance toute particulière, voire décisive pour lui. En effet, depuis les élections générales, le style et l'efficacité du *leadership* de Collingridge font l'objet d'une contestation croissante, et bon nombre de ses collègues ne peuvent cacher leur déception devant ses maigres performances. À n'en pas douter, les récents sondages ne manqueront pas d'alimenter les doutes, le Premier Ministre étant crédité du plus mauvais score jamais enregistré au cours des quarante dernières années, depuis la mise en place de ces études.

— Oh, merde, murmura Collingridge, tout en poursuivant sa lecture :

Hier soir, on a pu entendre un ministre de haut rang s'exprimer dans les termes suivants : « Au sein du Cabinet comme à la Chambre des communes, il y a un manque de fermeté évident. Le Parti est nerveux. Alors qu'elle est pourtant excellente, notre position est sapée par le charisme défaillant de notre chef. » Dans l'équipe gouvernementale, des propos encore plus sévères sont parfois formulés. Dans les rangs du Parti, y compris au plus haut niveau, d'aucuns se demandent si la formation politique n'est pas en passe d'arriver à la croisée des chemins. « Nous allons devoir prendre une décision. Soit nous choisissons de prendre un nouveau départ, soit nous continuons de glisser lentement mais sûrement vers le déclin et la défaite. Depuis les élections, nous avons enregistré un trop grand nombre de déconvenues qui n'avaient pas lieu d'être. Nous ne pouvons plus nous le permettre. » Selon un avis un peu plus pondéré, Collingridge serait « une catastrophe ambulante, susceptible à tout moment d'entraîner le gouvernement dans sa chute ».

— Merde ! s'exclama Collingridge, sans chercher cette fois-ci à ne pas être entendu.

« L'élection partielle d'aujourd'hui dans la circonscription du Dorset Est – normalement promise à une victoire facile pour le gouvernement – va donc avoir valeur de test crucial pour l'avenir du Premier Ministre », disait encore l'article en guise de conclusion.

Un homme peut passer la moitié de sa vie au sommet de l'échelle politique, sans se laisser gagner un instant par la peur du vide. Puis, un jour, il est pris de vertige et perd tous ses moyens.

— Trouvez-moi le résidu de caniveau qui a fait ça, Grahame ! gronda Collingridge en étreignant le journal comme s'il avait voulu l'étrangler. Je veux savoir qui a écrit ça. Je veux savoir à qui il a parlé. Je veux savoir qui a fait fuiter les sondages. Et demain matin, je veux leurs couilles sur mes toasts !

— Dois-je appeler Lord Williams ? demanda le conseiller politique.

— Williams ! explosa Collingridge. Mais c'est son putain de sondage qui a fuité ! Je ne veux pas des excuses, je veux des réponses. Faites venir le *Chief Whip*. Peu importe ce qu'il est en train de faire. Trouvez-le et amenez-le-moi. Tout de suite.

Le conseiller puisa au plus profond de son courage pour aborder l'obstacle suivant.

— Avant qu'il n'arrive, monsieur le Premier Ministre, puis-je suggérer que nous jetions un dernier coup d'œil à votre discours ? Vous voudrez peut-être apporter quelques modifications, à la lumière de la presse de ce matin. Comme nous n'avons pas beaucoup de temps…

— Le discours reste tel qu'il est. On ne change pas un mot. Je ne vais pas chambouler un excellent discours juste parce que des crétins de journalistes sèment la merde. Trouvez-moi plutôt Urquhart. Immédiatement !

Lorsque le téléphone sonna, Urquhart était tranquillement assis dans son bungalow. Toutefois, ce n'était pas le Premier Ministre, mais le secrétaire aux Affaires étrangères qui l'appelait. Au grand soulagement du *Chief Whip*, Woolton riait à l'autre bout du fil.

— Francis, espèce de tête de linotte !

— Patrick, cher ami, je…

— La prochaine fois, je vous mets à l'eau plutôt qu'au whisky. Hier, vous êtes parti avec l'une de mes mallettes rouges. Et vous m'avez laissé la vôtre. Du coup, j'ai vos petits sandwichs, et vous, vous avez une copie du dernier plan secret pour envahir la Papouasie-Nouvelle-Guinée, ou Dieu sait quelle ineptie qu'on veut me faire signer cette semaine. Je vous propose de procéder à un échange avant que je me fasse arrêter pour avoir égaré des documents secrets appartenant au gouvernement. Je suis chez vous dans vingt secondes.

L'instant d'après, un Urquhart tout sourires présentait ses plus plates excuses à son collègue. Woolton les écarta d'un geste aimable et négligent.

— Ce n'est rien, Francis. En vérité, je n'aurais sûrement pas lu ce maudit truc la nuit dernière. Pour tout dire, il faut que je vous remercie. J'ai passé une soirée exceptionnellement stimulante.

— Vous m'en voyez ravi, Patrick. On s'amuse souvent beaucoup pendant les congrès.

À peine Woolton eut-il tourné les talons que le visage d'Urquhart changea du tout au tout. Sa mine était grave et son front plissé par l'inquiétude. Il ferma sa porte à clé de l'intérieur, allant jusqu'à faire jouer la poignée pour s'assurer qu'elle était bien verrouillée. En toute hâte, il abaissa les stores pour obturer les fenêtres, puis, quand il fut absolument certain que personne ne pouvait l'espionner, il déposa avec mille précautions sa mallette rouge sur la table. Après l'avoir examinée sous toutes les coutures pour vérifier qu'elle était intacte, il tira un lourd trousseau de sa poche et isola une clé qu'il introduisit doucement dans la serrure. Le couvercle joua, révélant non pas des papiers et autres sandwichs, mais un morceau de polystyrène qui occupait l'intégralité de l'espace. Il le retira, le mit de côté, puis posa l'attaché-case verticalement sur un rebord. Délicatement, il décolla le revêtement de cuir dans un angle, jusqu'à mettre à nu un petit trou creusé dans la paroi même de la mallette. Cette petite cache de cinq centimètres carrés abritait un minuscule émetteur radio et sa pile d'alimentation au mercure. Merci à la technologie japonaise.

Le gérant de la boutique spécialisée à laquelle Urquhart s'était rendu deux semaines plus tôt sur Tottenham Court Road l'avait écouté débiter son histoire avec la plus grande indifférence. « J'ai besoin de contrôler les agissements d'un employé malhonnête », avait-il expliqué. À quoi l'autre avait simplement répondu : « ce sont des choses qui arrivent ». En revanche, il avait manifesté bien plus d'enthousiasme pour décrire les incroyables capacités et fonctionnalités des équipements qu'il pouvait vendre. « Celui-là, c'est ce qu'on fait de plus simple et de plus performant. Avec ça, vous captez n'importe quel son à quinze mètres à la ronde. Ensuite, le relais transmet le tout sur l'enregistreur à déclenchement vocal. Si le micro est bien orienté vers la source, je vous garantis une qualité sonore digne d'une symphonie de Mahler. »

Dans sa penderie, Urquhart alla chercher une autre valise ministérielle rouge, qui contenait une radiocassette calée sur la fréquence de l'émetteur. Cet appareil était lui aussi soigneusement niché dans une protection de polystyrène. Urquhart constata avec plaisir que la cassette longue durée était pratiquement arrivée au bout. De toute évidence, il y avait eu beaucoup de bruit dans la chambre de Woolton.

— J'imagine que ce ne sont pas uniquement tes ronflements, Patrick, murmura Urquhart pour lui-même.

À cet instant, le dispositif se déclencha encore une fois, puis enregistra dix secondes.

Le *Chief Whip* appuya sur la commande de rembobinage. Il était absorbé dans la contemplation des bobines lancées à pleine vitesse quand le téléphone sonna. Il était attendu chez le Premier Ministre. De toute urgence. Encore un problème de fuite…

— Ce n'est pas grave, dit-il en caressant les deux mallettes rouges du bout des doigts. Vous m'attendrez.

Il riait de bon cœur en refermant sa porte.

Chapitre 20

Pour certains politiciens, les plus hautes fonctions de l'État sont comme la mer pour un marin : un espace exaltant et mystérieux, plein d'aventures plus excitantes les unes que les autres. Pour eux, c'est la voie qui les mènera à leur destinée. Pour moi, c'est le lieu où ils finiront probablement noyés.

Samedi 16 octobre

Le lendemain du discours du Premier Ministre, le *Chronicle* ne fut pas le seul journal à estimer que sa prestation avait été un désastre. La presse fut quasiment unanime. Le chef de l'Opposition ajouta sa voix au concert, ainsi qu'un certain nombre de députés de la majorité.

Lorsque l'annonce de la défaite dans l'élection partielle du Dorset Est avait éclaté sur le congrès aux toutes premières heures de la matinée du vendredi, les fidèles du Parti en étaient restés tétanisés et sans voix. Après le petit déjeuner, cette inertie était passée. Tout en absorbant leurs toasts ou leur muesli, ils avaient commencé à exprimer leur frustration, entièrement dirigée contre un homme et un seul. Henry Collingridge.

À l'heure de midi, tous les correspondants dépêchés à Bournemouth avaient été inondés de confidences de hauts responsables du Parti, qui tous affirmaient avoir mis en garde le Premier Ministre contre l'idée d'une élection partielle pendant la semaine du congrès. En fait, ils se hâtaient surtout de s'exonérer. De désespoir, le cabinet du Premier Ministre y avait été de ses commentaires vengeurs – en « off », bien sûr. Les conseillers estimaient que la faute incombait au siège du Parti, et donc à Lord Williams. Cela étant, cette riposte ne trouva guère d'oreilles compatissantes, prêtes à l'entendre. L'instinct de meute jouait à plein.

Un journal traditionnellement favorable au gouvernement donna une description assez parlante de la situation :

> Hier, le Premier Ministre a échoué encore une fois. Son discours aurait dû être l'occasion pour lui de faire taire les critiques sur son *leadership*. Malheureusement, pour reprendre les termes d'un ministre du Cabinet, cette intervention s'était révélée aussi « inepte que malvenue ». Après les sondages catastrophiques et l'humiliante défaite à l'élection partielle dans l'une des circonscriptions les plus sûres, le Parti attendait d'être rassuré et d'entendre dans la bouche de son chef une analyse réaliste de la situation. Au lieu de cela, comme a dit un député, « nous avons eu droit à une version réchauffée d'un discours électoral éculé ».
>
> D'aucuns n'hésitent plus à critiquer ouvertement Collingridge. Peter Bearstead, élu de la circonscription âprement disputée de Leicester Nord, a ainsi déclaré hier soir : « Aux dernières élections générales, les électeurs nous ont mis une petite tape sur les doigts en guise d'avertissement. Ils ne vont sûrement pas se contenter d'une harangue dégoulinante de clichés

et d'autosatisfaction. Il est peut-être temps pour le Premier Ministre de songer à passer la main. »

Dans un immeuble de bureaux sur la rive sud de la Tamise, le rédacteur en chef de *Weekend Watch*, l'émission d'actualités la plus regardée du pays, émergea de sa lecture de la presse pour convoquer une conférence de rédaction en urgence. Vingt minutes plus tard, l'émission prévue pour le lendemain, sur les marchands de sommeil et les propriétaires abusifs, était repoussée *sine die*, remplacée par un nouveau contenu. Bearstead allait être invité en plateau, de même que plusieurs sondeurs et autres spécialistes. Pour cette tranche de soixante minutes complètement remaniée, un nouveau titre avait été choisi : « Le signal du départ ? »

Depuis son domicile d'une banlieue verdoyante près d'Epsom, Barclays de Zoete Wedd, grand gourou des animateurs de marché, téléphona à deux collègues. Ils convinrent de se retrouver au bureau très tôt le lundi.

— Avec toutes ces conneries politiques, les marchés vont être aux quatre cents coups. Il va être temps de débloquer quelques positions avant que les autres cons ne se mettent à vendre.

Le candidat battu dans la partielle de Dorset Est fut contacté par le *Mail on Sunday*. Le journal avait délibérément attendu la fin d'un déjeuner passé à remâcher son dépit. Le ressentiment du vaincu envers le chef de son parti était donc à son comble. « IL M'A COÛTÉ MON SIÈGE. PEUT-IL GARDER LE SIEN ? » Un excellent titre.

Dans sa somptueuse maison de campagne de style palladien, dans la région du New Forest, dans le Hampshire au sud de l'Angleterre, Urquhart reçut un certain nombre de coups de téléphone de collègues du Cabinet et d'éminents députés, tous très inquiets. Le responsable des associations de terrain de la présidence du Parti se fendit lui aussi d'un appel pour faire part de ses préoccupations.

— En temps normal, Francis, vous savez que je m'ouvrirais de ces questions au président du Parti, expliqua en toute franchise l'élu du Yorkshire, mais on dirait bien qu'il y a une guerre ouverte entre le siège du Parti et Downing Street. Et croyez-moi, je n'ai aucune envie de me retrouver pris au milieu.

Pendant ce temps, au manoir de Chequers, la résidence de villégiature du Premier Ministre au milieu des collines verdoyantes du comté du Buckinghamshire, et sous la garde d'effectifs de sécurité pléthoriques, Collingridge regardait fixement les documents étalés devant lui, l'œil vide et l'esprit en berne. Le rocher avait commencé à dévaler la colline et il n'avait pas la moindre idée de ce qu'il fallait faire pour l'arrêter.

Lorsque le coup suivant s'abattit, un peu plus tard cet après-midi-là, tout le monde fut pris par surprise. Même Urquhart. Il avait escompté qu'il faudrait au moins deux semaines de plus à l'*Observer* pour faire le tri dans la masse de documents et de photocopies qu'il lui avait fait parvenir. Anonymement. Au minimum, il lui avait paru logique de tabler sur un travail d'examen approfondi avec le service juridique et une batterie d'avocats. Mais apparemment, l'*Observer* devait craindre qu'un concurrent soit également sur la piste. « Baisés si on le publie. Baisés si on ne le publie pas. Alors autant y aller ! » avait crié le rédacteur en chef à toute sa rédaction.

Urquhart était dans le garage où il gardait sa Rover Speed Pilot de 1933, lorsque l'appel était arrivé. Au volant de cette voiture, il fonçait avec insouciance dans les allées forestières du parc national du New Forest, « tout comme un Mister Toad à la peau rose », disait sa femme, certain qu'aucun policier ne serait jamais assez mesquin pour arrêter un aussi magnifique exemplaire de ce que l'industrie automobile britannique avait pu faire de mieux en matière de cabriolet. De toute façon, le chef de la police était membre du même club de golf que lui. Urquhart était en train de régler le triple carburateur lorsque Mortima l'appela depuis l'intérieur de la maison.

— Francis ! Le Chequers au téléphone !

Il avait pris la communication sur le poste mural installé dans le garage, tout en s'essuyant soigneusement les mains sur un chiffon.

— Francis Urquhart à l'appareil.

— *Chief Whip*, un instant je vous prie. Le Premier Ministre souhaite vous parler, dit une voix féminine.

La voix d'homme qui prit le relais était méconnaissable. Altérée, incertaine, sans ressort.

— Francis, je crains d'avoir de mauvaises nouvelles. L'*Observer* vient de m'appeler. Les fumiers. Ils m'ont annoncé qu'ils sortent une affaire demain. Je ne sais pas comment, mais apparemment, mon frère Charles a commis un délit d'initié. Il a acheté des actions d'une entreprise en bénéficiant d'informations confidentielles connues uniquement du gouvernement. Et il a ramassé un paquet. Ils disent qu'ils ont des preuves – relevés bancaires, avis d'opérations de Bourse, la totale. Il a acheté pour près de 50 000 livres de titres du laboratoire *Renox*, deux jours avant qu'on accorde une autorisation de mise sur le marché d'un de leurs nouveaux médicaments. Le lendemain, il a tout vendu, avec une énorme plus-value. D'après eux, il a fait tout ça depuis une fausse adresse à Paddington. Ils vont mettre cette histoire à la une.

Collingridge marqua une pausc, comme s'il était trop épuisé pour continuer.

— Francis, tout le monde va penser que c'est moi qui lui ai transmis l'information. Qu'est-ce que je dois faire ?

Urquhart prit le temps de s'installer confortablement dans le fauteuil de cuir de sa voiture avant de répondre. Dans ce siège, il avait l'habitude de prendre des risques.

— Avez-vous dit quelque chose à l'*Observer*, Henry ?

— Non. Je ne crois pas qu'ils cherchaient à obtenir un commentaire de ma part. Ils voulaient vraiment savoir où trouver Charlie.

— Et où est-il ?

— Bien planqué, j'espère. J'ai réussi à le joindre. Il... Il était soûl. Je lui ai dit de décrocher et de n'ouvrir à personne.

Les mains agrippées au volant, Urquhart regardait au loin devant lui. Il se sentait étrangement détaché. Il avait mis en branle une mécanique bien plus puissante que ne l'était sa capacité à l'arrêter. Il ne pouvait plus savoir avec certitude ce qu'il allait trouver dans le virage suivant. La seule chose dont il était sûr, c'était qu'il roulait à tombeau ouvert. Il ne pouvait plus s'arrêter. Et d'ailleurs, il ne le voulait pas. Trop tard pour reculer.

— Où est Charlie ?

— Chez lui, à Londres.

— Envoyez quelqu'un pour s'occuper de lui. Il ne doit pas rester seul, Henry. Écoutez, je sais combien cela doit être difficile, mais il y a une clinique de désintoxication dans les environs de Douvres à laquelle nous avons déjà fait appel pour quelques députés. C'est très bien, très discret. Le docteur Christian, qui dirige l'établissement, est excellent.

Je vais l'appeler et lui demander de venir chercher Charlie. Il faudra que quelqu'un de votre famille soit sur place, au cas où Charlie ferait des siennes. Bien sûr, cela ne peut pas être vous. Votre épouse, peut-être ? Il faut agir rapidement, Henry. Dans quelques heures, l'*Observer* sera dans tous les kiosques. L'appartement de votre frère va être en état de siège. Il faut prendre ces salauds de vitesse. Dans son état, qui peut savoir ce que Charlie pourrait dire ou faire.

— Mais après ? Je ne peux pas cacher Charlie pour toujours. Un jour ou l'autre, il devra faire face, c'est inévitable.

— Excusez-moi de vous poser cette question, Henry, mais l'a-t-il fait ? A-t-il acheté ces actions ?

Le soupir transmis par l'intermédiaire du téléphone évoquait un filet d'air échappé d'un cercueil resté très longtemps sous la terre.

— Je n'en sais rien. Je n'en ai pas la moindre idée. Mais…

Collingridge marqua une hésitation évocatrice de perplexité et de défaite.

— Apparemment, nous avons bel et bien autorisé la mise sur le marché d'un médicament des laboratoires *Renox*. Tous les détenteurs d'actions de l'entreprise ont vu leur capital augmenter. Le problème, c'est que Charlie n'a même pas de quoi payer ses factures du quotidien. Alors d'où tiendrait-il un portefeuille boursier ? Et puis, comment aurait-il pu savoir pour *Renox* ?

Urquhart reprit la direction de la conversation, sur un ton n'autorisant aucune contestation.

— Nous verrons ça quand il sera en sûreté. Il a besoin d'aide, qu'il l'accepte ou non. Il faut le mettre au vert et lui donner un peu d'air. Nous devons prendre soin de lui,

Henry. Vous et moi. Et vous, il va falloir que vous soyez particulièrement prudent.

Urquhart prit le temps d'une petite pause pour donner à ses mots tout le poids voulu.

— Vous ne pouvez pas vous permettre de foirer ce coup-là, conclut-il.

Le Premier Ministre marmonna son assentiment d'un ton las. Il n'avait plus ni la force ni la volonté de discuter. En fait, il appréciait l'autorité du *Chief Whip* – même si le prix à payer était la fierté de sa famille et la dignité de sa fonction.

— Quoi d'autre, Francis ?

— Rien. On ne bouge pas tant que Charlie n'est pas à l'abri. On garde nos cartouches et on attend de voir ce que dit l'*Observer*. Ensuite, on engagera la bataille. Et dans l'intervalle, pas un mot.

— Merci, Francis. S'il vous plaît, appelez ce docteur Christian pour solliciter son aide. Sarah pourra être chez mon frère d'ici deux heures en partant immédiatement. Prenez les choses en mains. Oh… Merde…

Urquhart entendit l'émotion qui nouait la voix du Premier Ministre.

— Ne vous inquiétez pas, Henry. Tout va bien se passer, dit-il d'un ton encourageant. Faites-moi confiance.

Tout d'abord, Charles Collingridge ne trouva rien à redire quand sa belle-sœur entra chez lui avec la clé dont elle disposait. Elle le trouva en train de ronfler dans un fauteuil. Autour de lui régnait la pagaille d'un après-midi consacré à l'assouvissement de sa petite faiblesse. Pendant cinq minutes, elle le secoua pour le réveiller. Sans succès. Puis elle recourut à la solution des glaçons dans une serviette. C'est à ce moment-là que Charlie commença à regimber.

Ensuite, à mesure qu'il saisissait ce que disait Sarah – « il faudrait aller passer quelques jours loin de Londres » –, ses protestations se firent plus véhémentes. En revanche, quand elle aborda la question des actions, le dialogue devint une véritable impasse. Elle ne parvenait plus ni à tirer la moindre parole cohérente, ni à le décider de partir.

Il fallut l'arrivée du docteur Christian et d'un *whip* assistant, une heure plus tard, pour que la situation se décante un peu. Après avoir préparé un petit bagage, ils emportèrent un Charlie toujours réfractaire jusqu'à la voiture du médecin, discrètement garée à l'arrière de l'immeuble.

Heureusement pour eux, Charlie n'avait plus la coordination motrice suffisante pour résister. Malheureusement, l'opération avait pris bien trop de temps. Lorsque la Ford Granada noire sortit de la ruelle pour déboucher sur la grande artère, avec Charles et Sarah à l'arrière, une équipe d'ITN tout juste arrivée sur place, était à pied d'œuvre pour filmer toute la scène.

La séquence montrant un Charlie recroquevillé dans une voiture fuyant à toute allure, avec l'épouse affolée du Premier Ministre à son bord, fit l'ouverture de tous les journaux télévisés.

Chapitre 21

Une manifestation de loyauté est sans doute une bonne nouvelle, mais c'est rarement un bon conseil.

Dimanche 17 octobre

Les images de la fuite de Charles Collingridge faisaient toujours la une quand l'émission *Weekend Watch* fut diffusée. Conçue à la hâte et dans un état d'intense frénésie, elle comportait un certain nombre d'éléments bâclés. La régie empestait la sueur et le tabac, personne n'avait eu le temps de passer en revue le texte des prompteurs, et d'ailleurs, on était encore en train de rédiger les dernières interventions quand le présentateur prit l'antenne et salua les téléspectateurs.

La production n'avait pas réussi à convaincre le moindre ministre de venir participer. Et plus elle avait insisté, plus les refus s'étaient faits agressifs. L'un des experts attendus n'était pas encore arrivé aux studios. Le preneur de son était toujours à la recherche de batteries neuves lorsque le régisseur entama le décompte. Et le direct démarra. Un sondage exprès avait été commandé en urgence à l'entreprise Gallup, et le directeur général, Gordon Heald, était venu en personne en présenter les résultats. Il avait passé la journée à malmener son ordinateur. Ses joues étaient empourprées, non pas tant à cause de la chaleur sur le plateau, mais en raison de ce que l'étude avait mis en évidence : une nouvelle baisse de la popularité du Premier Ministre. « Oui, un recul assez substantiel », disait Heald. « Et non, il n'y a pas d'exemple d'un Premier Ministre ayant gagné une élection après avoir été aussi impopulaire. »

Ces sombres prévisions furent corroborées par deux éditorialistes de renom, puis rendues plus sinistres encore par un économiste prédisant une véritable tempête sur les marchés financiers pour les jours à venir. Il fut coupé en plein milieu de son évocation par le présentateur qui reportait son attention sur Peter Bearstead. En temps normal, l'interview du député des Midlands de l'Est aurait été enregistrée à l'avance, mais le temps avait manqué. Le conducteur du réalisateur indiquait une intervention d'une durée de deux minutes et cinquante secondes, mais c'était compter sans certains traits de caractère de l'honorable représentant de Leicester Nord. Une fois lancé, il était aussi difficile à arrêter qu'un blaireau en colère.

— Monsieur Bearstead, selon vous, quelle est l'ampleur des difficultés auxquelles le Parti va être confronté ?

— Ça dépend.

— De quoi ?

— Du temps pendant lequel nous allons devoir nous battre avec l'actuel Premier Ministre.

— Vous confirmez donc ce que vous avez déjà déclaré cette semaine, à savoir que le Premier Ministre devrait envisager de reconsidérer sa position ?

— Non, pas exactement. Ce que je dis, c'est qu'il devrait démissionner. Il est en train de détruire notre Parti. Voilà maintenant qu'il est jusqu'au cou dans ce qui ressemble à un scandale familial. Ça ne peut pas continuer comme ça. C'est hors de question !

— Pensez-vous que le Premier Ministre soit vraiment susceptible de renoncer à son poste ? Après tout, les élections ont eu lieu il n'y a pas très longtemps. Il reste cinq ans avant le prochain scrutin. C'est un délai qui peut paraître suffisant pour récupérer le terrain perdu.

— Nous ne survivrons pas – vous m'entendez – nous ne survivrons pas à cinq années de plus avec ce Premier Ministre ! répondit le député avec fougue en se balançant d'avant en arrière sur sa chaise. Aujourd'hui, ce qu'il nous faut, ce sont des esprits clairs. Pas des indécis ! Je suis déterminé à tout faire pour que le Parti prenne une décision sur cette question. Si le Premier Ministre ne démissionne pas, nous devrons l'y forcer.

— Mais comment ?

— En exigeant une primaire pour désigner le chef du Parti.

— Mais qui serait candidat ?

— Eh bien, si personne ne veut y aller, j'irai.

— Vous allez défier Henry Collingridge pour le poste de chef du Parti ? s'exclama le présentateur, stupéfait. Mais vous ne pouvez quand même pas espérer gagner ?

— Bien sûr que je ne gagnerai pas, répliqua Bearstead sur un ton presque méprisant. Mais cela fera réfléchir les grosses bêtes qui vivent dans notre jungle. Ils sont tous à se plaindre du Premier Ministre, mais il n'y en a pas un qui a les tripes de faire quelque chose. Alors, s'ils ne le font pas, je le ferai. Hop, table rase !

La lèvre inférieure du présentateur fut agitée d'un tic, pendant qu'il cherchait le bon moment pour intervenir.

— Loin de moi l'idée de vous interrompre, mais je veux être sûr de bien comprendre, monsieur Bearstead. Vous dites que le Premier Ministre doit se retirer, sans quoi vous vous présenterez contre lui pour la direction du Parti ?

— Avant Noël, un scrutin doit être organisé pour désigner le chef du Parti. C'est dans nos statuts. C'est la règle après les élections générales. Je sais bien qu'il s'agit normalement d'une simple formalité, mais cette fois-ci, il va y avoir une vraie compétition. Mes collègues vont devoir faire un choix.

Une grimace de douleur parut sur les traits du présentateur. La main sur son oreillette, il entendait le réalisateur de l'émission et le rédacteur en chef du magazine jouer à celui qui crie le plus fort. Le premier voulait que l'on poursuive à tout prix cette interview sensationnelle, et au diable l'horaire, tandis que le second voulait l'arrêter là avant que ce fou de Bearstead ne change d'avis et ne vienne tout gâcher. Un cendrier se fracassa sur le sol. Quelqu'un poussa un juron particulièrement ordurier.

— Nous nous retrouvons après une page de publicité, annonça le présentateur.

Chapitre 22

« Politique. » Le mot vient du grec ancien. « Poly » signifie « plusieurs ».

Et la « tique » est un minuscule insecte suceur de sang.

Lundi 18 octobre – Vendredi 22 octobre

La livre sterling enregistra un net repli dès l'ouverture des marchés financiers à Tokyo. Il était un peu moins de minuit à Londres. À 9 heures, alors que toute la presse ne parlait que du défi lancé à Collingridge, le Footsie accusait déjà une baisse de 63 points. À l'heure du déjeuner, il avait encore reculé de 44 points supplémentaires. Le monde de la finance déteste les surprises.

Le Premier Ministre n'était pas en grande forme lui non plus. Il n'avait pas dormi depuis le samedi soir, et guère parlé. Un sentiment de noire dépression l'accablait. Plutôt que de le laisser rentrer à Downing Street ce matin-là, Sarah l'obligea à rester au Chequers et appela le médecin. Le docteur Wynne-Jones, praticien très expérimenté dont Collingridge était le patient de longue date, lui prescrivit un sédatif et du repos. La médication fit immédiatement effet. Pour la première fois depuis le début du congrès du Parti, une semaine plus tôt, le Premier Ministre sombra dans un profond sommeil.

Pour autant, son épouse percevait la tension persistante derrière ses paupières closes. Il dormit les mains accrochées au drap qu'il ne voulait pas lâcher.

Le lundi en fin d'après-midi, après qu'il eut émergé de son sommeil chimique, il ordonna au bureau de Downing Street chargé des relations avec la presse de publier des communiqués annonçant qu'il entendait bien évidemment concourir à l'élection au poste de chef du Parti, qu'il ne doutait pas de sa victoire, et qu'il était présentement bien trop accaparé par ses fonctions pour répondre aux interviews, mais qu'il ferait une déclaration plus tard dans la semaine. En outre, son frère Charlie ne donnerait pas suite aux demandes d'entretien. À cet égard, l'aîné des Collingridge ne disait toujours rien de sensé au sujet des actions, et la sempiternelle formule officielle « pas de commentaire » n'allait pas suffire à arranger les affaires de la famille.

Au siège du Parti, Lord Williams commanda de nouveaux sondages, en urgence. Il voulait savoir ce que pensait le pays. Le reste de la machine du Parti réagissait avec moins de promptitude. On sortit des oubliettes les règles relatives à l'organisation d'une élection comportant plusieurs candidats au poste de chef du Parti, et il apparut qu'elles étaient loin d'être simples. Le processus était confié au président du comité des membres du Parlement sans portefeuille issus du parti majoritaire, sir Humphrey Newlands, tandis que le choix du calendrier était laissé au chef du Parti. La confusion ne fit que croître lorsqu'on s'aperçut que sir Humphrey, avec un sens du contretemps digne d'éloge, venait précisément de partir en vacances, le week-end précédent, sur une île privée des Antilles extraordinairement difficile à contacter. Au sein de la gente scribouillarde, on ne manqua pas de se demander avec ardeur s'il ne s'agissait pas là d'une stratégie délibérée visant à gagner du temps pendant que les puissances du Parti se mobilisaient pour persuader le « Lion de Leicester » – comme on surnommait désormais Bearstead – de se retirer. Néanmoins, le mercredi, le *Sun* avait débusqué sir Humphrey sur une plage dorée quelque part du côté de Sainte-Lucie, en compagnie de quelques amis, dont trois jeunes femmes très chichement vêtues, âgées d'un bon demi-siècle de moins que lui. Il fut rapidement annoncé qu'il rentrait à Londres dès que les dispositions voulues seraient prises pour son vol de retour. À l'instar de Charlie Collingridge, l'épouse de sir Humphrey se refusa à tout commentaire.

Sur une mer aussi agitée, Henry Collingridge commença à se sentir bien perdu, coupé des conseils du sage et rusé président du Parti. Bien sûr, il n'avait aucune raison particulière de se méfier de Lord Williams, mais le ressassement permanent de la presse au sujet des dissensions entre eux avait fini par donner corps et consistance à ce qui n'était au début qu'une rumeur. La méfiance est un état d'esprit, pas un fait objectif. Du haut de ses années, le président du Parti avait sa fierté : il n'entendait pas donner des conseils qu'on ne lui aurait pas demandés. Aux yeux de Collingridge, ce silence était la marque évidente d'un manque de loyauté.

Sarah rendit visite à Charlie et revint tard, profondément affectée.

— Il a une mine affreuse, Henry. Je ne m'étais jamais aperçue d'à quel point il peut se rendre malade. Il absorbe de telles quantités d'alcool. Les médecins disent qu'il était à deux doigts de se tuer.

— Je m'en veux, murmura Henry. J'aurais pu le convaincre d'arrêter. Si je n'avais pas été si préoccupé… Il a parlé des actions ?

— C'est très incohérent. Il répète toujours la même chose. « 50 000 livres ? Quelles 50 000 livres ? » Et il jure qu'il n'est jamais entré dans une banque turque.

— Putain !

— Chéri…, commença-t-elle, luttant de toute évidence pour trouver les mots. Est-ce que ce serait possible qu'il… ?

— Qu'il soit coupable ? Je n'en sais absolument rien. Mais quel choix est-ce qu'il me reste ? Il faut qu'il soit innocent. Parce que s'il a vraiment acheté ces actions, qui pourra croire que je ne lui ai pas soufflé de le faire ? Et si Charlie est coupable, je sombre avec lui.

Sarah prit son mari par le bras, en proie à une subite inquiétude.

— Ne pourrais-tu pas dire que Charlie était malade, qu'il ne savait pas ce qu'il faisait, qu'il a… trouvé l'information sans que tu en sois averti ?

L'excuse qu'elle inventait s'évanouit dans l'air. Elle-même ne parvenait pas à y croire.

Henry la prit dans ses bras, l'enveloppant, la serrant contre lui, pour la rassurer mieux que ses paroles ne pourraient le faire. Il déposa un baiser sur le front de sa femme et sentit les larmes chaudes qui coulaient sur ses joues. Il savait qu'il était lui-même sur le point de pleurer, et il n'en concevait nulle honte.

— Sarah, je ne serai pas celui qui achèvera Charlie. Dieu sait qu'il y met suffisamment de cœur tout seul. Je reste son frère et le serai toujours. Soit nous survivons, soit nous coulons. Mais dans tous les cas, nous le ferons ensemble. Comme une famille unie.

La période du congrès du Parti avait été synonyme de six semaines de sueur et de nuits trop courtes. Mattie avait bien eu l'intention de prendre un peu de temps pour récupérer. Un long week-end avait suffi. Elle ingurgitait du vin chilien en regardant de vieux films les uns à la suite des autres, mais ses pensées la ramenaient toujours à son travail. À Collingridge. À Urquhart. À Preston. À ce dernier tout particulièrement. Armée de plusieurs feuilles de papier de verre, elle avait entrepris de poncer les boiseries de son appartement victorien, mais rien n'y faisait. Elle avait beau frotter la peinture écaillée de tout son cœur, elle en voulait toujours à mort à son rédacteur en chef.

Le lendemain matin à 9 h 30, elle était de retour au bureau, résolument installée dans le fauteuil de cuir devant la table de Preston, prête à tenir un siège. Cette fois-ci, il n'allait pas pouvoir lui raccrocher au nez. Malheureusement, la stratégie ne s'avéra pas très payante.

Elle attendait depuis près d'une heure quand la secrétaire de Greville passa la tête par la porte.

— Désolée, Mattie, dit-elle, la mine embarrassée. Le grand Yaka vient d'appeler. Il est en rendez-vous extérieur et ne sera là qu'en début d'après-midi.

Le monde se liguait contre Mattie, pour la compisser sans vergogne. Elle avait une telle envie de hurler qu'elle se résolut à le faire. Ce ne fut donc pas le meilleur moment que choisit John Krajewski pour entrer dans le bureau de son rédac-chef.

— Je ne savais pas que tu étais là, Mattie.

— Je ne suis pas là. Du moins, plus pour longtemps, répondit-elle en se levant pour partir.

Krajewski ne savait pas sur quel pied danser. C'était souvent le cas quand il était avec elle. Il l'appréciait un tout petit peu trop pour être vraiment à son aise.

— Écoute, Mattie, j'ai décroché le téléphone au moins une dizaine de fois pour t'appeler depuis la semaine dernière, mais…

— Mais quoi ? aboya-t-elle.

— Je suppose que je n'avais pas envie de me faire arracher la tête.

— Alors tu…

Elle se tut avant de mordre. Il n'avait pas tort de penser ainsi. Elle ravala sa rage. Il n'y était pour rien.

— Alors tu as bien fait, dit-elle finalement, d'un ton radouci.

Depuis la mort de sa femme dans un accident de voiture deux ans plus tôt, Krajewski avait perdu une bonne part de sa confiance en lui, tant avec les femmes que dans son travail. Pourtant, il réussissait à survivre et ne manquait pas de capacités, mais la carapace qu'il s'était forgée ne cédait pas facilement. Plusieurs femmes s'y étaient essayées, attirées par sa haute stature, sa silhouette un peu dégingandée et ses yeux tristes. Seulement, il voulait plus que leur sympathie et un coup accordé par compassion. Il voulait quelque chose – quelqu'un – qui le secoue et donne de nouveau un sens à sa vie. Il voulait Mattie.

— Tu veux en parler, Mattie ? Autour d'un dîner peut-être ? Loin de tout ça ?

D'un geste dédaigneux, il désigna le bureau de leur chef.

— Tu ne serais pas en train de me mettre la pression ? dit-elle, tandis que l'amorce d'un sourire lui retroussait la commissure des lèvres.

— Je te chatouille un peu.

— Vingt heures, dit-elle en attrapant son sac pour le passer à l'épaule. Au restaurant *Le Gange.*

Elle passa devant lui en s'efforçant vainement de prendre une mine sévère.

— J'y serai, cria-t-il derrière elle. Je dois être un peu maso, mais j'y serai.

Et il y était. En fait, il était arrivé dix minutes en avance pour descendre une bière avant qu'elle n'arrive – cinq minutes en retard. Il savait qu'il aurait besoin de quelque chose pour se donner du cœur au ventre. *Le Gange* était un petit resto bangladais au coin de la rue de Mattie, dans le quartier de Notting Hill. Dans son grand four en argile, le propriétaire cuisinait des plats délicieux – quand il n'était pas occupé à comploter à distance contre les autorités de son pays. Mattie commanda une bière, puis suivit le rythme de Krajewski jusqu'à ce qu'il ne reste plus la moindre trace dans son assiette du *tikka* qu'elle avait commandé. Elle la repoussa devant elle comme pour dégager l'espace.

— Je crois que j'ai commis une terrible erreur, Johnnie.

— Trop d'ail dans les *naans*?

— Je veux être journaliste. Une bonne journaliste. Au fond de moi, je crois que j'ai ce qu'il faut pour devenir une excellente journaliste. Mais ça n'arrivera pas avec un rédacteur en chef qui est un vrai bon à rien.

— Je suppose que Greville a ses mauvais côtés.

— J'ai renoncé à beaucoup de choses pour descendre à Londres.

— C'est marrant, dans l'Essex, on pense toujours qu'on « monte » à la capitale.

— J'ai bien réfléchi et j'ai pris une décision. Je ne veux plus des conneries de Greville Preston. Je démissionne.

Il la regarda dans les yeux et vit combien elle était bouleversée. Par-dessus la table, il prit la main de Mattie dans la sienne.

— Ne te précipite pas, Mattie. Le monde politique est en train d'imploser. Tu as besoin d'un boulot pour être aux premières loges, pour être au cœur de l'action. Ne saute pas dans le vide avant d'être prête.

— Johnnie, tu arrives à me surprendre. Je me serais plutôt attendue à ce que mon rédacteur en chef adjoint me supplie de rester dans l'équipe.

— Je ne parle pas en tant que rédacteur en chef adjoint, Mattie, répondit-il en lui serrant la main. Cela dit, tu as parfaitement raison. Greville est un con. La seule chose qui compense, c'est que c'est un con pas compliqué. Il ne te laisse jamais tomber. Tu sais, l'autre nuit…

— Accouche, si tu ne veux pas que je m'occupe de tes couilles.

Le serveur apporta une nouvelle tournée de bières. Krajewski prit le temps d'une gorgée avant de répondre.

— D'accord. Salle de rédaction quelques instants avant le gong pour la première édition. Une soirée tranquille, sans trop de dépêches de dernière minute. Greville en train de baratiner. Il nous raconte qu'il buvait un coup avec Denis Thatcher le soir de l'attentat à Brighton. Personne ne le croit. *Primo*, même mort, Denis Thatcher n'accepterait jamais d'être vu en compagnie de Greville Preston. Alors boire avec lui… Et *secundo*, Lorraine de la rubrique Société jure qu'elle était en train de baiser avec lui à Hove, au moment où c'est arrivé. Toujours est-il qu'il en était à mi-parcours de son histoire quand sa secrétaire l'appelle. Un coup de fil. Il disparaît dans son bureau. Dix minutes plus tard, il revient dans la salle de rédaction, fébrile comme tout. Quelqu'un lui avait allumé un feu sous les miches. « Arrêtez tout. On change la première page. » On se dit tous : « ça y est, un président a été buté ». Parce que Greville est vraiment dans tous ses états. Il demande alors qu'on affiche ton article sur un écran, et il annonce qu'on fait la une avec. Mais que d'abord, on va le muscler un peu.

— Ça ne tient pas debout, protesta-t-elle. La raison pour laquelle il l'avait viré, c'était précisément parce que j'y allais trop fort !

— Écoute donc ! C'est encore mieux ensuite. Il se tient derrière un gars de la rédaction assis devant l'écran, et il lui dicte directement les modifications. Il triture, il fait mousser et il transforme le tout en attaque personnelle contre Collingridge. « Il faut faire couiner ce fumier. » Il dit ça. Texto. Et tu te souviens des citations provenant prétendument du Cabinet, celles qui servent de base à tout l'article ? Eh bien, j'ai tout lieu de croire qu'il les a inventées. Chacune d'elles. Il n'avait aucune note. Il a tout dicté à la volée. C'est une pure fiction du début à la fin. Crois-moi, Mattie, tu devrais plutôt être ravie qu'il n'y ait pas ton nom au bas de l'article.

— Mais pourquoi ? À quoi bon inventer une histoire pareille ? Qu'est-ce qui lui a fait changer d'avis comme ça ? Ou plutôt qui ? À qui parlait-il au téléphone ? Qui est cette fameuse source à Bournemouth ?

— Je ne sais pas.

— Oh, mais moi, je crois que je sais, murmura-t-elle. C'est forcément lui. Ce foutu Benjamin Landless.

— Nous ne pratiquons plus le journalisme. Nous ne sommes guère mieux qu'une bande qui pratique le lynchage pour l'amusement personnel de notre propriétaire.

Ils restèrent focalisés sur leurs bières un moment, le temps de noyer leur détresse.

— En fait, Landless n'est pas tout seul, dit Mattie, comme si la bière lui avait rafraîchi l'esprit.

— Ah bon ?

Pendant qu'il buvait, Krajewski en avait profité pour zyeuter Mattie. Son esprit devenait folâtre, tandis que celui de la jeune femme était de plus en plus concentré.

— Mais oui. Greville n'aurait jamais pu concocter cet article sans le mien, et moi je n'aurais pas pu faire mon papier sans les sondages qu'une main anonyme m'a fait parvenir. Tu peux croire aux coïncidences si tu veux, mais il y a quelqu'un, à l'intérieur du Parti, qui fait fuiter des informations et qui tire les ficelles.

— Quoi ? Cette personne serait à l'origine de toutes les fuites depuis l'élection ?

— Évidemment !

Elle avala le reste de sa bière, la mine triomphante. L'adrénaline coulait à flots dans ses veines. Elle tenait le meilleur article de sa vie. C'était exactement pour un scoop de cette ampleur qu'elle était venue à Londres.

— Johnnie, tu as parfaitement raison ! poursuivit-elle.

— Ah bon ? dit-il, stupéfait.

Depuis une ou deux bières, il avait un peu perdu le fil.

— Ce n'est vraiment pas le moment de jeter l'éponge et de démissionner. Je vais découvrir le fin mot de l'histoire même si je dois tuer quelqu'un pour ça. Tu veux bien m'aider ?

— Si c'est ce que tu veux… Bien sûr.

— Merde, n'aie pas l'air aussi abattu.

— C'est que… Oh, et puis merde. Tout à l'heure, tu m'as dit que tu t'occuperais de mes couilles si je ne te racontais pas tout.

— Oui. Et tu l'as fait.

— Et toi, tu ferais ta part du marché ?

— Tu veux dire…

Oui, c'était exactement ce qu'il voulait dire. Elle le voyait dans ses yeux.

— Johnnie, reprit-elle. Je ne pratique pas les relations sentimentales au boulot.

— « Relations sentimentales ? » Mais qui te parle de ça ? On a bien trop bu pour une chose pareille. Non, pour l'instant, je me contenterais très bien d'une bonne partie de jambes en l'air à l'ancienne.

Elle rit.

— Je crois qu'on l'a bien méritée tous les deux, insista-t-il.

Elle riait toujours lorsqu'ils quittèrent le restaurant, main dans la main.

La déclaration de Downing Street – ou plus exactement, la conférence de presse informelle puisqu'il ne s'agissait pas d'un communiqué proprement dit, plutôt d'un exposé de situation verbalisé par le conseiller presse, Freddie Redfern – était on ne peut plus simple. « Le Premier Ministre n'a jamais fourni à son frère la moindre information de nature commerciale et à caractère sensible dont aurait disposé le gouvernement. Il n'a jamais discuté avec lui d'aucune question relative aux laboratoires *Renox Chemicals*. Le frère du Premier Ministre est extrêmement malade. Il fait actuellement l'objet d'un suivi médical permanent. Ses médecins ont déclaré qu'il n'était pas en état de donner des interviews ou de répondre aux questions. Néanmoins, je peux vous assurer qu'il nie catégoriquement les éléments suivants : l'achat de titres *Renox*, le fait de posséder une fausse adresse à Paddington, ou le fait d'être mêlé de près ou de loin à cette histoire. C'est tout ce que je peux vous dire pour le moment. Pas d'autres déclarations, ce sera tout. »

— Allez, Freddie, gémit l'un des correspondants. Vous ne pouvez pas vous contenter de ça. Comment expliquez-vous les détails sortis par l'*Observer* si les Collingridge sont innocents ?

— Je n'ai pas d'explication. Une erreur d'identité, une confusion avec un autre Charles Collingridge, qu'est-ce que j'en sais ? En revanche, je connais Henry Collingridge depuis des années, aussi bien que vous me connaissez moi, et je peux vous assurer qu'il est incapable de tomber aussi bas. Il est innocent. Je vous le garantis !

Il avait parlé avec la véhémence d'un professionnel qui met dans la balance sa propre réputation, au même titre que celle de l'homme pour qui il travaille. Le respect des journalistes accrédités pour un de leurs anciens collègues joua en faveur de Collingridge. Pour cette journée tout au moins.

« NOUS SOMMES INNOCENTS ! » clamait le titre à la une du *Daily Mail* du lendemain. Comme personne n'était parvenu à dénicher un nouvel élément à charge, les autres journaux lui emboîtèrent le pas. Cette ligne prévalut donc un certain temps.

— Francis, vous êtes le seul visage souriant qu'il m'arrive de voir en ce moment.

— Henry, les choses vont s'arranger. Je vous le promets. La meute va se débander dès qu'elle aura perdu la trace.

Ils étaient installés dans la salle de réunion du Cabinet. Des journaux étaient éparpillés sur tout le feutre brun du plateau de la table.

— Merci de votre loyauté, Francis. Cela signifie énormément pour moi en ce moment.

— L'orage est en train de passer.

Le Premier Ministre secoua la tête.

— J'aimerais bien que ce soit le cas, mais nous savons tous deux que ce n'est qu'un bref instant de répit, dit-il en soupirant. Je me demande qui m'accorde encore son soutien parmi nos collègues ?

Urquhart ne contesta pas ce point.

— Je ne peux pas me permettre de fuir. Il faut que je leur donne quelque chose à quoi s'accrocher. Je dois leur montrer que je n'ai rien à cacher. Il est temps de reprendre l'initiative.

— Qu'avez-vous l'intention de faire ?

Mâchonnant l'extrémité de son stylo, le Premier Ministre se laissa aller en arrière dans son fauteuil. Il leva les yeux vers l'immense portrait en pied au-dessus de la cheminée de marbre, représentant Robert Walpole – celui de ses prédécesseurs resté le plus longtemps en poste.

— À combien de crises et de scandales a-t-il survécu, Francis ?

— Plus que vous n'en aurez jamais à affronter.

— Ou que je serais en mesure de le faire, murmura Collingridge en cherchant l'inspiration dans le regard sombre, vif et rusé de l'illustre grand homme dont il ne restait plus qu'une huile sur toile. Soudain, il eut la surprise de voir un rayon de soleil passer à travers les nuages gris du ciel d'automne, pour inonder la pièce de lumière. Ce signe du ciel parut le réconforter. La vie continuait.

— J'ai reçu une invitation de ces enfoirés de *Weekend Watch*. Ils me proposent de passer dans l'émission de dimanche pour donner ma version – histoire de rétablir l'équilibre.

— Je leur fais autant confiance qu'à un nid de vipères.

— Quoi qu'il en soit, j'ai le sentiment que je devrais y aller. Et faire une prestation à la hauteur ! Ils m'ont promis de ne consacrer que dix minutes aux élucubrations de l'*Observer*, et le reste à la situation politique générale et à nos attentes pour le quatrième trimestre. Cela permet de prendre de la hauteur de vue. De sortir du caniveau. Qu'en pensez-vous ?

— Moi, penser, monsieur le Premier Ministre ? Mais je ne suis que le *Chief Whip*. Je ne suis pas payé pour penser.

— Je sais combien vous avez été déçu, Francis. Mais en ce moment, vous êtes le meilleur de tous à mes côtés. Quand cette histoire sera finie, vous aurez ce que vous demandez. Je vous le promets.

Urquhart hocha lentement la tête en signe de gratitude.

— Le feriez-vous si vous étiez à ma place ? insista Collingridge. Freddie Redfern estime que c'est trop dangereux.

— Ne rien faire n'est pas sans danger non plus.

— Et donc ?

— Dans des moments pareils, avec de tels enjeux, je crois qu'un homme doit suivre son cœur.

— Excellent ! s'exclama Collingridge en frappant ses mains l'une contre l'autre. Je suis content que vous pensiez cela, parce que j'ai déjà donné mon accord.

Urquhart hocha la tête. Soudain, le Premier Ministre étouffa un juron en contemplant ses mains. Son stylo avait fui et ses doigts étaient tout tachés d'encre.

Penny Guy s'était attendue à ce que Patrick Woolton l'appelle. D'une façon ou d'une autre, il avait mis la main sur son numéro direct et avait tenté de l'inviter à dîner. Il s'était montré insistant, mais elle avait été inflexible. C'était une aventure à un congrès, rien de plus. Cela étant, elle devait bien admettre que la prestation avait été agréable – et remarquablement athlétique pour un homme de cet âge. Une erreur, mais un souvenir qui ne faisait de mal à personne. L'appel suivant venait d'Urquhart. Il voulait parler à Roger. Elle passa la communication et, quelques secondes plus tard, la porte du bureau de l'Irlandais était soigneusement fermée.

Au bout de quelques minutes, Penny entendit les éclats de voix d'O'Neill, sans parvenir à comprendre ce qu'il disait. Lorsque le témoin lumineux du poste de Roger s'éteignit, indiquant qu'il avait raccroché, absolument plus aucun bruit ne provenait de son bureau. Après quelques minutes d'attente, mue par un mélange de curiosité et d'inquiétude, elle alla frapper doucement à la porte, avant de l'ouvrir avec prudence.

Assis par terre dans un coin de la pièce, O'Neill se tenait le crâne entre ses mains.

— Roger… ?

Il releva la tête, surpris. Ses yeux n'exprimaient que la douleur et le chaos. D'une voix croassante, il marmonna quelques propos qui semblaient n'avoir ni queue ni tête.

— Il m'a menacé, Penny. Merde… menacé. Moi. Il a dit que sinon il allait… Je dois modifier le fichier…

Elle s'agenouilla à côté de lui et il posa la tête sur sa poitrine. Elle ne l'avait encore jamais vu dans un pareil état.

— Quel fichier, Roger ? Qu'est-ce qu'il faut que tu fasses ?

Il tenta de secouer la tête. Pas un mot ne sortit de sa bouche.

— Laisse-moi t'aider, Roger. S'il te plaît.

Il se redressa d'un coup, une expression farouche sur le visage.

— Personne ne peut m'aider !

— Je vais te ramener chez toi, dit-elle en essayant de le mettre debout.

Il la repoussa.

— Va-t'en ! gronda-t-il. Laisse-moi tranquille ! Ne me touche pas !

Puis il vit la douleur dans les yeux de Penny, et le feu qui brûlait en lui parut se calmer un peu. Il se recroquevilla dans l'angle du mur, comme un petit garçon qui cache son visage pour fuir sa honte.

— Je suis foutu. Complètement foutu. Tu ne peux rien faire. Personne ne peut rien faire. Laisse-moi.

— Non, Roger…

Mais il la repoussa une nouvelle fois, si brutalement qu'elle tomba en arrière.

— Va te faire foutre ! Je… Va-t'en.

Perdue, sonnée, les larmes aux yeux, Penny se releva. De nouveau, il cachait son visage et refusait de parler. Elle sortit. Elle entendit la porte claquer derrière elle, puis la clé qui jouait dans la serrure.

Chapitre 23

Quoi de plus beau que la lumière du soleil couchant sur les ruines d'une ambition fracassée ? J'adore aller me promener au crépuscule.

Dimanche 24 octobre

Weekend Watch. Une nation tout entière devant sa télévision. Les lions et les chrétiens – ou plutôt un chrétien. Collingridge commençait à se détendre à présent que l'émission était commencée. Il avait passé les deux journées précédentes à réviser ses dossiers, et les questions étaient à peu près celles prévues. Il parlait donc avec cœur et autorité des années à venir. Il avait expressément demandé que le chapitre « Charlie et les accusations de l'*Observer* » soit gardé pour la fin. Il ne voulait pas permettre à ces marlous de la production de revenir sur leur promesse de limiter ces sujets à 10 minutes. Il entendait rester bien droit dans ses bottes. Après trois quarts d'heure entièrement consacrés à l'intérêt national et à l'avenir du pays, tout spectateur un tant soit peu équitable ne pourrait que juger ces allégations parfaitement injustes et déplacées.

Pendant la dernière coupure publicitaire, Sarah lui adressa un sourire d'encouragement depuis le fauteuil où elle était installée au bord du plateau. Il lui envoya un baiser à l'instant même où le réalisateur indiquait d'un geste qu'ils allaient reprendre l'antenne.

— Monsieur le Premier Ministre, au cours des dernières minutes qui nous restent, j'aimerais que nous abordions la question des faits rapportés par l'*Observer* dans son édition de la semaine passée, au sujet de votre frère Charles, et de sa possible implication dans un achat frauduleux de titres boursiers.

Collingridge hocha la tête, le visage grave et posé.

— Un peu plus tôt cette semaine, Downing Street a nié que votre famille soit liée en quoi que ce soit à cette affaire, et évoqué la possibilité d'une erreur d'identité. C'est bien cela ?

— Absolument. Il n'y a aucun lien avec ma famille. Aucun. Pour ce que j'en sais, il est possible qu'une confusion ait été faite avec un autre Charles Collingridge. Je ne vois pas d'autre explication à l'extravagante histoire publiée par l'*Observer*. Tout ce que je puis dire, c'est qu'aucun membre de ma famille n'est de près ou de loin lié à l'achat d'actions *Renox*. Vous avez ma parole d'honneur, conclut-il en s'exprimant d'une manière délibérément lente, légèrement penché en avant, les yeux dans les yeux avec le présentateur.

— Votre frère nie avoir ouvert une adresse postale chez un débitant de tabac de Paddington.

— Absolument, confirma Collingridge. Il est de notoriété publique qu'il n'est pas au mieux de sa forme en ce moment, mais…

— Excusez-moi de vous interrompre, monsieur le Premier Ministre, mais le temps nous est compté. Cette semaine, un de nos journalistes s'est envoyé une lettre à lui-même, aux bons soins de Charles Collingridge, à l'adresse de Paddington utilisée pour l'ouverture du compte bancaire.

Il a choisi une enveloppe rouge vif pour être sûr qu'on la voie bien. Et hier, il est allé la réclamer. Nous l'avons filmé. Vous pouvez voir la séquence sur ce moniteur. La qualité n'est pas optimale parce que nous avons dû tourner en caméra cachée. Le propriétaire de la boutique n'était pas très disposé à coopérer.

Le présentateur fit pivoter sa chaise pour se tourner vers le grand écran derrière lui, sur lequel étaient diffusées des images, certes médiocres mais parfaitement nettes. Dans le public, toutes les têtes suivirent. Après un regard inquiet vers son épouse, Collingridge se tourna à son tour. Il vit le journaliste s'approcher du comptoir, prouver son identité en présentant différentes pièces tirées de son portefeuille, puis expliquer au commerçant qu'une lettre lui avait été adressée aux bons soins de Charles Collingridge, qui lui-même se faisait envoyer du courrier à cette adresse. Le buraliste, toujours affecté d'une surcharge pondérale et d'une tenue plus que douteuse, celui-là même qui avait reçu Penny quelques mois plus tôt, expliqua qu'il ne remettrait les lettres qu'aux personnes pouvant produire un reçu en bonne et due forme.

— C'est qu'il y a des courriers importants qui arrivent ici, dit-il en reniflant. Je ne peux pas les remettre à n'importe qui.

— Mais regardez, elle est là. L'enveloppe rouge. Je la vois d'ici.

Sourcils froncés, la mine incertaine, l'homme se retourna en se grattant la bedaine. Il prit les enveloppes que contenait une petite case numérotée derrière lui et les posa sur le comptoir devant le journaliste. Elles étaient au nombre de trois. Il fit glisser l'enveloppe rouge vers son client et mit les deux autres de côté. Tandis qu'il déchiffrait le nom sur l'enveloppe placé devant la mention « c/o Charles Collingridge », la caméra zooma sur les deux autres. La mise au point prit un instant, puis tout fut net. Ces deux lettres étaient adressées à Charles Collingridge. Sur l'une d'elles, on distinguait le tampon de l'expéditeur : l'*Union Bank of Turkey*. La seconde provenait du service Abonnements et publications du Parti à Smith Square.

Le présentateur se retourna vers son adversaire. Le Chrétien était coincé.

— La première enveloppe en provenance de l'*Union Bank of Turkey* semble bien confirmer que cette adresse a été utilisée pour négocier les actions de la *Renox Chemical Company*. La lettre envoyée par le siège de votre propre parti nous a en revanche semblé plus étonnante. Nous avons donc appelé le service Abonnements et publications en nous faisant passer pour un fournisseur ayant une commande à l'intention de Charles Collingridge, mais avec une adresse illisible.

Collingridge savait ce qu'il devait faire. Il devait à tout prix faire cesser ce viol en direct de la réputation de son frère, et dénoncer les méthodes inqualifiables des journalistes. Seulement, sa bouche était aussi sèche que le sable du désert. Alors même qu'il cherchait les mots de légitime indignation à prononcer, le son de l'appel téléphonique enregistré emplit le studio.

— … et donc, si vous pouvez nous confirmer l'adresse de M. Collingridge, nous pourrons effectuer la livraison.

— Un instant, je vous prie, répondit une voix féminine, jeune et dynamique. Je fais la recherche.

On entendit le son d'une saisie sur un clavier.

— Ah, la voici. Charles Collingridge, 216 Praed Street, Paddington, Londres W2.

— Merci, c'est très aimable à vous. Vous nous avez été d'une aide précieuse.

De nouveau, le présentateur se tourna vers Collingridge.

— Souhaitez-vous faire un commentaire, monsieur le Premier Ministre ?

Les yeux ronds, incapable de parler, ce dernier se demandait si le moment n'était pas venu de se lever pour quitter le studio.

— Bien sûr, nous avons pris au sérieux votre explication selon laquelle tout cela pourrait n'être qu'une erreur sur la personne, une confusion avec un autre Charles Collingridge.

Henry Collingridge avait envie de hurler que ce n'était pas *son* explication. Que ce n'était rien d'autre qu'une remarque faite au pied levé par son conseiller presse sans préjuger de la réalité de la situation. Cependant, le présentateur poursuivait son implacable démonstration, condamnant une à une toutes les échappatoires.

— Monsieur le Premier Ministre, savez-vous combien de Charles Collingridge sont inscrits à l'annuaire de Londres ?

Collingridge ne répondit rien. Tétanisé, il dévisageait son bourreau, la mine lugubre et le teint livide.

— Cela vous intéressera peut-être, mais il se trouve qu'aucun autre Charles Collingridge n'y figure. En fait, d'après les informations communiquées par *British Telecom*, il n'y a qu'un seul Charles Collingridge abonné au téléphone dans tout le Royaume-Uni. C'est votre frère, monsieur le Premier Ministre.

Le présentateur ménagea un nouvel instant de silence, invitant son interlocuteur à répondre. En vain.

— Puisqu'il y a tout lieu de croire que nous sommes bien en face d'un délit d'initié, nous avons demandé au laboratoire *Renox Chemical Company*, ainsi qu'au ministère de la Santé, s'ils comptent un certain Charles Collingridge dans leurs effectifs. *Renox* nous a répondu qu'il n'y a aucun Collingridge parmi leurs employés, pas plus qu'au sein de leurs filiales. Quant au service de presse du ministère de la Santé, il s'est montré plus évasif. Il a promis de reprendre contact avec nous, mais il ne l'a toujours pas fait. En revanche, les syndicats des employés du ministère se sont avérés plus coopératifs. Eux aussi confirment qu'aucun Collingridge ne travaille dans l'un ou l'autre des cinq cent huit bureaux du ministère répartis dans tout le pays.

Le présentateur s'arrêta un instant pour parcourir ses fiches.

— Apparemment, il y avait une Minnie Collingridge qui travaillait au bureau de Coventry, mais elle est rentrée chez elle en Jamaïque il y a de cela deux ans.

Le lion souriait tandis que sa mâchoire se refermait sur le martyr.

Collingridge pouvait voir sa femme au bord du plateau. Des larmes coulaient le long de ses joues.

— Monsieur le Premier Ministre, notre émission touche pratiquement à sa fin. Souhaiteriez-vous faire une déclaration ?

Tétanisé, Collingridge contemplait Sarah. Il avait envie de courir à elle, de la serrer dans ses bras, d'inventer un mensonge et de lui dire que cela ne servait à rien de pleurer, que tout allait s'arranger. Il était toujours assis dans son fauteuil lorsque le générique de l'émission rompit l'étrange silence qui s'était fait dans le studio.

À son retour à Downing Street, Collingridge se rendit directement à la salle de réunion du Cabinet. Son pas était raide. D'un œil las, il contempla la pièce, puis fit lentement le tour de la table, dont la forme évoquait si fort celle d'un cercueil, laissant traîner ses doigts sur la feutrine de couleur bronze recouvrant le plateau. Il s'arrêta au bout, à la place où il avait siégé à ses tout débuts, en tant que membre subalterne du Cabinet. Tout cela lui paraissait si loin désormais, bien plus que les dix années écoulées. Presque dans une autre vie.

Lorsqu'il parvint à son fauteuil, au milieu de la salle, pile sous le regard de Walpole qui avait survécu à tant de choses, il décrocha l'unique téléphone de la pièce, posé à côté de son sous-main. Le standard téléphonique de Downing Street était une institution légendaire, familièrement appelée le « *Switch* ». Les opératrices semblaient dotées de pouvoirs surnaturels grâce auxquels elles pouvaient joindre n'importe qui à n'importe quelle heure.

— Mettez-moi en relation avec le chancelier de l'Échiquier, je vous prie.

Moins d'une minute plus tard, le chancelier était en ligne.

— Colin, vous avez vu ? Comment les marchés vont-ils réagir ?

Le chancelier donna une réponse gênée, mais honnête.

— Ça va être le bordel. Enfin, nous verrons bien. Je vous rappelle.

Collingridge s'entretint ensuite avec le secrétaire aux Affaires étrangères.

— Alors, Patrick, quels sont les dégâts ?

— Autant faire la liste de ce qui reste debout, ça ira plus vite, Henry. Cela fait des années qu'on emmerde tout le monde à Bruxelles. Aujourd'hui, ils rigolent.

— C'est rattrapable ?

Collingridge n'obtint qu'un long silence en guise de réponse.

— À ce point-là ?

— Je suis vraiment désolé, Henry.

L'espace d'un instant incertain, Collingridge put presque croire à la sincérité de Woolton.

Ensuite, vint le tour du président du Parti. Lord Williams avait de la bouteille et de l'expérience. Il avait déjà connu des passes difficiles. Il savait qu'en ces occasions-là, mieux vaut user de formalisme plutôt que jouer la carte de l'amitié.

— Monsieur le Premier Ministre, commença-t-il, en s'adressant à la fonction plutôt qu'à l'homme. Au cours de la dernière heure, j'ai reçu des appels de sept de nos onze présidents régionaux. Je suis au regret de vous dire qu'ils estiment tous, sans aucune exception, que la situation est désastreuse pour le Parti. Ils ont le sentiment que nous avons franchi le point de non-retour.

— Non, Teddy, le corrigea Collingridge d'un ton sinistre. Ils ont le sentiment que moi, j'ai franchi le point de non-retour. Il y a une nuance.

Il passa un dernier coup de fil, à sa secrétaire particulière, pour lui demander de prendre un rendez-vous à Buckingham Palace le lendemain, aux alentours du déjeuner. Quatre minutes plus tard, elle le rappela pour lui annoncer que Sa Majesté le recevrait à 13 heures.

Cette fois, il en avait bien fini.

Il aurait dû se sentir soulagé, débarrassé d'un grand poids, mais chacun des muscles de son corps le faisait souffrir comme s'il avait été tabassé pendant des heures par une horde de hooligans. Il leva les yeux pour regarder les traits austères de Walpole.

— Oh oui, toi tu les aurais combattus, ces enfoirés. Jusqu'au bout. Et tu l'aurais probablement emporté. Mais ce poste a déjà pratiquement détruit mon frère. Et maintenant, il me détruit, moi. Je ne le laisserai pas détruire Sarah, murmura-t-il. Autant que j'aille la prévenir.

Quelques instants plus tard, il sortit de la pièce pour aller chercher son épouse, en ayant pris soin au préalable d'essuyer les larmes sur son visage.

Troisième partie

Le pacte

Chapitre 24

Quand résister ne sert plus à rien, alors il est temps de changer. Autrement dit, quand on tient un type par les couilles et qu'on tire assez fort, il suit.

Lundi 25 octobre

Le lendemain du catastrophique déballage dans l'émission *Weekend World*, un peu avant 10 heures, les membres du Cabinet se retrouvèrent autour de la grande table de la salle de réunion. Chacun d'eux avait été convoqué individuellement à Downing Street. La réunion n'avait donc rien d'un conseil classique – qui d'ailleurs se tenait le jeudi. Quelle ne fut pas leur surprise de découvrir la présence de tous leurs collègues. Il régnait une indéniable tension dans l'air. Sur la table, il y avait les journaux du jour, et leurs éditoriaux explosifs. Pendant que les ministres attendaient leur chef, les conversations restèrent inhabituellement feutrées et discrètes.

Le bourdon de Big Ben sonnant l'heure se glissa dans la pièce. Puis la porte s'ouvrit et Collingridge entra.

— Mesdames et messieurs les ministres, bonjour, dit-il d'une voix inhabituellement sourde. Je vous suis reconnaissant d'être venus, et je ne vous garderai pas longtemps.

Il s'installa à sa place, dans l'unique fauteuil de la pièce doté d'accoudoirs, et tira une feuille de papier de son porte-document relié cuir. Il la déposa soigneusement sur la table devant lui, avant de promener un lent regard circulaire sur ses collègues alentour. L'insomnie lui avait rendu l'œil atone. On aurait entendu une mouche voler.

— Je suis désolé de n'avoir pas pu vous avertir que notre réunion de ce matin serait une séance plénière. Je voulais être sûr que vous puissiez tous être présents sans susciter inutilement de questions.

De nouveau, il fit le tour de la table du regard, en quête d'un signe sur leurs visages. Il cherchait Barabbas.

— Je vais vous lire la courte déclaration que je publierai plus tard dans la journée. À 13 heures, je me rendrai à Buckingham Palace pour en transmettre formellement le contenu à Sa Majesté. Je dois vous demander à tous, sur le serment que vous avez prêté, de ne rien divulguer de ce message avant sa publication officielle. Je dois être absolument certain que Sa Majesté l'apprendra de ma bouche et non pas par la presse. C'est une question de courtoisie envers notre souveraine. Je le demande également à chacun d'entre vous comme un service personnel.

Il prit la feuille et commença à lire, d'une voix lente et dépassionnée.

— Récemment, il y a eu dans les médias un torrent d'allégations au sujet d'affaires de nature commerciale concernant ma famille et moi. La virulence de ces attaques ne connaît aucune décrue. Je n'ai cessé d'affirmer, et je persiste aujourd'hui, n'avoir rien commis dont j'aie à rougir.

Je me suis strictement conformé aux usages et aux règles présidant à la conduite du Premier Ministre.

Il passa sa langue sur ses lèvres devenues sèches. Un tremblement agitait la feuille qu'il tenait.

— Les allégations à mon encontre sont les plus graves que l'on puisse formuler à l'endroit d'un responsable public. En l'espèce, on laisse entendre que je me serais servi de ma position pour favoriser l'enrichissement de ma famille. Je ne suis en mesure de fournir aucune explication susceptible d'éclaircir les éléments stupéfiants présentés par les médias, desquels découlent lesdites allégations. J'ai donc demandé au secrétaire du Cabinet de diligenter une enquête indépendante officielle sur cette affaire. J'ai la conviction que l'action menée par le secrétaire du Cabinet établira la réalité des faits et m'exonérera totalement de ce qui m'est reproché.

Il cligna des yeux et se frotta une paupière.

— Cette enquête prendra nécessairement un certain temps. Dans l'intervalle, les doutes et les insinuations nuisent à l'action du gouvernement, ainsi qu'à mon Parti et aux personnes qui me sont chères. Le temps et le travail du gouvernement seraient mieux employés à la mise en œuvre du programme pour lequel nous avons été réélus, il n'y a pas si longtemps. Malheureusement, les choses ne sont pas possibles en l'état. L'intégrité de la fonction du Premier Ministre a été remise en question. Or, mon premier devoir est de protéger cette fonction.

Il s'éclaircit la voix, produisant un bruit de tonnerre assourdi.

— En conséquence, afin de rétablir et préserver cette intégrité, j'ai sollicité de Sa Majesté la reine la permission de renoncer à ma fonction de Premier Ministre dès qu'un successeur aura été désigné.

Le silence était assourdissant. Tous les cœurs cessèrent de battre un instant.

— J'ai consacré ma carrière à la réussite de mes idéaux politiques, poursuivit-il. Quitter mon poste de cette façon va à l'encontre de ce en quoi je crois au plus profond de mon être. Je ne fuis pas les accusations qui sont portées contre moi. Je mets en place au contraire les conditions qui permettront de les laver le plus rapidement possible. J'entends également par ce geste apporter aux miens une paix retrouvée. J'ai la conviction que l'histoire montrera que ma décision était la bonne.

Collingridge remisa sa feuille à l'intérieur de son porte-document.

— Mesdames et messieurs, je vous remercie, dit-il d'un ton sec.

Et avant que quiconque ait pu seulement pousser un soupir, encore moins réagir, il franchit la porte et partit.

Chapitre 25

On désigne un membre du Cabinet par l'appellation le « Très Honorable ». Mais quand on y songe, il semblerait bien qu'il y ait une petite contradiction sémantique entre ce préfixe honorifique et la fonction à laquelle il se rapporte…

Assis à la table du Cabinet, Urquhart restait pétrifié. Tandis que montaient tout autour de lui les murmures et exclamations de surprise, il gardait le silence, incapable de joindre sa voix au brouhaha. Il resta un long moment à fixer du regard le fauteuil vide du Premier Ministre.

C'était son œuvre. À lui tout seul, il avait atteint ce résultat. Il avait détruit l'homme le plus puissant du pays. Tandis que ses collègues autour de la table parlaient tous en même temps, un souvenir lui revint en mémoire. Quarante années plus tôt, alors qu'il n'était qu'une toute jeune recrue sous les drapeaux, il se préparait à effectuer son premier saut en parachute, huit cents mètres au-dessus des champs du Lincolnshire. Assis au bord de l'écoutille ouverte d'un Islander bimoteur, les pieds dans le vide, les yeux fixés sur le paysage qui défilait à ce qui lui paraissait être un million de kilomètres plus bas. Sauter était un acte de foi, la marque d'une confiance en sa destinée, le mépris envers le danger qui terrifiait les autres. Le monde vu du ciel valait tous les risques. Lorsque ses camarades et lui avaient sauté, le vent les avait cueillis et rabattus. L'un s'était brisé la jambe, un autre démis l'épaule. Urquhart, lui, avait voulu remonter à bord pour recommencer.

Devant le spectacle de ce fauteuil déserté, il retrouvait la sensation qu'il avait éprouvée. Intérieurement, il poussa un cri de joie, en se forçant à conserver extérieurement le même air stupéfait que tous ceux autour de lui.

Pendant que ses collègues s'attardaient, allant et venant en proie à la confusion, Urquhart regagna à pied ses bureaux de *Chief Whip* au 12 Downing Street. Après s'être soigneusement enfermé à clé dans sa pièce de travail, il décrocha son téléphone. À 10 h 20, il avait passé deux coups de fil.

Dix minutes plus tard, Roger O'Neill convoquait une réunion de l'ensemble du service de presse au siège du Parti.

— Les gars, oubliez tous les rendez-vous que vous avez pu prendre pour le déjeuner aujourd'hui. On m'a prévenu qu'un peu après 13 heures, il faut s'attendre à une très importante déclaration de Downing Street. C'est absolument confidentiel. Je ne peux pas vous dire de quoi il s'agit, mais tout le monde doit être prêt. Oubliez tout le reste.

Dans l'heure suivante, cinq correspondants politiques avaient été contactés par des gens du Parti qui s'excusaient de devoir faire faux bond pour le déjeuner. On avait fait promettre le secret à deux d'entre eux, en leur précisant tout de même que « quelque chose d'énorme se préparait du côté de Downing Street ». Nul besoin d'avoir été champion du jeu de questions *Brain of Britain* pour conclure que tout cela avait probablement un lien avec « l'affaire Collingridge ».

Parmi ceux qui avaient vu un invité se décommander pour le déjeuner, il y avait notamment Manny Goodchild de *Press Association*. Au lieu de se tourner les pouces, il mit à profit son formidable réseau de contacts, patiemment bâti au fil des ans, pour vérifier une chose : tous les membres du Cabinet avaient annulé leurs rendez-vous de la matinée pour être à Downing Street ce matin-là, alors même que le bureau de presse du Numéro 10 refusait de le confirmer. En vieux limier à qui on ne la fait pas, il sentit l'odeur du sang et, sur une intuition, passa un coup de fil au service de presse de Buckingham Palace. Même son de cloche qu'à Downing Street : aucune déclaration. Du moins, officiellement. En effet, l'attaché de presse adjoint du palais, qui des années auparavant avait travaillé avec Goodchild au *Manchester Evening News*, confirma – en « off », et avec une promesse de discrétion sur l'origine de la fuite – que Collingridge avait sollicité une audience à 13 heures.

À 11 h 25, une cassette de *Press Association* transmettait la nouvelle de la réunion secrète du Cabinet et de l'audience non planifiée au palais de Buckingham, désormais imminente. En l'occurrence, il ne s'agissait que d'un rapport strictement factuel. À midi, l'agence *Independent Radio News* transmettait à une radio locale une information extraordinaire. « Le Premier Ministre va se rendre incessamment à une audience secrète auprès de Sa Majesté la reine. Au cours de la dernière heure écoulée, les supputations les plus diverses ont circulé dans Westminster. Pour certains, Henry Collingridge compte renvoyer plusieurs ministres et vient donc informer la reine d'un vaste remaniement de son Cabinet. Pour d'autres, il vient admettre sa culpabilité dans les récentes allégations de délit d'initié formulées à l'encontre de son frère. D'autres rumeurs laissent entendre que des conseillers auraient recommandé à la reine d'exercer ses prérogatives constitutionnelles et de demander à son Premier Ministre de démissionner. »

Downing Street était noire de journalistes, impatients et avides. Sur tout un côté de la rue, face à la célèbre porte noire, tout n'était plus qu'une forêt d'appareils photo, de projecteurs et de caméras. À 12 h 45, Collingridge parut sur le seuil de sa résidence. Il savait ce que signifiait la présence de cette foule. Une nouvelle fois, quelqu'un l'avait trahi. Il avait l'impression que ses pieds étaient cloués au sol. Il ignora les cris des représentants des médias et ne leva même pas les yeux. Il n'allait pas leur donner cette satisfaction. Sa voiture s'engagea dans Whitehall, poursuivie par une meute de cars régie. Du ciel lui parvint le bruit d'un hélicoptère, sans aucun doute lancé à ses trousses. Une autre foule de photographes l'attendait devant les grilles de Buckingham Palace. Sa tentative de démission dans la dignité avait viré à la crucifixion publique.

La Premier Ministre avait demandé à n'être dérangé qu'en cas d'absolue nécessité. À son retour du palais, il s'était retiré dans les appartements privés à l'étage de Downing Street. Il voulait passer quelques heures seul en compagnie de son épouse. Malheureusement, une fois encore, ses desiderata comptaient pour du beurre.

— Je suis vraiment désolée, s'excusa sa secrétaire. C'est le docteur Christian. Il dit que c'est important.

Le combiné émit une petite vibration. On lui passait la communication.

— Docteur Christian. Que puis-je pour vous ? Et comment va Charlie ?

— Je crains que nous n'ayons un problème, répondit le médecin sur un ton gêné. Comme vous le savez, nous

nous efforçons de le maintenir coupé du monde, loin de la presse, de façon que toutes ces allégations ne viennent pas le perturber. En temps normal, nous éteignons son poste et trouvons quelque chose pour l'occuper pendant les journaux télévisés. Seulement… En fait, nous ne nous attendions pas à un flash spécial pour annoncer votre démission. Je suis infiniment désolé que vous ayez dû quitter vos fonctions, mais Charles est ma priorité. Je dois d'abord tenir compte de l'intérêt de mon patient, vous comprenez.

— Parfaitement, docteur Christian, et vos priorités sont ce qu'elles doivent être.

— Ce matin, il a tout entendu. Toutes les accusations au sujet de cette histoire d'actions. Puis votre démission. Cela a été un choc. Il en est profondément perturbé. Il pense que tout ce qui arrive est sa faute. J'ai le regret de vous dire qu'il parle de se faire du mal. Je pensais que nous étions en passe de faire quelques progrès avec lui. Je m'aperçois en fait que nous sommes au bord d'une vraie crise. Je ne veux pas vous alarmer inutilement, mais il a besoin de votre aide. Vraiment besoin.

Sarah vit l'angoisse sur le visage de son mari. Elle vint s'asseoir à côté de lui et prit sa main entre les siennes. Elle la sentit qui tremblait.

— Docteur, que puis-je faire ? Je ferai ce que vous me demanderez.

— Il faut trouver une manière de le rassurer. Il est désespéré et extrêmement confus.

— Pourriez-vous me le passer, docteur ? Maintenant ? Avant que les choses n'aillent plus loin.

Il y eut quelques minutes d'attente, pendant qu'on allait le chercher. Collingridge entendit les protestations de son frère, prononcées de son ton aimable et confus. Puis il prit l'appareil.

— Charlie, comment ça va, mon vieux ? demanda doucement Henry.

— Hal, mais qu'est-ce que j'ai fait ?

— Rien, Charlie, absolument rien.

— Mais j'ai tout gâché. J'ai tout détruit ! s'exclama-t-il d'une voix que la panique rendait étrangement rauque.

— Charlie, tu n'as rien fait qui puisse me nuire.

— Mais j'ai tout vu à la télévision. Au palais, quand tu es allé donner ta démission à la reine. Ils disaient que c'était à cause de moi et de quelques actions. Je ne comprends pas, Hal. J'ai vraiment merdé. Je ne mérite pas d'être ton frère. Tout cela ne sert plus à rien.

Henry entendit nettement le sanglot étranglé à l'autre bout du fil.

— Charlie, je veux que tu m'écoutes très attentivement. D'accord ?

Il y eut un autre sanglot, chargé de mucus, de larmes et de remords.

— Tu n'as rien à te faire pardonner. C'est moi qui devrais être à genoux en train d'implorer ta clémence. La tienne, Charlie.

— Ne dis pas de bêtises…

— Non, écoute-moi, Charlie ! Nous avons toujours surmonté nos problèmes ensemble, comme une famille unie. Quand je gérais la boîte, tu te souviens de l'année où on a failli déposer le bilan ? On plongeait, Charlie, et c'était ma faute. J'étais complètement accaparé par la politique. Et qui est-ce qui a ramené ce client, cette commande qui nous a sauvés ? Oh, je sais, ce n'est pas la plus grosse commande que nous ayons jamais eue, mais elle est arrivée au moment le plus crucial. Tu as sauvé l'entreprise, Charlie, et tu m'as sauvé, moi. Tout comme le jour où j'avais fait l'idiot, un Noël, et que je m'étais fait arrêter ivre au volant.

— Je n'ai pas fait grand-chose…

— Le policier… celui avec lequel tu jouais au golf… C'est toi qui l'as convaincu d'attendre d'être au poste pour me faire souffler dans le ballon. Ce jour-là, si j'avais perdu mon permis, je ne serais jamais devenu candidat pour ma circonscription. Et je n'aurais jamais mis les pieds à Downing Street. N'oublie jamais ça, triple buse. Tu n'as rien détruit. Au contraire, c'est grâce à toi que tout cela a été possible. Toi et moi, nous avons toujours fait face ensemble. Et nous allons continuer.

— Je ne mérite pas…

— Exactement, Charlie. Tu ne méritais pas ça. D'avoir un frère comme moi. Tu as toujours répondu présent quand j'ai eu besoin d'aide. Et moi, qu'est-ce que j'ai fait pour toi ? J'étais toujours trop occupé. Quand Mary est partie, je savais combien tu souffrais. J'aurais dû être à tes côtés. Bien sûr que j'aurais dû. Tu avais besoin de moi, mais j'avais toujours autre chose à faire. Je disais toujours que j'allais venir te voir, bientôt. Toujours bientôt, Charlie. Toujours.

Une intense émotion transparaissait dans la voix de Collingridge.

— J'ai eu mon heure de gloire. J'ai fait ce que je voulais. Et pendant ce temps-là, je te voyais sombrer dans l'alcoolisme, te noyer dans l'alcool pratiquement à en mourir.

C'était la première fois qu'ils parlaient avec une telle franchise. Charles était toujours « trop fatigué », « pas dans son assiette », ou « sur les nerfs ». Jamais personne ne lui disait qu'il était ivre à en perdre le contrôle de lui-même. À présent, finis les secrets.

— Tu sais quoi, Charlie ? Du moment qu'il me reste mon frère, je vais pouvoir quitter Downing Street en disant : « Bon débarras, allez tous vous faire foutre. » La seule chose qui me terrifie, c'est l'idée qu'il soit trop tard. Que je t'aie négligé trop longtemps pour que tu puisses me pardonner. Que tu aies été tellement seul qu'aujourd'hui tu n'aies plus envie d'aller mieux.

À chaque extrémité de la ligne téléphonique, les deux frères Collingridge versaient des larmes de désespoir à la fois atroces et délectables. Sarah s'accrochait à son mari comme si celui-ci risquait d'être emporté par la tempête.

— Charlie, j'espère que tu pourras me pardonner. Sinon, tout cela n'aura servi à rien.

Le silence lui répondit.

— Dis quelque chose, Charlie ! s'exclama-t-il, au comble de la détresse.

— Espèce d'idiot, bafouilla Charlie. Tu es le meilleur frangin du monde.

— Je vais venir te voir demain. Je te le promets. On a tous les deux du temps désormais, pas vrai ?

— Je suis tellement désolé de tout ce désastre.

— Tu veux que je te dise ? Cela fait des années que je ne me suis pas senti aussi libre.

Chapitre 26

Il faudrait que l'ombre de l'infidélité plane toujours sur la chambre à coucher. Sans quoi, un mariage finit toujours par sentir le renfermé.

— Mattie, quelle surprise, dit Urquhart en ouvrant la porte d'entrée de sa maison pour découvrir la jeune femme sur son seuil. Vous m'avez fui.

— Ce n'est pas vrai, monsieur Urquhart, et vous le savez. C'est vous qui m'évitez. Au congrès, vous partiez presque en courant chaque fois que je tentais de m'approcher de vous.

— Eh bien, c'est vrai qu'il y a eu quelques journées particulièrement intenses à Bournemouth. Et puis, vous travaillez pour le *Chronicle*. Je dois bien dire qu'il n'aurait pas été… (Il chercha le mot juste pour traduire sa pensée.) … « approprié » que l'on me voie en compagnie d'une envoyée de ce journal. En particulier une journaliste aussi – comment dire ? – blonde que vous l'êtes.

Une lueur joyeuse dansait dans ses yeux. De nouveau, elle hésita, exactement comme cela avait été le cas chaque fois qu'elle avait décroché son téléphone pour l'appeler, avant de renoncer. Elle ne savait pas exactement pourquoi. Cet homme était dangereux – ça, elle le savait. Il lui faisait ressentir des choses qu'elle n'aurait jamais dû éprouver.

Et pourtant, en sa présence, elle vibrait d'excitation jusqu'au bout des orteils.

— Des gens auraient pu se méprendre en nous voyant blottis tous les deux dans un recoin, Mattie, poursuivit-il, un peu plus sérieux cette fois. J'ajouterai que votre première page a été fatale pour le Premier Ministre.

— C'est la personne qui a déposé les sondages devant ma porte qui a tout fait. Pas moi.

— Le bon moment, c'est cela qui fait tout. Et vous voici donc ici une fois encore. Pour me poser des questions.

— C'est ce que je fais dans la vie, monsieur Urquhart.

— Je trouve qu'il fait un petit peu frais pour la saison, dit-il en regardant dans la rue, pour scruter le ciel et voir si on les observait. Pourquoi n'entreriez-vous pas ?

Il prit son manteau, l'installa dans un profond fauteuil de cuir, et servit du whisky pour eux deux.

— J'espère que ce n'est pas inapproprié, dit-elle.

— Contrairement à Bournemouth, nous sommes à l'abri des regards.

— Mme Urquhart…

— Est à l'Opéra avec quelqu'un. Elle ne rentrera pas tout de suite. Si elle rentre…

En quelques mots, il avait créé un climat de conspiration autour d'eux, dans lequel elle se nicha bien volontiers.

— Quelle journée, dit-elle en buvant une gorgée.

— Ce n'est pas tous les jours qu'une comète apparaît dans le ciel pour se désintégrer dans une nuée incandescente aussi spectaculaire.

— Puis-je vous parler à cœur ouvert, monsieur Urquhart. Pas seulement selon les règles du « off » ?

— Alors appelez-moi Francis.

— J'essaierai… Francis. C'est juste que… Mon père était un personnage doté d'une certaine stature. Des yeux bleus très clairs, un esprit tranchant. D'une certaine manière, vous me faites penser à lui.

— À votre père ? dit-il, un peu étonné.

— J'ai besoin que vous m'apportiez votre éclairage. Pour comprendre les choses.

— En tant que père ?

— Non. Et pas même en tant que *Chief Whip*. Plutôt comme… un ami ? dit-elle, faisant naître un sourire sur les lèvres d'Urquhart. S'agit-il d'une coïncidence ?

— Qu'est-ce qui serait une coïncidence ?

— Ces fuites. Les études d'opinion. Vous savez, quelqu'un les a glissées sous ma porte.

— Extraordinaire.

— Et puis, il y a ces actions des laboratoires *Renox*. Je ne peux pas m'empêcher de croire qu'il y a quelqu'un derrière tout ça.

— Un complot pour évincer Henry Collingridge ? Mais, Mattie, comment serait-ce possible ?

— Cela semble peut-être idiot, mais…

— Les fuites sont monnaie courante, Mattie. Il y a des politiciens qui ne peuvent pas franchir les portes du *Guardian* sans ouvrir aussitôt les robinets en grand.

— On ne détruit pas un Premier Ministre par accident.

— Mattie, Henry Collingridge n'a pas été détruit par ses opposants, mais par les tripatouillages boursiers de son frère. Il s'agit d'une carambouille, pas d'une conspiration.

— Francis, j'ai rencontré Charlie Collingridge. J'ai passé plusieurs heures en sa compagnie au congrès du Parti. Il m'a donné l'impression d'être un aimable pochetron plutôt franc du collier. En revanche, il n'avait pas l'air d'avoir 200 livres devant lui. Alors je ne parle même pas de dizaines de milliers de livres pour spéculer.

— C'est un alcoolique.

— Aurait-il vraiment mis en péril la carrière de son frère pour quelques milliers de livres de bénéfice sur les marchés ?

— Les alcooliques sont souvent irresponsables.

— Mais Henry Collingridge n'est pas un alcoolique. Pensez-vous vraiment qu'il glisserait à son frère des informations confidentielles pour financer ses cuites ?

— J'entends votre argument. Mais est-ce plus crédible d'imaginer qu'il existe un complot impliquant des figures éminentes du Parti, dont l'objectif serait de créer un chaos total ?

Elle fit une petite moue. Des rides apparurent sur son front.

— Je ne sais pas, admit-elle. Mais c'est possible, ajouta-t-elle, entêtée.

— Vous avez peut-être raison. Je retiens cette possibilité.

Il termina son verre. Le moment était passé. Il lui rendit son manteau et la raccompagna jusqu'à la porte. Il posa la main sur le verrou, mais ne l'ouvrit pas. Ils étaient tout proches l'un de l'autre.

— Écoutez, Mattie, il est possible que vos craintes soient justifiées.

— Mais je ne crains rien, Francis, corrigea-t-elle.

— Dans tous les cas, les semaines à venir vont être tumultueuses. Peut-être pourrions-nous remettre ça ? Nous revoir pour échanger nos idées et discuter de ce que nous aurons pu glaner. Juste vous et moi ?

Elle sourit.

— J'étais sur le point de vous faire la même demande.

— Mme Urquhart ne passe pas toute la semaine à Londres. Elle part souvent pour se consacrer à d'autres activités. Les mardis et mercredis soir, je suis d'ordinaire seul ici. N'hésitez pas à passer.

Le regard fixe et pénétrant du *Chief Whip* la remuait au plus profond d'elle-même. Un sentiment de danger s'insinuait en elle.

— Merci, dit-elle doucement. Je n'y manquerai pas.

Il ouvrit la porte. Elle descendit les marches du perron, puis se retourna.

— Allez-vous vous présenter, Francis ?

— Moi ? Mais je ne suis que le *Chief Whip*. Je ne suis même pas membre à part entière du Cabinet.

— Vous êtes doué. Vous savez ce qu'est le pouvoir. Et vous êtes un petit peu dangereux.

— C'est très aimable à vous – enfin, je crois. Mais non, je ne me présenterai pas.

— Je crois que vous devriez.

Elle fit un pas pour s'éloigner, mais il la rappela.

— Vous vous entendiez bien avec votre père, Mattie ?

— Je l'adorais, répondit-elle, avant de se fondre dans la nuit.

Il revint s'asseoir dans son fauteuil, après s'être resservi un whisky. Son esprit vibrait encore du souvenir des événements de la journée – et de cette dernière heure. Mattie Storin était exceptionnellement brillante et attirante. Et ne venait-elle pas de lui faire comprendre sans fard qu'elle était disponible ? Mais pour quoi précisément ? Les possibilités semblaient aussi innombrables que fascinantes. Soudain, la sonnerie du téléphone le tira de sa rêverie béate.

— Frankie ?

— Ben, quel plaisir d'avoir de vos nouvelles, même à cette heure tardive.

Landless ignora le sarcasme.

— Des temps intéressants, Frankie. Des temps intéressants. Ce n'est pas ça que disent les Chinois ?

— Je crois qu'il s'agit d'une malédiction.

— Ce n'est pas Harry Collingridge qui dirait le contraire !

— J'étais précisément en train de me faire la même réflexion.

— Frankie, maintenant, fini de glander. Roulez jeunesse. Est-ce que tu te présentes ?

— Que je présente quoi, Ben ?

— Ne sois pas si… Comment on dit déjà ?

— Obtus ?

— Ouais, c'est ça. J'ai besoin que tu sortes de la tranchée, Frankie. Avec moi.

— Pour faire quoi ?

— Tu comptes te présenter, oui ou non ? insista Landless avec impatience.

— Pour devenir chef du Parti ? Mais je ne suis que le *Chief Whip*. Je ne vais jamais sur la scène. Je reste en coulisses pour souffler leur texte aux acteurs.

— D'accord, d'accord. Mais tu veux le job ou pas ? Parce que si tu le veux, fils, je peux vraiment t'aider.

— Moi ? Premier Ministre ?

— Frankie, le jeu n'est plus le même maintenant. Il faut de grosses couilles. Et les tiennes sont presque aussi grosses que les miennes. J'aime bien ta façon de faire. Tu comprends comment le pouvoir s'utilise. Alors, tu veux jouer ou pas ?

Urquhart ne répondit pas immédiatement. Son regard glissa vers une petite toile sur un mur, dans un cadre doré, représentant un cerf aux abois cerné par une meute. Avait-il les tripes ? Puis, subitement, les mots sortirent d'eux-mêmes de sa bouche. Lentement.

—Oui, répondit-il. J'ai envie de jouer. Très envie.

C'était la première fois qu'il avouait son ambition à un autre que lui-même, qu'il exposait ainsi, en pleine lumière, ce désir qui l'obsédait à tout instant. Et il n'en ressentait aucune honte.

—C'est bien, Frankie. Excellent ! Alors on attaque. Je vais te dire ce que le *Chronicle* va sortir demain. Une analyse fouillée de notre correspondante politique, Mattie Storin. Une jolie blonde, avec des jambes interminables et des nichons magnifiques – tu vois qui je veux dire ?

—Je crois que oui.

—Elle annonce que la course est ouverte, que tout le monde a les mains dans le sang de Collingridge jusqu'aux coudes. Il va y avoir du chaos en perspective.

—Je pense qu'elle voit juste.

—Le chaos. J'aime bien le chaos. Ça fait vendre les journaux. Alors, sur qui tu mises ?

—Voyons voir… Ces choses-là ne durent généralement qu'une quinzaine de jours. On va donc voir débarquer les glissants, les futés, ceux qui passent bien à la télé. Ce sont eux qui vont enregistrer le meilleur démarrage. Mais c'est la marée qui fait tout. Celui qui est dans la bonne vague avec le courant, c'est celui-là qu'on retrouve au port.

—Quel futé en particulier ?

—Disons… Michael Samuel.

—Hmm, jeune, doué, des principes, apparemment intelligent – pas du tout mon parfum préféré. Il veut se mêler de tout, changer le monde. Trop de conscience, pas assez d'expérience.

—Que suggérez-vous, Ben ?

— Frankie, la marée tourne. Tu nages vers la rive et, l'instant suivant, moi je tire la chasse et tu te retrouves dans une canalisation.

Urquhart entendit son correspondant faire tinter un verre, avant d'en boire une longue gorgée. Puis il poursuivit.

— Frankie, je vais te dire une chose. Cet après-midi, dans le plus grand secret, j'ai chargé une petite équipe du *Chronicle* de contacter le plus possible de députés de ton Parti pour leur demander à qui irait leur voix pour la désignation d'un chef. Mercredi, nous publierons le résultat, qui montrera que le jeune Mickey Samuel a une courte mais indéniable avance sur le reste du peloton.

— Quoi ? Mais le sondage n'est même pas terminé, s'exclama Urquhart, avant de pousser un soupir de compréhension tardive. Ah, Ben, je suis encore un peu naïf, n'est-ce pas ?

— Allô, Frankie, allô. Tu es au bal maintenant. Tu danses. C'est pour ça que je t'aime bien. Je sais ce que va donner ce putain de sondage parce que c'est moi qui le publie.

— Vous voulez dire que vous l'avez arrangé. Mais pourquoi mettre Samuel en avant ?

— Parce que c'est le premier à partir dans les chiottes. Oh, mais toi aussi tu y seras, Frankie. Quelque part à l'arrière du peloton, mais pas en mauvaise position pour un *Chief Whip*. En revanche, le jeune Mickey sera devant, comme ça tout le monde aura une cible. L'homme que tous les autres veulent abattre. D'ici deux semaines, quelque chose me dit qu'il n'en reviendra pas du nombre d'amis qui lui tireront dans le dos.

— Et comment tout cela devient un plan génial ?

— Tu arrives par-derrière, comme dit la dame à l'archevêque. Tu es le candidat du compromis. Pendant que tous ces cons passent leur temps à se noyer les uns les autres, tu passes au milieu parce que tu es celui que tout le monde déteste le moins.

— Quand tous les arbres sont tombés, même un buisson est un géant.

— Quoi ?

— Rien. Je peux vous faire confiance ?

— Me faire confiance ? s'exclama Landless, sur un ton horrifié. Mais je suis un homme de presse, Francis.

Urquhart éclata d'un rire sombre. C'était la première fois que le magnat renonçait au diminutif peu flatteur pour l'appeler par son vrai prénom. Oui, Landless était sérieux.

— Tu ne me demandes pas ce que je compte obtenir en échange ? demanda ce dernier.

— Je crois que je sais déjà, Ben.

— Et c'est quoi ?

— Un ami. Un ami à Downing Street. Un très bon ami. Un ami exactement comme moi.

Chapitre 27

Un politicien ne doit jamais passer trop de temps à réfléchir. Ça l'empêche de surveiller ses arrières.

Mardi 26 octobre

Bureau du Premier Ministre. Urquhart trouva Collingridge assis à sa table de travail, en train de signer des lettres. Il portait des lunettes demi-lune sur le bout du nez, ce qu'il évitait d'ordinaire en présence d'autrui. Plus étonnant encore, il n'y avait aucun journal.

— Henry, je n'ai pas eu l'occasion de m'entretenir avec vous depuis hier. Je ne saurais vous dire combien j'ai été choqué. Dévasté.

— Épargnons-nous le sac et la cendre, Francis. Je me sens étrangement heureux de cette situation. Libéré d'un fardeau. Et autres clichés du même tonneau.

— En vous écoutant, j'avais l'impression… de tomber du ciel. Littéralement.

— Je vous souhaite un bon atterrissage.

Le Premier Ministre remisa soigneusement ses lunettes, puis invita Urquhart à prendre place avec lui dans deux confortables fauteuils placés devant la fenêtre surplombant le parc.

— De toute façon, je n'ai pas le temps de m'apitoyer sur mon sort. J'attends la visite de Humphrey Newlands, pour entamer la mise sur pied du scrutin. Après cela, je pars pour passer le reste de la journée avec Charlie. C'est merveilleux d'avoir du temps pour ces choses-là.

À la grande stupéfaction d'Urquhart, Collingridge semblait absolument sincère.

— Vous vouliez m'entretenir de quelque chose, Francis ?

— Oui, Henry. Écoutez, je sais que vous n'allez pas apporter votre soutien à un candidat ou un autre au cours de cette élection, du moins publiquement…

— Ce serait déplacé.

— Oui, mais cela ne vous interdit pas de vous intéresser à l'affaire, d'un point de vue strictement théorique. L'un comme l'autre, nous savons que certains de vos collègues vous ont salement laissé tomber ces temps derniers.

— L'expression « salauds ingrats » vient volontiers à l'esprit.

— Vous êtes en droit – et j'irais jusqu'à dire que c'est votre devoir – de veiller à ce que le Parti tombe entre de bonnes mains. Bien sûr, en tant que *Chief Whip*, je ne vais pas me présenter. Je reste d'une stricte neutralité. Mais cela ne m'empêchera pas de vous tenir informé de ce qui se trame.

Tous deux savaient qu'un Premier Ministre, même dans les derniers instants à son poste, conservait de l'influence – des soutiens politiques et des amis personnels. Pour ne rien dire de la question non négligeable des nominations sur la liste des honneurs que tout Premier Ministre peut octroyer au terme de ses fonctions. Pour bon nombre de hauts dignitaires du Parti, la perspective de décrocher cette fois-ci un titre ou une pairie était leur dernière chance de se hisser au-dessus de la masse et d'atteindre enfin le statut social après lequel leurs épouses soupiraient tant.

Collingridge se gratta le menton.

— Vous avez raison, Francis. Je n'ai pas passé toutes ces années à travailler pour voir quelqu'un tout mettre par terre. Alors dites-moi, à quoi ressemble la situation ?

— Nous n'en sommes qu'aux tout débuts. C'est difficile à dire. Je crois que la presse est dans le vrai en disant que la course est ouverte pour l'instant. Mais les choses devraient se décanter rapidement une fois que tout le monde aura trouvé son allure.

— Il y a quelqu'un qui se détache ?

— Eh bien…

Urquhart agita la tête de droite et de gauche, exactement comme faisait le sieur Jhabwala.

— Allez, dites-moi, Francis. Votre intuition m'ira très bien.

— À vue de nez, j'ai l'impression que Michael Samuel prend un bon départ.

— Michael ? Et pourquoi ça ?

— Dans une course qui a tout d'un sprint, personne n'a le temps de développer un argumentaire. Tout se joue sur l'image. Et Michael passe bien à la télévision.

— Ah oui, c'est un homme des médias.

— Et puis, inévitablement, il bénéficiera du soutien discret de Teddy et du siège du Parti.

Le visage de Collingridge s'assombrit.

— Oui, je vois ce que vous voulez dire.

Du bout des doigts, il tambourina sur l'accoudoir de son fauteuil, soupesant soigneusement les paroles qu'il allait prononcer.

— Francis, je n'ai nullement l'intention d'interférer, mais je ne peux pas non plus jouer à l'innocent. Si le Parti veut conduire une primaire libre et équitable, on ne peut pas laisser le siège se mêler de ce qui se passe. D'autant moins au vu de leurs dernières performances : les piètres résultats aux élections générales, les fuites en tous genres, pour ne rien dire de ce maudit sondage.

Il avait craché ces derniers mots entre ses dents serrées. Il avait beau dire, le calme n'avait pas encore tout à fait succédé à la tempête qui faisait rage en lui.

— Par-dessus tout, il y a une chose que je ne pardonnerai jamais. Vous savez que ma visite à Buckingham a donné lieu à des indiscrétions. Selon ce qu'on m'a dit, la fuite viendrait de Smith Square. Comment osent-ils ? Ils ont fait de moi un clown dans le cirque médiatique, dit-il en abattant son poing serré sur l'accoudoir.

— Respecter votre dignité aurait été la moindre des choses, Henry.

— Il ne s'agit pas uniquement de moi. Il y a Sarah aussi. Elle ne mérite pas ce qui arrive, dit-il sur un ton rendu haché par la colère. Non, je ne le permettrai pas. Je ne laisserai pas Teddy et sa troupe s'immiscer dans cette putain d'élection ! Je suppose, poursuivit-il en se penchant vers Urquhart, que vous ne nourrissez pas une tendresse immodérée pour Teddy – après le dégommage en règle qu'il avait fait de vos propositions de remaniement. Je suis sûr que vous aviez deviné.

Urquhart hocha la tête, heureux de voir ses doutes confirmés.

— Que puis-je faire, Francis ? Comment garantir que cette élection est menée dans les règles ?

— Mon objectif rejoint le vôtre. Je veux uniquement garantir l'équité et la régularité de ce scrutin. Tout le monde a besoin de temps pour réfléchir. Personne ne doit être poussé à formuler un jugement à la hâte.

— Et donc ?

— Donnez-leur un peu plus de temps pour faire leur choix. Ralentissez la cadence. Profitez de vos dernières semaines à ce poste. Je n'ai rien contre Michael, mais vous devez vous assurer de transmettre cette fonction à un successeur choisi par le Parti, pas par les médias.

— Et encore moins par cette vieille baderne de Teddy.

— En tant que Premier Ministre, libre à vous de le formuler ainsi. En tant que *Chief Whip*, je ne peux faire aucun commentaire.

Collingridge gloussa.

— Je ne veux pas prolonger cette période d'incertitude plus longtemps qu'il n'est nécessaire, mais je suppose qu'une semaine supplémentaire ne peut pas vraiment nuire.

— Selon les règles fixées, vous êtes le maître du temps, Henry.

Collingridge jeta un coup d'œil à sa montre.

— Écoutez, Humphrey doit déjà patienter devant la porte. Je ne vais pas le faire attendre plus longtemps. Il va me donner ses conseils et je vais l'écouter attentivement. Cela dit, j'ai l'impression que son domaine d'expertise porte plus sur les stations balnéaires que sur l'élection pour la désignation du chef du Parti. La nuit porte conseil. Je vous dirai demain matin quelle est ma décision. Vous serez le premier informé, Francis, dit-il en raccompagnant le *Chief Whip* jusqu'à la porte. Je vous suis infiniment reconnaissant. C'est vraiment réconfortant de pouvoir compter sur quelqu'un comme vous. Quelqu'un qui ne passe pas son temps à affûter sa hache.

Ils étaient rentrés à l'appartement de Mattie, avaient claqué la porte et arraché leurs vêtements en riant, avant de choir enlacés sur le sol sans même atteindre la chambre. À présent, Mattie et Krajewski gisaient comme des chats repus, tous membres emmêlés. Il se disait qu'il n'avait jamais été aussi heureux de sa vie que sur ce sofa. L'esprit de Mattie était déjà reparti.

— Collingridge ? murmura-t-il en retirant sa main du sein parfait qu'il caressait.

Elle ne parut même pas relever la petite pointe de déception dans sa voix.

— Oui, je pensais à lui, Johnnie. À Charlie Collingridge.

— Je suis allongé en sueur entre tes cuisses, et toi, tu penses à un autre homme, protesta-t-il en plaisantant à moitié.

— Je sais, c'est un alcoolique et tout ça, poursuivit-elle sans prêter attention à ce qu'il disait. Et souvent, ces gens-là ne sont pas responsables de ce qu'ils font.

— Moi-même, je ne suis pas certain de ce que je fais quand je suis avec toi.

— Mais c'est trop simple.

— Est-ce que la vie doit absolument être compliquée ? dit-il d'une voix suppliante, en se collant au creux des reins de la jeune femme.

— Je n'arrive pas à croire que Charlie Collingridge soit capable d'une chose pareille. Et encore moins qu'il en ait les moyens.

— Il n'y a qu'une seule personne qui sait la vérité, murmura Krajewski. Et cette personne est enfermée dans une clinique quelque part.

Elle se retourna vers lui.

— Où ?

Il poussa un soupir en sentant sa passion perdre de sa superbe.

— Je suppose que c'est un secret de famille bien gardé.

— Il faut que je le trouve.

— Et comment notre journaliste de l'année va-t-elle réaliser cet exploit ?

Elle s'écarta de lui et s'enroula dans une couverture avant de disparaître dans la cuisine. Il se mit en quête de son caleçon, qu'il dénicha derrière la télévision. Il l'enfila, non sans regrets. Mattie revint avec deux verres de vin. Ils s'installèrent sur le tapis devant l'âtre.

— Quand a-t-on vu Charles Collingridge pour la dernière fois ? demanda-t-elle.

— Pourquoi, euh… Quand on l'a emmené de chez lui en voiture, il y a un peu plus d'une semaine.

— Qui était avec lui ?

— Sarah Collingridge.

— Et… ?

— Celui qui conduisait.

— Et qui est ce chauffeur, Johnnie ?

— Pas la moindre idée.

— Cela fait toujours un point de départ…

Une nouvelle fois, elle s'éloigna de lui pour ramper jusqu'à la télévision, autour de laquelle gisaient en vrac de nombreuses cassettes vidéo.

— Elle doit être quelque part par là, dit-elle en amplifiant le désordre.

Pour finir, elle mit la main sur celle qu'elle cherchait. Pendant qu'elle faisait défiler la bande, un kaléidoscope d'images saccadées anima l'écran. C'était une compilation de journaux télévisés des dernières semaines. Mattie était tellement absorbée dans ce qu'elle faisait, qu'elle ne vit même pas que la couverture avait glissé de son épaule. En revanche, ce détail n'échappa pas à Krajewski. Fasciné par la contemplation d'un téton somptueux, il sentit la vigueur qui revenait. Il envisageait de prendre le téléviseur pour le jeter par la fenêtre quand, au milieu de la furie stroboscopique, Charles Collingridge apparut, recroquevillé à l'arrière d'une Ford Granada noire qui s'enfuyait à toute allure.

— Regarde, Johnnie !

Il émit un gémissement, tandis que Mattie revenait en arrière pour caler la séquence au début. Puis, l'espace d'une seconde, à l'instant précis où la voiture sortait de la ruelle pour s'engager sur la rue, ils distinguèrent les traits du chauffeur à travers le pare-brise. Elle appuya sur « Pause », et ils se retrouvèrent à contempler le visage d'un homme portant des lunettes et au crâne en voie d'être dégarni.

— Et qui c'est ce type ? marmonna Krajewski.

— Commençons par voir qui il n'est pas, répondit Mattie. Ce n'est pas un chauffeur officiel. Il ne conduit pas une voiture de fonction. De plus, le pool des chauffeurs ministériel est une vraie basse-cour. On aurait forcément entendu parler de quelque chose. Ce n'est pas une figure politique, sans quoi on l'aurait reconnu…

Elle se retourna vers lui, sans reconnaître sa mine renfrognée par le dépit.

— Johnnie, où sont-ils allés ?

Lui-même se sentait écartelé entre sa propre curiosité journalistique et le désir furieux qu'il avait de se jeter sur elle. *Merde, grandis un peu, Krajewski*, se morigéna-t-il.

— D'accord. Pas à Downing Street. Ni dans un hôtel, ni dans un autre établissement public, dit-il. Je dirais dans une clinique, ajouta-t-il après un instant de réflexion.

— C'est ça ! Et l'homme qui conduit travaille pour cette clinique. Si on trouve qui il est, on saura où ils ont emmené Charlie !

— Je devrais pouvoir faire un tirage de son visage à partir de la vidéo. On pourrait mettre Freddie, notre ancien photographe, sur le coup. Il a une incroyable mémoire des visages, et c'est un ancien alcoolique. Je crois qu'il a fait une cure de désintoxication il y a de cela une paire d'années. Il continue d'assister chaque semaine aux réunions des Alcooliques anonymes. Il pourra nous mettre sur la bonne piste. Les centres de cure ne sont pas si nombreux que ça dans le pays. On va avancer.

— Tu es le meilleur, Johnnie.

Pour la première fois de cette soirée, il eut le sentiment qu'elle était sincère.

— Je suis un salaud de mercenaire. Je demande à être payé, se risqua-t-il à dire. Mattie, je peux rester cette nuit ?

Une lueur de regret dans les yeux, Mattie secoua la tête.

— Johnnie, tu te souviens de ce qu'on a dit ?

— Pas de relation sentimentale. D'accord. Bon, si tu as eu ce que tu voulais de moi, je suppose que je ferais mieux de partir, aboya-t-il, dévoré de l'intérieur parce qu'il appelait la « fureur du téton ».

Il se leva et s'habilla à toute vitesse. Il était presque arrivé à la porte, lorsque ses épaules s'affaissèrent.

— Excuse-moi, Mattie, dit-il en rendant les armes. C'est juste que… tu comptes vraiment beaucoup pour moi. Je vis dans l'espoir.

Il se retourna vers elle.

— Il y a quelqu'un d'autre, Mattie ?

— Non, Johnnie, bien sûr que non, répondit-elle. Ce n'est pas du tout ça.

Comme il refermait la porte sur lui, Mattie se demanda si elle était bien honnête avec lui. Comment pouvait-elle l'être ? Elle n'était même pas certaine de l'être avec elle-même. Les jeunes filles sages n'ont pas ce genre de conversations.

Chapitre 28

Certaines campagnes politiques démarrent pied au plancher. Et d'autres, les pieds dans le tapis.

Mercredi 27 octobre

Le *Chronicle*, Page 1 :
Samuel en tête de la course

Michael Samuel, le jeune ministre de l'Environnement, s'impose comme le leader dans la course pour le poste de Premier Ministre.
Selon un sondage exclusif mené ces deux derniers jours par le *Chronicle* auprès des deux tiers des membres du Parlement appartenant à l'actuelle majorité, il apparaît que 24 % d'entre eux le désignent comme leur premier choix, loin devant les autres candidats potentiels.
Samuel devrait annoncer sa candidature dans les jours qui viennent. Selon toute vraisemblance, il devrait bénéficier de l'appui de figures éminentes du Parti, telles que son président, Lord Williams. Certaines sources estiment qu'un tel soutien sera

un facteur crucial de l'élection, et très probablement fatal pour ses rivaux.

Aucun autre membre du Cabinet ne recueille plus de 16 % sur son nom. Cinq candidats potentiels obtiennent un score entre 10 et 16 % : Patrick Woolton (Affaires étrangères), Arnold Dollis (Intérieur), Harold Earle (Éducation), Paul McKenzie (Santé), et Francis Urquhart, le *Chief Whip*.

La présence d'Urquhart dans cette liste, avec 12 %, n'a pas manqué de surprendre à Westminster. Il n'est certes pas un membre à part entière du Cabinet, mais en tant que *Chief Whip*, il bénéficie d'une assise solide chez les députés du Parti. Cela étant, des sources proches de M. Urquhart soulignaient hier dans la soirée qu'il n'avait pas encore pris sa décision de participer ou non à l'élection. Il devrait faire part de sa position au cours de la journée…

Le Premier Ministre avait changé d'avis. Ce matin-là, il avait lu tous les journaux. Avec l'inconstance qui les caractérise, les commentaires qui le taillaient en pièce la semaine précédente, louaient à présent son sacrifice qui allait offrir au gouvernement l'occasion d'un nouveau départ – « même s'il lui reste à résoudre un nombre non négligeable de problèmes personnels et familiaux, en y apportant des réponses conformes à ce qu'attend l'opinion publique », tonnait le *Times*. Comme d'habitude, en bonne pouffiasse, la presse passait sans vergogne d'un côté à l'autre du lit.

Il lut le *Chronicle* avec une attention toute particulière. À l'évidence, d'autres en avaient fait de même avant lui. Un consensus était en train d'émerger : la course restait ouverte, mais Samuel en était le favori. Collingridge jeta le journal à la corbeille, au fond de laquelle celui-ci sombra avec la grâce d'un cygne à l'agonie. Il convoqua ensuite son conseiller politique.

— Grahame. Une instruction à l'intention de Lord Williams, avec copie à Humphrey Newlands. Il est demandé au président du Parti de publier un communiqué de presse à midi et demi aujourd'hui, pour le journal de 13 heures. Les candidatures à l'élection au poste de chef du Parti seront closes d'ici trois semaines, le jeudi 18 novembre. Le premier tour de scrutin se déroulera le mardi suivant, soit le 23 novembre. Si un second tour est nécessaire, conformément aux dispositions prévues par le règlement intérieur du Parti, celui-ci aura lieu le mardi suivant, c'est-à-dire le 30 novembre, avec un tour décisif deux jours plus tard, si besoin est. Vous avez tout noté ?

— Oui, monsieur le Premier Ministre.

Le conseiller hocha la tête, mais sans lever les yeux. Depuis l'annonce de la démission, c'était la première fois que l'occasion leur était donnée de parler seul à seul.

— Vous savez ce que cela signifie, Grahame ? Dans exactement six semaines et un jour, nous aurons tous les deux quitté notre poste. Je n'ai pas toujours trouvé le temps de vous remercier comme il se doit pour toutes ces années de collaboration. Mais je veux que vous sachiez à quel point je vous suis reconnaissant.

Un peu gêné, le jeune homme se trémoussait d'un pied sur l'autre.

— Il faut que vous commenciez à songer à votre avenir. Je ne vous oublierai pas. Vous serez sur ma liste des honneurs, ma *Resignation Honours List*, tout comme un certain nombre de messieurs de la City qui auront eu le plaisir d'être faits chevaliers, et qui seront ravis de vous proposer une situation généreuse. J'y veillerai. Réfléchissez à ce que vous voulez faire et tenez-moi au courant. Je peux encore compter sur quelques débiteurs qui me doivent une faveur.

Le conseiller leva un regard empli de tristesse et de gratitude.

— Au fait, Grahame, il n'est pas exclu que Teddy Williams cherche à me joindre pour me demander de raccourcir le processus électoral. Je ne serai pas là pour lui. Faites-lui bien comprendre que mes décisions sont des instructions, pas une base de négociation. Et le communiqué de presse doit être publié à midi et demi sans faute.

Henry Collingridge marqua une petite pause.

— Sans quoi, dites-lui que je ferai fuiter l'information moi-même.

La marée n'attend personne. L'heure du reflux avait déjà sonné pour Michael Samuel. Dès l'instant où Collingridge avait annoncé sa démission, le jeune ministre de l'Environnement avait consulté son mentor, Teddy Williams.

— Patience, Michael, avait conseillé le vieux sage. Tu seras certainement le plus jeune des candidats. Ils diront que tu es novice, que tu manques d'expérience et que tu es trop ambitieux. Ne donne pas l'impression que tu veux le poste. Reste sur la réserve et laisse-les venir à toi.

Le conseil était excellent, mais pas tout à fait pertinent dans la situation. Le *Chronicle* mettant en avant le nom de Samuel était à peine paru que Francis Urquhart venait dire devant les caméras de télévision qu'il n'avait aucune intention d'être candidat.

— Bien sûr, je suis flatté que mon nom ait pu être évoqué, mais dans l'intérêt même du Parti, je crois préférable que le *Chief Whip* reste parfaitement impartial dans cette élection, dit-il en ponctuant son propos de quelques hochements de tête empreints de modestie.

Sur ces paroles, il s'éclipsa, poursuivi par les questions criées par les journalistes, et destinées à demeurer sans réponse.

L'intérêt se porta donc sur Samuel. Et comme de juste, la publication, en toute fin de matinée, du calendrier du scrutin, ne fit que renforcer la ferveur. Lorsque les inquisiteurs hors d'haleine eurent débusqué le jeune ministre à un déjeuner de travail, à l'hôtel *InterContinental* juste à côté de Hyde Park, ils n'étaient pas d'humeur à se satisfaire de vagues explications. Samuel ne pouvait pas répondre « non », et les reporters ne se seraient pas contentés d'un « peut-être ». Pas après avoir découvert qu'il avait déjà constitué le noyau de son équipe de campagne. Après une phase de harcèlement intense, Samuel fut bien obligé d'admettre, debout sur le perron de l'hôtel et au milieu d'un chaos de bagages et de parapluies, qu'il allait en effet être candidat au poste de chef du Parti.

Au journal télévisé de 13 heures, les deux prestations offrirent un contraste saisissant. D'un côté, Urquhart incarnait l'homme d'État digne et expérimenté, qui préférait sagement ne pas se lancer dans l'aventure, et de l'autre, Samuel donnait l'impression d'avoir organisé une conférence de presse improvisée dans la rue tant il avait hâte d'être le premier candidat officiel, près d'un mois avant le scrutin.

Urquhart regardait les images en se délectant, quand le téléphone sonna. Après avoir décroché, il entendit d'abord le bruit d'une chasse d'eau, suivi du bruit inimitable de Ben Landless riant à gorge déployée.

Chapitre 29

Le sort de certaines carrières politiques rappelle celui d'un livre qu'une petite main range sur le mauvais rayonnage à la British Library. *Au départ, l'erreur est minime. À l'arrivée, c'est l'oubli définitif assuré.*

Vendredi 29 octobre – Samedi 30 octobre

— C'est ça que tu voulais ?

Le ton de Krajewski trahissait la rancœur que lui avait laissée leur dernière rencontre. Depuis ce jour, il avait évité Mattie dans la rédaction. Penché par-dessus l'épaule de la jeune femme, en veillant bien soigneusement à ne pas l'effleurer, il avança la main pour laisser tomber sur le bureau une grande enveloppe de papier kraft. Elle en tira une photo couleur au format A4, sur laquelle le visage du chauffeur la regardait.

— Freddie a fait des merveilles, poursuivit Krajewski. Il a apporté ce portrait à sa réunion des AA et le responsable de son groupe l'a immédiatement reconnu. Il s'agit du docteur Christian, une autorité dans le traitement des addictions à la drogue et à l'alcool. Il dirige un centre de traitement dans un grand domaine privé, dans le Kent, près de la côte. Trouve ce docteur Christian, et je parie que tu trouveras ton Charlie.

— Johnnie, je ne sais pas comment te remercier, s'exclama-t-elle, subitement excitée.

Krajewski était déjà reparti.

Le lendemain, Mattie ne travaillait pas. Levée tôt, elle prit un petit déjeuner, fit le plein de sa vieille BMW, et mit le cap sur Douvres. À la sortie de Londres, la circulation était dense aux abords des zones commerciales de Greenwich. Elle emprunta ensuite la A2, l'ancienne voie romaine qui mène de la capitale jusqu'au cœur du Kent. Après Cantorbéry et sa célèbre cathédrale, elle bifurqua à la hauteur du pittoresque village de Barham. Sa carte routière ne lui fut pas d'un grand secours pour dénicher l'encore plus petit village de Norbington, mais avec l'aide de quelques autochtones, elle parvint enfin jusqu'à une vaste demeure victorienne. Un panneau dans un massif indiquait qu'il s'agissait d'un établissement de soins.

Plusieurs véhicules étaient stationnés dans une allée boisée et le portail était ouvert. À sa grande surprise, les gens avaient l'air de circuler en totale liberté. Nulle trace des solides infirmiers en blouse blanche qu'elle s'était attendue à voir surveiller les abords. Elle se gara sur la route, prit un bonbon à la menthe pour se donner du courage, puis s'engagea dans l'allée d'un pas de promeneur prudent.

Un monsieur, haut de taille et vêtu de tweed, la lèvre supérieure ornée d'une moustache style vieux soldat, s'approcha d'elle. Mattie sentit son cœur se décrocher dans sa poitrine. Ce devait être la patrouille chargée de contrôler l'accès.

— Excusez-moi, chère madame, dit-il sur un ton un peu saccadé en l'interceptant juste après l'entrée. Avez-vous vu l'un des membres du personnel ? Ils s'arrangent toujours pour ne pas trop se montrer les jours de visite des familles, mais vous devriez pouvoir en trouver un quand ce sera nécessaire.

Mattie se confondit en excuses et sourit de soulagement. La chance était de son côté. Sans le savoir, elle avait choisi le meilleur jour pour échapper aux questions gênantes. Par son atmosphère champêtre, l'endroit évoquait bien plus une agréable demeure campagnarde qu'une clinique : ni camisoles, ni verrous aux portes, ni odeurs médicinales. Dans le hall d'entrée, elle aperçut un panneau avec les instructions d'évacuation en cas d'incendie, assorti d'un plan détaillé des lieux. Mattie s'en servit pour faire le tour des installations à la recherche de sa proie. Elle trouva Charlie dans le jardin, assis sur un banc, en train de contempler le pâle soleil d'octobre sur la vallée. Sa découverte ne lui procura aucune joie. Elle était venue pour le tromper.

— Charlie ! s'exclama-t-elle en s'asseyant à côté de lui. Quelle surprise de vous trouver ici !

Il tourna vers elle un regard totalement absent. Il semblait perdu, ailleurs, épuisé, comme si son esprit s'en était allé dans un lieu lointain.

— Je… Je vous demande pardon, ânonna-t-il. Je ne vous reconnais pas…

— Mattie Storin, dit-elle. Vous ne m'avez quand même pas oubliée. Nous avons passé une soirée très agréable tous les deux à Bournemouth, il y a deux ou trois semaines.

— Oh, désolé, mademoiselle Storin. Je ne me souviens pas de vous. Vous savez, je suis alcoolique. C'est d'ailleurs pour ça que je suis ici. J'ai bien peur de n'avoir aucun souvenir de tout ce que j'ai pu faire quinze jours en arrière. Je n'étais pas en état.

La franchise du vieil homme, tout sourires, la prit de court.

— Ne soyez pas gênée, ma chère enfant, poursuivit-il en lui tapotant la main comme le ferait un vieil oncle. J'ai une addiction à l'alcool, c'est tout. Mais je me soigne. J'avais un million de trucs pour cacher mon problème à tout le monde, mais je n'ai réussi qu'à me tromper moi-même. Aujourd'hui, je veux me reprendre en main. C'est pour cela que je suis dans cette clinique.

Mattie sentit ses joues devenir brûlantes. Elle s'était glissée par effraction dans l'intimité d'un homme malade, et la honte l'envahissait.

— Charlie, si vous ne vous souvenez pas de moi, alors vous ignorez que je suis journaliste.

Il retira sa main. Le sourire sur son visage disparut, remplacé par une mine triste et résignée. — Merde. Vous avez l'air tellement gentille. Je suppose qu'il fallait bien que ça arrive. Henry espérait tout de même que je puisse être tranquille quelque temps ici…

— Charlie, je vous supplie de me croire, je ne suis pas venue pour vous compliquer l'existence. Au contraire, je veux vous aider.

— C'est ce qu'on dit toujours dans ce genre de situations, n'est-ce pas ?

— S'il vous plaît, écoutez-moi.

— Oh, très bien. Ce n'est pas comme si j'étais attendu quelque part.

— Votre frère, le Premier Ministre, a été contraint à la démission à cause d'allégations selon lesquelles il vous aurait aidé à acheter, puis vendre des actions pour réaliser un profit rapide.

Il agita la main pour la faire taire, mais elle ne tint pas compte de sa protestation.

— Charlie, pour moi, tout cela n'a aucun sens. Ça ne tient pas debout. Je pense que quelqu'un a délibérément voulu nuire à votre frère en vous mettant en cause.

— Vraiment ? dit-il, subitement intéressé. Mais qui ferait une chose pareille ?

Une lueur s'était allumée dans ses yeux jusqu'alors aussi amorphes que des huîtres dans leur coquille.

— Je ne sais pas. Je n'ai que des soupçons. Je suis venue voir si vous pouvez m'orienter vers des éléments plus tangibles.

— Mademoiselle Storin – Mattie, si vous me permettez de vous appeler ainsi… Vous m'avez dit que nous nous connaissions. Je suis un alcoolique. Je ne me rappelle même pas vous avoir rencontrée. Comment diable pourrais-je vous aider ? Mes paroles n'ont aucune valeur.

— Je ne suis ni juge, ni procureur, Charlie. J'essaie seulement de rassembler les milliers de pièces d'un étrange puzzle.

Le regard las de Charles Collingridge dériva vers Douvres au loin derrière les collines, et la mer au-delà, comme si un autre monde s'étendait là-bas.

— Mattie, croyez-moi, j'ai essayé de toutes mes forces de me souvenir. L'idée que j'ai jeté l'opprobre sur Henry, au point de l'obliger à démissionner, m'est intolérable. Il n'y a rien que je puisse faire pour vous aider. Je n'arrive même pas à m'aider moi-même.

— Vous ne pensez pas que vous vous souviendriez de quelque chose si vous aviez acheté autant d'actions ?

— J'ai été très malade. Et très ivre. Il y a vraiment beaucoup de choses dont je n'ai pas le moindre souvenir.

— Vous ne vous souviendriez pas d'où pourrait provenir l'argent, ou de ce que vous auriez fait des gains ?

— Il paraît peu probable que j'aie pu avoir une petite fortune et que je ne m'en souvienne plus. Je l'aurais bue à coup sûr. Quant à savoir où l'argent a pu passer, je n'en ai pas la moindre idée. Même moi, je crois que j'aurais eu du mal à boire 50 000 livres en quelques semaines.

— Et la fausse adresse à Paddington ?

— Ah oui, ils ont parlé de ça. Un vrai mystère. Je ne sais même pas où se trouve Praed Street à Paddington quand je suis à jeun. Alors m'y rendre en étant soûl... C'est de l'autre côté de Londres par rapport à chez moi.

— D'après ce qu'ils disent, vous auriez utilisé cette adresse pour vos relevés bancaires, mais aussi pour recevoir les publications du Parti.

Subitement, Charles Collingridge éclata d'un rire si extraordinairement puissant que ses yeux s'embuèrent de larmes.

— Mattie, ma belle enfant, grâce à vous, je commence à reprendre foi en moi. Même complètement soûl, jamais je n'aurais pu m'intéresser à cette propagande politique. En période électorale, je rouspète quand je trouve ces horreurs dans ma boîte aux lettres. Alors imaginer que je puisse payer chaque mois pour les recevoir, je prends ça comme une insulte !

— Vous ne lisez pas les publications du Parti ?

— Jamais !

La pelouse devant eux était jonchée de feuilles mortes. Le soleil déclinant alluma une chaude lueur orangée dans le ciel, illuminant le visage de Charles. De toute évidence, il reprenait du poil de la bête. Il avait l'air content.

— Je ne peux rien prouver, mais sur mon honneur, je ne pense pas être coupable de ce dont on m'accuse, dit-il en prenant la main de la jeune femme dans la sienne. Mattie, cela signifierait beaucoup pour moi que vous acceptiez de me croire.

— Mais je vous crois, Charlie, sincèrement. Et je vais tout faire pour le prouver, répondit-elle en se levant.

— Votre visite m'a fait du bien, Mattie. Maintenant que nous sommes de vieux amis, n'hésitez pas à revenir.

— Je n'y manquerai pas. Mais d'ici là, j'ai quelques recherches à mener.

Il était déjà tard quand elle rentra à Londres, dans la soirée. Les premières éditions des journaux du dimanche étaient déjà dans les kiosques. Elle en acheta toute une pile, avec les suppléments et magazines, qu'elle balança négligemment sur la banquette arrière de sa voiture. C'est à cet instant qu'elle remarqua la manchette en une du *Sunday Times*.

Le ministre de l'Éducation, Harold Earle, qui n'était pas connu pour être un fervent partisan de Greenpeace, venait d'annoncer son intention de se présenter au poste de chef du Parti, commençant *illico* sa campagne avec un discours intitulé « Pour un pays plus propre ».

« Depuis longtemps, nous parlons des problèmes des centres urbains, mais ceux-ci ne cessent pourtant de se dégrader. Mais ce n'est pas tout, car l'état du cœur des villes est à l'avenant de la situation catastrophique de nos campagnes », avait déclaré Earle. « Depuis bien trop longtemps, nous négligeons ces questions pourtant primordiales. Or, la réaffirmation permanente de nos inquiétudes ne remplacera jamais une action concrète et résolue. Il est grand temps que nos belles paroles, nos grands mots se transforment enfin en grands remèdes. Les études d'opinion montrent toutes que, pour nos électeurs, l'environnement est un domaine dans lequel nous avons échoué depuis douze ans que notre majorité est aux affaires. Ils sont fondés à juger la situation inacceptable, et il est de notre devoir d'apporter enfin une réponse sur ces questions. »

Allons bon, pourquoi le ministre de l'Éducation fait tout un foin au sujet de l'environnement ? se demanda Mattie en arrivant au bout de l'article rapportant les propos tonitruants. *Bien sûr, mais quelle idiote ! Je deviens lente de la comprenette avec l'âge. Qui est donc le ministre du Cabinet en charge des questions d'environnement – et responsable de la situation ?*

La chasse était ouverte. Dorénavant, c'était feu à volonté sur Michael Samuel.

Chapitre 30

Il n'existe aucune forme de cruauté dont un politicien refuserait de se délecter, et qu'un journaliste ne se complairait pas à faire mousser. L'exagération hystérique est un peu la marque de fabrique des deux corporations.

Mercredi 3 novembre

Au cours de la semaine suivante, Mattie tenta de contacter Kevin Spence à de très nombreuses reprises. En dépit des assurances réitérées de sa secrétaire aussi polie qu'exubérante, il ne l'avait jamais rappelée. Un soir, elle attendit donc l'heure où les secrétaires quittent leur travail, pour faire une nouvelle tentative. Le garde de veille lui passa le poste sans poser de question.

— Mademoiselle Storin, non, bien sûr que non, je ne cherche pas à vous éviter, mentit Spence. J'ai été très occupé ces derniers temps. La période est plutôt chargée.

— Kevin, j'ai besoin de votre aide encore une fois.

Il y eut un silence. Il était plus courageux et mieux armé pour résister quand il ne la regardait pas dans les yeux.

— Je n'ai pas oublié la dernière fois où je vous ai apporté mon aide. Vous m'aviez dit vouloir écrire un article sur les études d'opinion, mais au lieu de cela, vous avez calomnié le Premier Ministre. Et aujourd'hui, il est parti, répondit-il posément d'une voix teintée de tristesse. C'était un homme aimable qui s'est toujours montré correct avec moi. J'estime que vous autres les journalistes avez fait preuve d'une inqualifiable cruauté.

— Kevin, ce n'est pas moi qui ai écrit cet article. Je vous en donne ma parole. Ce que j'avais écrit a été détourné. Et d'ailleurs, il n'y avait pas ma signature au bas de l'article publié. J'étais sûrement plus furieuse que vous n'avez pu l'être.

— Je crains de m'être montré extrêmement naïf. Bonsoir, mademoiselle Storin.

Il était sur le point de raccrocher.

— Kevin, accordez-moi juste un instant. S'il vous plaît ! Il y a quelque chose qui ne colle pas dans la démission d'Henry Collingridge.

Kevin Spence était toujours en ligne.

— Pour ma part, je ne crois pas un mot de ce qui a été dit à son sujet et à celui de son frère. Je voudrais pouvoir laver son nom.

— Je ne vois pas comment je pourrais vous aider, dit Spence d'une voix pour le moins méfiante. De toute façon, seul le service de presse du Parti est autorisé à avoir des contacts avec les médias pendant la campagne. Les consignes du président sont formelles.

— Kevin, les enjeux sont considérables. Il ne s'agit pas uniquement de savoir qui sera chef du Parti, ni même si vous gagnerez ou non les prochaines élections. C'est une question de dignité personnelle. Henry Collingridge restera-t-il dans l'histoire comme un escroc, ou lui laissera-t-on la possibilité de rétablir la vérité ? On lui doit bien cela, vous ne croyez pas ?

Un autre instant de silence s'étira.

— Si je pouvais vous venir en aide, que voudriez-vous ?

— Quelque chose de très simple. Maîtrisez-vous le système informatique utilisé au siège du Parti ?

— Oui, bien sûr. Je l'utilise tous les jours.

— J'ai des raisons de penser que votre système a été trafiqué.

— Trafiqué ? C'est impossible. Nous sommes équipés des dispositifs de sécurité les plus efficaces. Personne ne peut y accéder depuis l'extérieur.

— Pas depuis l'extérieur, Kevin. De l'intérieur.

Cette fois-ci, Spence resta un plus long moment encore sans rien dire.

— Réfléchissez, Kevin. C'est quelqu'un de l'intérieur qui a fait fuiter votre sondage. C'est la seule explication. Il vous a mouillé sans rien vous demander.

Spence était aux prises avec ses doutes. Elle l'entendit marmonner une exclamation.

— Écoutez, je suis à la Chambre des communes. Je peux vous rejoindre d'ici une dizaine de minutes. À cette heure-ci, vos locaux doivent être plus ou moins déserts. Personne ne remarquera rien. Je me mets en route. J'arrive.

— Passez par le parking, murmura-t-il. Pour l'amour du ciel, ne passez pas par l'entrée principale.

Moins de sept minutes plus tard, elle l'avait rejoint.

Ils s'installèrent dans son petit bureau mansardé, envahi par des montagnes de dossiers. La moindre surface plane en était encombrée. Il y en avait jusque sur le sol. Assis côte à côte, ils regardaient l'écran vert posé au centre de la table de travail. Mattie avait défait un bouton supplémentaire de son chemisier – ce qui n'avait pas échappé à son hôte. Elle se disait qu'elle aurait bien le temps plus tard de se réprimander.

— Charles Collingridge est censé avoir commandé des publications du Parti, dont il aurait demandé la livraison à une adresse à Paddington. C'est bien ça ?

— En effet. Je l'ai vérifié moi-même dès que j'ai appris la nouvelle. Regardez, c'est ici.

Il tapa quelques touches sur le clavier et la preuve apparut à l'écran.

— Chas Collingridge Esq., 216 Praed St, Paddington, Londres W2 – 001A / 01.0091.

— Que signifient ces autres hiéroglyphes ?

— La première séquence indique qu'il s'est abonné à l'ensemble de nos publications. Et la seconde précise la date d'expiration de l'abonnement. C'est une façon de savoir ce qu'il souhaite exactement – l'intégralité des parutions, ou uniquement les principales. On sait également s'il est membre du cercle de lecture spécialisé, ce genre de choses. Chacun de nos programmes de diffusion est ainsi associé à une combinaison spécifique de numéros de référence. Cela indique aussi comment il paie, et s'il est à jour ou en retard à l'échéance.

— Et Charles ?

— Tout est réglé d'avance à compter du début de l'année.

— Alors que c'est un alcoolique fauché qui n'arrive même plus à lire une ligne à l'heure de fermeture des pubs.

Spence se trémoussa sur sa chaise, mal à l'aise.

— Ces informations peuvent être affichées sur tous les moniteurs du bâtiment ?

— Oui. Ce ne sont pas des données considérées comme particulièrement confidentielles.

— Alors expliquez-moi une chose, Kevin.

Elle se pencha en avant et inspira profondément. *Les hommes sont pathétiques. Ça marche chaque fois.*

— Imaginons que vous vouliez contourner les règles pour m'abonner à l'intégralité des publications du Parti. Pourriez-vous le faire en entrant mes coordonnées à partir de ce terminal ?

— Euh… oui, répondit Spence qui commençait à voir où elle voulait en venir. Vous pensez que les coordonnées de Charles Collingridge ont été inventées ou entrées frauduleusement dans le système. C'est possible. Regardez.

Ses doigts volaient sur le clavier comme ceux d'un concertiste au piano. Quelques secondes plus tard, il avait créé un abonnement à l'intégralité des publications au nom de « M. Mouse Esq., 99 Disneyland, Miami ».

— Mais ce n'est pas suffisant, Mattie. Il ne suffit pas d'antidater au début de l'année parce que… Oh, quel idiot je fais ! Bien sûr ! s'exclama-t-il en se remettant à taper frénétiquement. Si vous vous y connaissez vraiment, ce qui est le cas de bien peu de personnes ici, alors vous pouvez saisir directement dans le sous-répertoire de l'unité centrale…

Le staccato des touches couvrait pratiquement ses paroles.

— Vous voyez, on accède aux données financières. Comme ça, je peux voir à quelle date le paiement est effectivement intervenu pour ce compte, par chèque ou carte de crédit, ainsi que la date de début de l'abonnement…

Le moniteur était illuminé comme un sapin de Noël.

— Ces opérations nécessitent de connaître le mot de passe et – Oh, sapristi !

Il se recula de l'écran comme si celui-ci venait de l'insulter. Puis il relut une fois encore.

— Mattie, vous n'allez pas le croire…

— Je crois que je suis prête à croire n'importe quoi.

— D'après les éléments comptables, Charles Collingridge n'a jamais rien payé. Ni ce mois-ci, ni aucun mois. Ses coordonnées n'apparaissent que dans le fichier de la liste de diffusion. Il n'y a rien dans le fichier des règlements.

— Kevin, pouvez-vous me dire à quel moment son nom apparaît pour la première fois dans le fichier de la liste de diffusion ? demanda-t-elle tout doucement.

Lentement, presque prudemment, Spence appuya sur quelques touches.

— Bon sang. Il y a exactement deux semaines aujourd'hui.

— Soyons clairs et précis. Je veux être sûre d'avoir bien compris. Quelqu'un dans cet immeuble, qui n'appartient pas au service comptabilité et qui ne maîtrise pas totalement l'informatique, a modifié le fichier pour ajouter le nom de Charles Collingridge à la liste de diffusion, il y a très exactement deux semaines de cela.

Spence hocha la tête. Il était devenu blême.

— Pouvez-vous dire qui a modifié le fichier, ou à partir de quel terminal cette personne a opéré ?

— Non. Cela peut avoir été réalisé depuis n'importe quel poste du bâtiment. Le programme nous fait confiance...

Il secouait la tête comme s'il venait de rater l'examen le plus important de sa vie.

— Ne vous en faites pas, Kevin, vous avez été génial, dit-elle en quittant l'écran des yeux pour se tourner vers lui. On tient une piste. Mais il est crucial que vous n'en disiez pas un mot à quiconque. Je veux attraper celui qui a fait ça. S'il lui revient aux oreilles que quelqu'un fouine, il fera tout pour brouiller les pistes. Vous voulez bien m'aider ? demanda-t-elle en se penchant vers lui. Vous voulez bien garder le secret jusqu'à ce qu'on ait quelque chose de plus consistant ?

Kevin la regarda dans les yeux.

— De toute façon, qui accepterait de me croire ? demanda-t-il dans un souffle ?

Chapitre 31

La beauté est dans l'œil de celui qui regarde. Mais la vérité est entre les mains de son rédacteur en chef.

Lundi 8 novembre – Vendredi 12 novembre

Les journaux du week-end n'avaient même pas tenté de dissimuler leur irritation. Samuel et Earle, ainsi que tous les ministres du Cabinet dont on pensait qu'ils allaient se présenter avaient fait preuve de retenue et s'étaient bien comportés. Aucune attaque personnelle envers un rival n'avait été enregistrée. La presse avait donc dû s'y coller et mener la charge pour eux.

L'*Observer* avait ainsi déclaré que l'on assistait jusqu'à présent « à une campagne décevante et dépourvue du moindre souffle, et qu'on attendait toujours que l'un des candidats rallume un tant soit peu la flamme du Parti ». Le *Sunday Mirror* jugeait le tout « aussi agaçant qu'hors de propos », tandis que le *News of the World*, soucieux de ne pas être en reste, évoquait dans son style si caractéristique « une campagne flatulente et vaine, guère plus qu'un petit vent qui agite l'air de la nuit ». Quant au *People*, il écrivait : « Samuel et Earle ? Si telle est la réponse, alors la question était sacrément idiote ! »

Ces critiques donnèrent le signal du départ de la campagne, dès le lundi matin aux petites heures. Encouragés par les médias, dont l'avis était que le bon candidat n'était pas encore sorti du bois, deux autres ministres du Cabinet descendirent dans l'arène : Patrick Woolton et Paul McKenzie, le secrétaire d'État à la Santé. De l'avis général, l'un comme l'autre avait de bonnes chances de succès. McKenzie s'était fait un nom en promouvant le programme de rénovation hospitalière, tout en parvenant à ne pas endosser la responsabilité de son ajournement en pointant un doigt accusateur en direction du Trésor et de Downing Street.

— J'en suis ! annonça-t-il.

Depuis sa conversation avec Urquhart pendant le congrès du Parti, Woolton s'était démené en coulisses. Il avait déjeuné avec pratiquement tout ce que Fleet Street comptait de rédacteurs en chef, bu avec les députés les plus en vue, et veillé à coucher avec personne d'autre que son épouse légitime. Il estimait que ses origines et son implantation dans le Nord lui conféreraient un avantage, en faisant de lui le candidat d'une nation, par rapport à des opposants un peu plus marqués « avocat et huile d'olive ». Bien sûr, l'argument n'était pas de nature à impressionner les Écossais qui, d'ailleurs, avaient tendance à juger tout cela comme l'affaire d'une peuplade étrangère. Initialement, Woolton avait espéré pouvoir retarder son entrée dans la course, de manière à voir ce que donnaient les gesticulations de ses rivaux, mais le ramdam médiatique du week-end avait sonné comme un appel aux armes. Plus question de tergiverser. Il convoqua donc une conférence de presse à l'aéroport de Manchester, « sur ses terres », précisa-t-il, bien convaincu que personne n'aurait remarqué qu'il venait d'arriver tout exprès en avion depuis Londres.

Les critiques de la presse incitèrent chacun à se montrer un peu plus tranchant. Earle réitéra ses remarques sur les maigres résultats des politiques d'environnement, mais en choisissant cette fois-ci de porter le fer contre le bilan personnel de Michael Samuel. L'heure des messages subliminaux était passée. Samuel répliqua en condamnant la conduite d'Earle, incompatible avec son statut de collègue du Cabinet, sans compter qu'elle constituait un exemple lamentable pour la jeunesse de la part d'un ministre de l'Éducation. Pendant ce temps, le clin d'œil appuyé de Woolton à une frange de ses soutiens, lorsqu'il avait estimé à Manchester qu'il fallait « restaurer les valeurs anglaises avec un candidat anglais », avait été vigoureusement vilipendé par McKenzie. Subitement désireux de raviver ses racines gaéliques, ce dernier jurait en effet que les propos de Woolton n'étaient ni plus ni moins qu'une insulte faite à cinq millions d'Écossais.

Le *Sun* poussa le bouchon un peu plus loin en interprétant les paroles du secrétaire aux Affaires étrangères comme une perfide attaque antisémite contre Samuel. Les associations juives inondèrent les ondes et les journaux de plaintes, et un rabbin de la ville dont Samuel était originaire demanda la saisine du Comité des relations interraciales sur « le déchaînement verbal dans la bouche d'un responsable politique le plus atroce depuis Oswald Mosley, le fondateur de l'Union fasciste britannique ». Woolton n'était pas totalement mécontent de ces réactions, allant jusqu'à déclarer, mais en privé uniquement : « Dans les quinze jours qui viennent, tout le monde va scruter la forme des oreilles de Samuel au lieu d'écouter ce qu'il raconte. »

Le mercredi après-midi, Urquhart estima que la situation était mûre pour qu'il publie un appel demandant à chacun de « renouer avec le savoir-vivre et les règles de conduite personnelle qui ont fait la bonne réputation du Parti ». Son plaidoyer fut amplement relayé dans les éditoriaux, alors même que s'étalaient encore en première page de certains journaux les derniers éclats des candidats au comportement bien regrettable.

Aussi, lorsque Mattie entra dans le bureau de Preston le vendredi après-midi pour lui annoncer qu'elle avait du nouveau, il agita la tête, la mine bien lasse.

— Il y a intérêt à ce que ce soit du nouveau, dit-il en jetant dans un coin le dernier communiqué de presse d'Earle.

— C'est du nouveau, répondit-elle.

Subitement, l'intérêt de Preston sembla s'éveiller quelque peu.

— Pour une première page radicalement différente.

— Tu as intérêt à avoir du lourd.

Elle referma la porte derrière elle pour être bien sûre que personne ne puisse entendre.

— Collingridge a démissionné à cause d'allégations selon lesquelles lui ou son frère auraient procédé à des achats de titres frauduleux via un marchand de journaux de Paddington et une petite succursale d'une banque turque. Je pense que nous pouvons prouver qu'il est victime d'un coup monté de A à Z.

— Qu'est-ce que tu racontes ?

— Collingridge a été piégé.

— Tu peux le prouver ?

— Je pense que oui.

À cet instant, la secrétaire du rédacteur en chef du *Chronicle* passa la tête par la porte – et se fit rembarrer par son boss d'un geste impérieux de la main.

— Voici ce que nous avons, Greville.

Patiemment, Mattie détailla alors comment elle était parvenue à explorer les fichiers informatiques au siège du Parti, pour découvrir que quelqu'un avait tripatouillé la liste de diffusion.

— Mais pourquoi faire une chose pareille ?

— Pour que la fausse adresse à Paddington soit directement liée à Charles Collingridge.

— Et pourquoi serait-elle fausse ?

— N'importe qui aurait pu ouvrir cette boîte postale. Et je ne crois pas que Charles Collingridge ait jamais mis les pieds à Paddington. Quelqu'un d'autre a utilisé son nom.

La porte s'ouvrit à nouveau.

— Merde ! brailla Preston à l'intention de l'intrus, qui battit en retraite.

— Pourquoi est-ce que quelqu'un irait ouvrir une fausse adresse au nom de Charlie Collingridge ?

— Pour mettre en place un coup monté contre lui. Et contre son frère.

— Trop compliqué, répliqua Preston, sans pour autant cesser de suivre attentivement.

— Ce matin, je suis allée moi-même à Paddington, chez le même marchand de journaux, et j'ai ouvert une boîte postale à un nom totalement fantaisiste. Ensuite, je me suis rendue à la succursale de l'*Union Bank of Turkey* sur Seven Sisters Road, où j'ai ouvert un compte au même nom fictif. Bien sûr, je n'y ai pas déposé 50 000 livres, mais cent uniquement. En tout et pour tout, il m'a fallu trois heures pour boucler l'opération.

— Bon Dieu…

— À partir de maintenant, je peux donc commander des magazines pornographiques, en payant avec mon nouveau compte, puis les faire envoyer à l'adresse de Paddington, et porter ainsi sacrément atteinte à la réputation d'un homme politique parfaitement innocent.

— Qui ?

Pour toute réponse, Mattie déposa sur le bureau de son rédacteur en chef un extrait de compte bancaire et le reçu du marchand de journaux pour l'ouverture de la boîte postale. Preston s'empressa de lire le nom qui y figurait, puis explosa.

— Le chef de l'Opposition ! s'écria-t-il affolé. Mais bordel, qu'est-ce que tu as foutu ?

— Rien, dit-elle avec un petit sourire victorieux. Je n'ai fait que démontrer que Charles Collingridge est très probablement victime d'un coup monté. Qu'il n'a sans doute jamais mis les pieds chez ce marchand de journaux, pas plus qu'à l'*Union Bank of Turkey*. Et que par conséquent, il n'a sans doute jamais acheté d'actions.

Preston tenait les documents prudemment éloignés de lui, comme s'il craignait de les voir s'enflammer.

— Tout cela implique qu'Henry Collingridge n'a jamais parlé des laboratoires *Renox Chemicals* à son frère…

Son ton laissait entendre qu'elle n'avait pas fini.

— Et ? Et ? demanda Preston.

— Qu'il est innocent. Qu'il n'était donc pas obligé de démissionner.

Preston s'affala dans son fauteuil. Une goutte de transpiration s'était formée sur son front. Il avait l'impression d'être déchiré en deux. D'un œil, il entrevoyait le début d'un article fantastique, mais là était le problème, car de l'autre, il ne pouvait pas manquer de voir l'énorme impact que cette histoire allait produire sur le microcosme de Westminster. Le monde politique allait être sens dessus dessous. Pire, Collingridge allait peut-être sauver sa peau. Était-ce ce qu'on attendait de lui ? Landless venait précisément de l'avertir qu'il avait d'autres chats à fouetter en ce moment, et que tous les grands dossiers susceptibles d'influer sur la course pour le poste de chef du Parti devaient être visés par lui avant publication. Pour Landless, les mauvaises nouvelles n'étaient qu'une marchandise comme une autre. Ce qu'il visait par-dessus tout, c'était l'influence. Preston ignorait ce que son patron penserait de tout ça. Du coup, il ne savait pas sur quel pied danser. Il avait besoin de gagner du temps.

— À ce que je vois, tu n'as pas chômé, jeune fille.

— C'est un scoop énorme, Greville.

— Je n'ai pas le souvenir que tu m'en aies parlé. Ni que tu m'aies demandé l'autorisation de faire des frais pour ouvrir des adresses bidon.

Les réticences de Preston ne manquèrent pas de surprendre Mattie.

— C'est ce qu'on appelle l'initiative, Greville.

— Je ne dis pas que tu as mal fait…

Mentalement, il feuilletait son encyclopédie intime du baratin, à la recherche d'un biais pour ne pas se mouiller. C'était un volume usé à force d'être consulté. Enfin, il trouva ce qu'il cherchait et referma son livre virtuel dans un claquement sourd.

— Mais qu'est-ce qu'on a au juste, Mattie ? Tu as établi qu'on peut ouvrir un compte au nom de Collingridge et l'utiliser. Mais ce n'est pas assez. Tu n'as pas prouvé que ce n'était pas Charlie Collingridge lui-même. Pour l'heure, ça reste l'explication la plus simple.

—Mais le fichier informatique, Greville. Quelqu'un l'a trafiqué.

—Tu ne t'es pas dit que le fichier pouvait avoir été modifié non pas pour incriminer Collingridge, mais par lui, ou l'un de ses amis, afin de lui offrir un alibi. Un hameçon pour attraper un petit poisson comme toi.

—Vous plaisantez...

—D'après ce que nous savons, ce n'est pas le fichier de la liste de diffusion qui a été modifié, mais le fichier des comptes. Si ça se trouve, il a été modifié quelques minutes seulement avant que tu ne le voies.

—Mais il n'y a qu'une poignée de personnes qui ont accès au fichier des comptes, protesta Mattie. Et d'abord, comment Charlie Collingridge aurait-il pu réaliser cet exploit alors qu'il est en cure de désintoxication dans une clinique ?

—Son frère.

Mattie tombait des nues.

—Vous n'imaginez pas sérieusement que le Premier Ministre prendrait le risque énorme de demander à quelqu'un de modifier un fichier informatique au siège du Parti histoire de falsifier des preuves ? Et tout ça après avoir annoncé sa démission.

—Mattie, voyons, tu n'as pas oublié. À moins que tu ne sois trop jeune pour te souvenir ? Le Watergate. Des fichiers avaient été brûlés et des bandes effacées – par le Président. Pendant le scandale de l'Irangate, une secrétaire a sorti des documents de la Maison Blanche en les cachant dans sa culotte.

—Nous ne sommes pas au Far West ici...

—Ah bon. Jeremy Thorpe. Chef du parti libéral. Poursuivi pour tentative de meurtre. John Stonehouse condamné à la prison après avoir feint de s'être suicidé.

Lloyd George vendait des pairies à la porte de derrière de Downing Street et baisait sa secrétaire sur la table où se réunit le Cabinet. C'est comme ça la politique, Mattie, toujours, dit Preston en s'échauffant à mesure qu'il déroulait son sujet. Le pouvoir agit comme une drogue. Comme une flamme pour un papillon de nuit. Ils sont attirés et ne voient absolument rien des dangers. Ils sont prêts à tout risquer : leur mariage, leur carrière, leur réputation et même leur vie. Pour l'instant, il reste plus simple de croire que les Collingridge se sont fait pincer la main dans la caisse et qu'ils essayaient de cacher les preuves.

— Vous n'êtes quand même pas en train de me dire qu'on ne sort pas l'affaire ! s'exclama-t-elle.

— Tout doux, bon sang. Tout doux. Tout ce que je dis, c'est que tu n'as pas assez de biscuits pour que ton histoire tienne la route. Cela fait beaucoup de merde à remuer. Il te faut une plus grosse pelle. Il faut tu creuses encore.

S'il avait pensé conclure l'entretien avec cette phrase, avant de pouvoir passer à autre chose, il en fut pour ses frais. Mattie abattit ses mains à plat sur le bureau et se pencha en avant pour le regarder droit dans les yeux, malgré son regard fuyant.

— Greville, je sais que je ne suis qu'une femme stupide, mais expliquez-moi bien pour que je comprenne. Soit quelqu'un a piégé les Collingridge, soit le Premier Ministre est coupable de falsification. Dans un cas comme dans l'autre, c'est énorme. On a de quoi faire la une pendant une semaine.

— Oui, mais laquelle des deux options est la bonne ? On doit absolument être sûrs. Surtout au beau milieu de l'élection en cours.

— Mais c'est précisément parce que le Parti est en train de choisir son chef que nous devons sortir cette affaire ! À quoi ça sert d'attendre après le scrutin, lorsque le mal aura été fait ?

En dépit de tous ses efforts, Preston était parvenu au bout de sa logique. Et il appréciait très modérément de se faire chapitrer par l'un des membres les plus jeunes de sa rédaction – une femme qui plus est. Il en avait soupé.

— Écoute, enlève tes nichons de ma table et remballe ton artillerie. Tu déboules dans mon bureau avec une histoire époustouflante, mais sans le moindre début de preuve. Et bien sûr, tu n'as pas écrit le moindre mot. Comment je fais pour savoir si tu as un vrai scoop ou si tu as un peu forcé sur la boisson au déjeuner ?

À sa grande surprise, Mattie ne se mit pas à crier. Au contraire, elle baissa la voix, comme pour murmurer une menace.

— D'accord, Greville. Si c'est ce que vous voulez, vous aurez mon article d'ici une demi-heure.

Elle tourna les talons et sortit de la pièce, se retenant à grand-peine de claquer la porte jusqu'à la faire sortir de ses gonds.

Une quarantaine de minutes plus tard, Mattie faisait de nouveau irruption dans l'antre de Preston, sans frapper, six pages interligne double à la main. Sans un mot, elle les laissa tomber sur le bureau, avant de se planter résolument devant son boss. Le message était clair : elle ne bougerait pas avant d'avoir sa réponse.

Il la laissa mariner debout, pendant qu'il lisait l'article en prenant tout son temps. Tout du long, il fit comme s'il était aux prises avec un choix cornélien. Bien sûr, ce n'était que du théâtre. La décision avait déjà été prise au cours d'une conversation téléphonique passée dans la seconde qui avait suivi le départ de Mattie de son bureau.

— Elle est déterminée, Ben. Elle sait qu'elle tient un scoop unique. Elle n'acceptera pas qu'on le lui refuse.

— Peu importe. On ne sort pas l'affaire, avait répondu Landless. Pour l'instant, ça ne cadre pas avec mon agenda. J'ai d'autres priorités.

— Vous voulez que je fasse quoi ?

— Comporte-toi en rédacteur en chef, Greville. Persuade-la qu'elle a tort. Transfère-la à la rubrique « cuisine ». Envoie-la en vacances. Donne-lui une promotion. Mais qu'elle se tienne peinarde !

— Ce n'est pas si simple. Non seulement elle est plus têtue qu'une bourrique, mais elle comprend la politique comme personne.

— Je m'étonne d'avoir à te rappeler ça, mais s'il y en a un qui comprend la politique comme personne, c'est moi !

— Je ne voulais pas…

— Écoute, dans deux semaines, cette foutue primaire sera finie. Il y a beaucoup de choses dans la balance. Pas seulement l'avenir du pays, mais mes affaires – et ton poste. Tu me reçois cinq sur cinq ?

Preston était sur le point de répondre qu'il avait compris, bien sûr, mais Landless avait déjà raccroché. Et Mattie, la cause de tous ses soucis, était de retour dans son bureau. Il continuait de parcourir l'article, mais sans le lire. Son esprit était tout entier concentré sur ce qu'il allait bien pouvoir dire. En toute sincérité, il ne savait pas vraiment comment il devait la prendre. Pour finir, il déposa l'article sur son bureau et s'étira dans son fauteuil.

— On ne peut pas le publier. C'est trop risqué. Je ne veux pas faire dérailler la primaire sur la base de simples spéculations.

C'était ce à quoi Mattie s'était attendue. Elle répondit entre ses dents, en un murmure qui frappa Preston avec la force d'un uppercut.

— Ce n'est pas une réponse acceptable. Je ne l'accepte pas.

Merde! Mais pourquoi refusait-elle de faire ce qu'on lui demandait ? Pourquoi ne faisait-elle pas comme les autres ? Pourquoi n'en prenait-elle pas son parti en haussant les épaules ou en fondant en larmes. Il puisa de la détermination dans la tranquille insolence qu'elle avait mise dans ses paroles.

— C'est non. Je ne publie pas ton article. Je suis ton rédacteur en chef et c'est moi qui décide. Tu acceptes ou bien tu…

— Ou bien quoi, Greville ?

— Ou bien tu comprends que tu n'as aucun avenir au service Politique du *Chronicle*.

— Vous me virez ?

C'était une surprise pour elle. Comment pouvait-il se permettre de la perdre, pile au beau milieu de l'élection pour désigner le chef du Parti.

— Non, je te mute à la rubrique féminine. À compter de cet instant. Franchement, je crois que tu n'as pas acquis la maturité voulue pour notre service politique. Pas encore. Peut-être dans un…

Elle vint se planter juste sous son nez.

— Qui est-ce qui vous tient comme ça, Greville ?

— Qu'est-ce que tu veux dire ?

— D'ordinaire, vous n'arrivez pas à prendre la moindre décision. Est-ce que je mets un slip ou un caleçon ? Choisir de me virer et de ne pas publier, ça vient de quelqu'un d'autre, n'est-ce pas ?

— Mais je ne te vire pas ! Tu es transférée…

Preston commençait à perdre une bonne part de l'empire qu'il s'efforçait de conserver sur lui-même. À voir son teint, on pouvait raisonnablement croire qu'il retenait sa respiration depuis un moment.

— Vous ne me virez pas ?

— Exactement !

— Alors je m'en vais.

Les joues de Preston avaient pris la teinte d'une cerise bigarreau bien mûre. Il ne pouvait pas se permettre de la laisser partir du *Chronicle*, du moins pas dans l'immédiat. C'était la seule manière de la contrôler. Mais que pouvait-il faire ? Il se força à sourire et écarta les mains en un geste censé évoquer la générosité.

— Écoute, Mattie, ne te précipite pas. On est entre amis ici.

Les narines de la jeune femme se dilatèrent de mépris.

— C'est important que tu étoffes ton expérience du journal. Tu as du talent, c'est indéniable, même si j'ai tendance à penser que tu ne t'es pas adaptée au mieux au service politique. Bien sûr que nous voulons te garder. Prends le week-end pour réfléchir à la rubrique pour laquelle tu voudrais écrire.

Il vit les yeux de Mattie et comprit que son boniment ne fonctionnait pas.

— Si tu penses vraiment que ta place n'est plus ici, ne te précipite pas dans n'importe quoi. Prends le temps de faire le tri et de choisir ce que tu veux faire. Nous t'aiderons du mieux possible. On t'accordera six mois de salaire pour ta reconversion. Je ne veux ni rancœur ni rancune entre nous. Réfléchis tranquillement.

— C'est tout réfléchi. Si mon article n'est pas publié, je démissionne. Ici et maintenant.

Les paroles conciliantes se firent alors dures comme l'acier.

— Dans ce cas-là, je te rappelle que tu as un contrat dans lequel il est stipulé que tu dois me donner un préavis de trois mois. Pendant ce laps de temps, nous conservons l'exclusivité des droits sur ton travail journalistique. Et si tu insistes, nous pourrons faire valoir nos droits devant un tribunal, ce qui ne manquerait de ruiner définitivement ta carrière. Regarde les choses en face, Mattie. Ton article ne sera pas publié, ni ici, ni ailleurs. Fais preuve d'un peu de bon sens. Accepte ce qu'on te propose. C'est la meilleure offre qui te sera faite.

Subitement, Mattie revit le visage de son grand-père, qui souriait en la regardant, roulée en boule à ses pieds devant la cheminée.

— Tu es un vrai poison, ma petite Mattie, disait-il. Tu poses des questions, encore des questions, toujours des questions.

— C'est parce que je veux savoir, Farfar.

Son grand-père lui avait alors raconté sa fuite de son village de pêcheurs au fond d'un fjord norvégien. Comment il avait tout abandonné derrière lui pour conquérir sa liberté, en sachant qu'une fois parti, il ne pourrait plus faire demi-tour.

— Je savais ce qui m'attendait, disait-il. Des choses terrifiantes. Les patrouilles allemandes, les mines flottantes et 1 500 kilomètres de mer déchaînée.

— Alors pourquoi l'as-tu fait ?

— Parce qu'il y avait autre chose encore qui m'attendait. La plus merveilleuse et terrifiante de toutes. L'avenir…

Et sur ces mots, il avait ri et déposé un baiser sur les boucles de sa petite-fille.

Mattie rassembla les feuillets épars sur le bureau de Preston, puis en fit une pile parfaite qu'elle déchira en deux. Ensuite, elle en laissa tomber les morceaux sur les genoux de son ex-rédacteur en chef.

— Tu peux garder les mots, Greville. Mais la vérité ne t'appartient pas. Je ne sais même pas si tu saurais la reconnaître.

Cette fois-ci, elle claqua vraiment la porte.

CHAPITRE 32

Les politiciens sont comme les auteurs sur le retour et les vieilles dames. Il y a un moment très délicat à négocier dans leur existence, celui où le respect manifesté par leurs amis ne leur convient plus et où ils voudraient à tout prix être adulés par un public.

Dimanche 14 novembre – Lundi 15 novembre

Immédiatement après la publication de l'article dévastateur du *Chronicle* sur les sondages d'opinion, puis la démission de Collingridge, Urquhart avait écrit à tous ses collègues parlementaires en tant que *Chief Whip* :

> Pendant la période électorale qui s'ouvre en vue de la désignation du chef de notre Parti, vous ne manquerez pas d'être sollicités par les médias et les sondeurs désireux de connaître le candidat auquel vous apporterez votre soutien. Je vous encourage vivement à ne pas donner suite. Au mieux, ces études contribueront à fausser le jeu normal de ce qui est censé être un scrutin confidentiel. Au pire, elles seront utilisées à des fins malveillantes. Nous pouvons fort bien nous passer de manchettes tapageuses et autres

commentaires baroques. Pour servir au mieux des intérêts du Parti, mieux vaut refuser d'apporter votre concours à ces agissements.

Dans leur majorité, les élus du Parti acceptèrent de bon cœur ce conseil. Cependant, on estime généralement qu'un tiers au moins des députés sont constitutionnellement incapables de faire preuve de discrétion, pas même au sujet de secrets d'État. En conséquence, un peu moins de 40 % des trois cent trente-sept membres du Parlement appartenant à la majorité gouvernementale répondirent aux sondeurs qui les harcelaient au téléphone pour le compte de deux journaux du dimanche. Il en ressortait que le Parti semblait très loin d'un consensus collectif. En outre, les données communiquées par les répondants ne contribuaient pas à la clarté. Samuel était certes en tête, mais dans une proportion étroite, que les sondeurs eux-mêmes qualifiaient de « statistiquement insignifiante ». Woolton, McKenzie et Earle suivaient de près, avec loin derrière encore quatre autres candidats qui s'étaient risqués à sortir de la tranchée.

À quatre jours tout juste de la clôture des candidatures, on ne pouvait guère tirer de conclusions de ces éléments, mais ce détail ne parut pas gêner les journalistes chargés de la rédaction des gros titres.

« SAMUEL DÉVISSE ET PERD SON AVANCE », clamait le *Mail on Sunday*, tandis que l'*Observer* faisait preuve d'à peine moins de retenue en titrant : « LE PARTI DANS LA TOURMENTE – LES SONDAGES METTENT EN ÉVIDENCE UNE GRANDE INCERTITUDE ».

Inévitablement, les éditorialistes se déchaînèrent, critiquant la piètre qualité à la fois des candidats et de leurs campagnes. « Ce pays est en droit d'attendre du Parti aux affaires un peu plus que le sempiternel retour du panier de crabes », entonna le *Sunday Express*. « Le Parti qui nous est donné à voir est peut-être l'ultime avatar d'une formation politique devenue ingérable et totalement à court d'idées après un si long bail passé au pouvoir. »

Le lendemain, l'édition du *Chronicle* se proposait de tout remettre à plat. À trois jours de la clôture des candidatures, le journal rompait avec les conventions et, pour la première fois de son histoire, publiait son éditorial en première page. Le tirage fut augmenté, et un exemplaire fut livré par porteur spécial à l'adresse londonienne de tous les députés appartenant à la majorité. Le quotidien londonien n'avait épargné aucun effort pour faire connaître sa position dans tous les couloirs de Westminster :

> Notre journal a toujours apporté son soutien au gouvernement, non pas en vertu de préjugés aveugles, mais parce que nous avons la conviction que le Parti au pouvoir sert mieux les intérêts du pays que ne le feraient ses concurrents. Tout au long de l'ère Thatcher, les faits sont venus conforter notre jugement. Les progrès enregistrés parlent d'eux-mêmes. Au cours des derniers mois, nous avons toutefois eu le sentiment qu'Henry Collingridge n'était sans doute pas le mieux à même d'écrire le chapitre suivant. Pour cette raison, nous avons soutenu la décision qu'il a prise de démissionner. Cependant, le manque de clairvoyance des candidats déclarés laisse craindre que le Parti renoue avec ses travers habituels, et ô combien regrettables, de l'atermoiement et de l'indécision, dont nous pensions pourtant être définitivement débarrassés.

Au lieu de la main ferme dont nous avons besoin pour consolider les progrès économiques et avancées sociales enregistrés ces dernières années, on nous demande de choisir entre l'inexpérience de la jeunesse, le chaos environnemental, et des emportements malvenus à la lisière de la discrimination raciale. Ce choix n'est pas à la hauteur. Nous avons besoin d'un chef qui sache faire preuve de maturité, de sagesse, de réserve, et d'une réelle capacité à travailler avec ses collègues.

Au sein du Parti, il y a au moins une figure éminente qui possède tous ces attributs, et qui, ces dernières semaines, a été pratiquement la seule personne à œuvrer pour préserver la dignité du gouvernement en se montrant capable de mettre de côté ses ambitions personnelles dans l'intérêt supérieur du Parti.

Il a annoncé qu'il n'avait aucune intention de se porter candidat au poste de chef du Parti, mais il a encore le temps de revenir sur sa décision d'ici la clôture, ce jeudi. Nous estimons que le Parti aurait tout à gagner à ce que le *Chief Whip*, Francis Urquhart, soit candidat. Et nous pensons que le pays tout entier se porterait bien mieux s'il était élu.

Un tel appui avait tout d'un canot de sauvetage lancé sur une mer démontée. Lorsque Urquhart sortit de chez lui, dans Cambridge Street, à 8 h 10, une foule de journalistes l'attendait. Lui-même avait patienté un peu à l'intérieur, de façon que sa sortie puisse opportunément être relayée en direct dans l'émission *Today* sur les ondes radio de la BBC, ainsi que dans tous les journaux télévisés du matin. Attirés par la mêlée des reporters, des passants et des quidams en route pour leur travail via la gare Victoria toute proche étaient venus s'enquérir des causes de la cohue. Dans les images télévisées, tout donnait à croire que des citoyens ordinaires – « des vrais gens », comme dit un commentateur – manifestaient un intérêt considérable pour cet homme sur le seuil de sa maison.

Les journalistes crièrent. D'un geste, il leur intima de faire silence. À la main, il tenait un exemplaire du *Chronicle* du jour. Il affichait un petit sourire empreint d'assurance et évocateur d'intrigue.

— Mesdames et messieurs, en tant que *Chief Whip*, j'aimerais croire que vous êtes venus ici pour discuter du prochain programme législatif du gouvernement. Mais quelque chose me dit que ce n'est pas exactement ce que vous avez en tête.

Son aimable boutade recueillit des rires approbateurs. Urquhart avait désormais la situation bien en main.

— Ce matin, j'ai pris connaissance avec surprise – et grand intérêt – de l'éditorial paru dans le *Chronicle* du jour, attaqua-t-il en brandissant le journal pour que les caméras n'en loupent rien. Je suis bien entendu flatté qu'on puisse avoir une aussi haute opinion de mes capacités. Je vous assure qu'en la matière, mon jugement personnel est infiniment plus nuancé. Comme vous le savez, j'avais annoncé mon intention de ne pas être candidat, convaincu qu'il est dans l'intérêt du Parti que le *Chief Whip* reste en retrait.

Il s'éclaircit la voix. L'assistance attendit en silence, stylos levés, micros tendus, comme une horde de petits chiens tirant sur leur laisse jusqu'à son extrémité.

— Globalement, je n'ai pas changé d'avis. Cependant, le *Chronicle* soulève des points importants qu'il y a lieu d'examiner soigneusement. Je sais que vous ne m'en voudrez pas si je ne livre pas, ici sur le trottoir, un jugement définitif ou à l'emporte-pièce. Même pour vous, mesdames et messieurs, la chose m'est impossible. J'aimerais prendre le temps de consulter quelques-uns de mes collègues et d'examiner leurs opinions. Je souhaiterais également m'entretenir longuement et sérieusement avec mon épouse, dont l'avis est le plus important à mes yeux. Ensuite, la nuit porte conseil. Je vous informerai demain de ma décision. D'ici là, je ne ferai aucune autre déclaration. À demain !

Urquhart les gratifia d'un ultime salut, le journal toujours tenu à la main, en une pose qu'il tint plusieurs longues secondes pour complaire aux photographes. Puis il se replia dans sa maison, dont il referma fermement la porte derrière lui.

Mattie commençait à se poser la question de savoir si elle n'avait pas fait preuve de précipitation en sortant comme elle l'avait fait du bureau de Preston. Après un week-end passé à se demander dans quels journaux elle aimerait bien travailler, elle avait assez rapidement fini par voir qu'aucun d'entre eux n'avait une place vacante qui l'attendait dans son service Politique. Elle avait passé de nombreux coups de fil, sans décrocher beaucoup de rendez-vous. Elle découvrait également qu'une rumeur était en train de se répandre à son sujet. Il se disait qu'elle avait quitté le *Chronicle* en proie à une crise de larmes, furieuse d'avoir été critiquée par son rédacteur en chef qui avait osé remettre en cause la pertinence de ses points de vue. Or, comme chacun sait, les éclats de jeunes femmes à fleur de peau n'ont pas bonne presse auprès des mâles alpha qui tiennent les rênes du monde médiatique. En outre, l'annonce que la Banque d'Angleterre augmentait son taux directeur pour protéger la livre sterling de la spéculation en cette période d'incertitude, ne fit rien pour lui améliorer l'humeur. Comme de juste, le taux des prêts hypothécaires s'aligna sur la tendance haussière dans les heures suivantes. Mattie avait contracté ce type d'emprunt. Un gros. Payer ses traites était déjà difficile avec un salaire. Alors sans, elle était sûre de voir les hyènes frapper à sa porte dans pas très longtemps.

L'après-midi, elle se rendit à la Chambre des communes pour essayer de rencontrer Urquhart. Son nom était sur toutes les lèvres, mais il restait insaisissable. Et il ne la rappelait pas en dépit des messages qu'elle lui avait laissés. C'est par hasard qu'elle le trouva, en le télescopant pratiquement tandis qu'elle descendait l'un des petits escaliers en colimaçon sur un côté de Westminster Hall. Il arrivait dans l'autre sens, gravissant les marches de marbre quatre à quatre, avec une vigueur d'homme bien plus jeune. Elle fut si surprise qu'elle faillit bien glisser. D'une main, il la rattrapa par le bras, la retint et lui rendit son équilibre.

— Mattie, quelle délicieuse surprise.

— J'ai essayé de vous contacter.

— Je sais. Moi j'ai tout fait pour vous éviter, répondit-il en riant de son ahurissante honnêteté. N'en prenez pas ombrage. Je me cache de tout le monde. Je fais profil bas, pour l'instant.

— Allez-vous être candidat au moins ? Je pense que vous devriez.

— Mattie, vous savez très bien que je ne peux faire aucun commentaire. Pas même à vous.

— Ce soir ? Puis-je vous rendre visite ?

Ils se regardèrent dans les yeux. Tous deux savaient que cette demande n'était pas entièrement à caractère professionnel. Ce n'est qu'à cet instant qu'il lui relâcha le bras.

— Mme Urquhart sera là ce soir. Je dois passer un peu de temps avec elle.

— Bien sûr.

— Et je suppose qu'il y aura des dizaines de photographes prêts à immortaliser les allées et venues chez moi.

— Excusez-moi, c'était idiot de ma part.

— Je dois y aller, Mattie.

— J'espère..., commença-t-elle.

Elle se mordilla une lèvre.

— Oui, qu'espérez-vous, Mattie ?

— J'espère que vous l'emporterez.

— Mais je ne suis même pas encore candidat.

— Vous le serez, Francis.

— Comment pouvez-vous prédire une chose pareille ?

— Appelons cela l'intuition féminine.

De nouveau, il posa sur elle ce regard pénétrant. La lueur qui y brillait n'était pas exclusivement professionnelle.

— C'est une qualité que j'admire énormément, Mattie.

Elle soutenait son regard.

— Il faut vraiment que j'y aille. J'ai hâte que nos chemins se croisent à nouveau.

Et il partit.

La marée montante arrivait à toute allure dans la Tamise, si bien que le ponton de bois de la jetée de Charing Cross semblait danser dans le courant. La soirée débutait à peine, mais il faisait déjà bien noir. Venu de quelque part sur la mer du Nord, au-delà de l'estuaire, un vent aigre arrivait à la surface de l'eau pour s'enrouler autour des chevilles. Mattie resserra son manteau autour d'elle et fourra ses mains au fond de ses poches. Elle fut soulagée de voir arriver la navette fluviale privée du *Chronicle*. Elle convoyait les employés du site du journal dans le quartier des Docklands aux quartiers plus centraux de la capitale britannique. C'était ce moyen de transport que Mattie utilisait auparavant pour se rendre du journal à Westminster. Krajewski lui avait fixé rendez-vous à cet endroit, pour lui délivrer un message.

— Greville dit qu'il faut que tu reviennes, dit Krajewski en descendant la courte passerelle.

— Je suis partie.

— Il le sait parfaitement. Toute la rédaction est au courant. Je ne pensais pas qu'on pouvait claquer une porte aussi fort sans faire tomber le mur, dit-il d'un ton léger, fait pour dérider la jeune femme. Quoi qu'il en soit, il dit qu'il veut que tu reviennes, même si ce n'est que pour faire tes trois mois de préavis.

— Je préfère encore mourir de froid dehors, répliqua-t-elle en s'éloignant.

— Tu vas effectivement geler si tu ne travailles pas, Mattie, dit-il en l'attrapant par la manche pour l'obliger à ralentir. Fais au moins ton préavis.

— À la rubrique féminine ! grogna-t-elle dédaigneusement.

— Mets ce temps à profit pour trouver quelque chose. Greville dit que ça lui convient.

— Il veut me contrôler.

— Il veut te voir.

Les paroles du rédacteur en chef adjoint se déposèrent doucement entre eux.

— Tu pourras agir comme tu voudras, Mattie. Vas-y doucement et vois ce qui se passe. À moins que tu ne supportes pas l'idée de travailler avec moi.

— Non, Johnnie, ce n'est pas ça.

— Alors c'est quoi... ?

Elle reprit sa marche, mais plus lentement cette fois. Ils cheminèrent le long de la rive, suivant les méandres du fleuve, face aux panoramas éclaboussés de lumière qu'offraient la salle de concert du Royal Festival Hall et le Parlement un peu plus loin.

— Et qu'est-ce que tu penses de toute cette affaire avec Urquhart ? demanda-t-il, histoire de trouver un sujet de conversation qui n'engageait à rien.

— C'est extraordinaire. Et assez excitant.

— Un messie sur son destrier blanc qui arrive à la rescousse.

— Les messies ne montent pas de fiers destriers, idiot. Ils voyagent sur des ânes.

Ils éclatèrent de rire ensemble. L'atmosphère se détendait entre eux. Il se rapprocha d'elle et elle glissa un bras sous le sien. Ils marchaient dans les tas de feuilles que le vent avait formés sous les platanes.

— Pourquoi le journal a pris une position pareille ? demanda-t-elle.

— Je ne sais pas. Greville est arrivé assez tard hier, sans décrocher un mot, puis il a chamboulé la maquette et sorti de sa poche son édito pour la première page. Aucune annonce, aucune explication. Toujours est-il que son texte a produit son petit effet. Après tout, il a peut-être eu raison.

— Je ne crois pas que ce soit signé Greville, dit Mattie en secouant la tête. Il faut des couilles pour faire prendre une position aussi tranchée au journal. Et lui, c'est plutôt le genre « raisin de Corinthe ». Non, cela ne peut venir que d'un seul endroit : le bureau de notre – de ton ! – propriétaire adoré. La dernière fois qu'il est intervenu, c'était pour détrôner Collingridge. Et maintenant, il donne la couronne à quelqu'un d'autre.

— Mais pourquoi ? Pourquoi Urquhart ? Il a tout du patricien aristocratique et solitaire. La vieille école dans toute sa splendeur, non ?

— Le genre solide et silencieux.

— Ce n'est pas non plus un garçon dans le vent. Il n'a pas vraiment de fan-club.

— Mais c'est peut-être ça précisément, Johnnie. Le profil bas. Personne ne le déteste assez pour faire campagne contre lui, comme c'est le cas pour Samuel.

Elle se tourna vers lui. Son souffle s'échappait en fines volutes de brume blanches.

— Tu sais, reprit-elle, il pourrait bien se glisser entre les lignes pendant que tous les autres sont occupés à s'étriper. Oui, Landless pourrait bien avoir misé sur un vainqueur.

— Alors tu penses qu'il va y aller ?

— J'en suis certaine.

— Comment peux-tu en être sûre ?

— Je suis une correspondante politique. La meilleure. Mais...

— Il fait frisquet à l'extérieur de la tente, pas vrai ?

— J'ai perdu mon boulot, Johnnie. Pas ma curiosité. Je pense qu'il se trame quelque chose de bien plus énorme qu'on ne l'imagine. Plus que Landless, et infiniment plus que m'sieur Raisin de Corinthe. Un truc trop gros même pour le *Chronicle*.

— De quoi tu parles ?

— Woodward et Bernstein ?

— Ils avaient un journal pour imprimer leurs articles.

— Ils ont aussi écrit un livre.

— Tu vas écrire un livre ?

— Peut-être.

— Tu veux que je l'annonce à Greville ?

— Uniquement si ça le contrarie vraiment beaucoup.

Chapitre 33

Plus un chat monte haut dans un arbre et plus sa chute est grande. C'est la même chose pour les politiciens, à la nuance près qu'ils ne retombent pas toujours sur leurs pattes.

Mardi 16 novembre

Allait-il se présenter ? Ou pas ? Le lendemain, une seule question dominait l'actualité : Urquhart allait-il être candidat au poste de chef du Parti en vue de devenir le prochain Premier Ministre. Les médias s'étaient tellement emballés qu'ils auraient eu le sentiment d'être trahis s'il y renonçait. Pourtant, en milieu d'après-midi, le *Chief Whip* en était encore à consulter.

Tout comme Roger O'Neill. La veille, Mattie avait téléphoné au siège du Parti pour solliciter une communication officielle sur l'informatique, la vente des publications et les procédures comptables au niveau du siège du Parti, mais avait découvert ce faisant que Spence avait dit vrai. Aucun contact n'était autorisé avec les médias pendant toute la durée de la campagne. Elle pouvait s'adresser uniquement au service de presse, où personne ne semblait disposé ou en mesure de lui répondre.

— On dirait que vous menez un audit sur notre fonctionnement interne, répondit son interlocuteur au bout du fil. Les abonnements à nos publications… ? Vous savez, Mattie, nous sommes absolument submergés en ce moment. Vous devriez rappeler d'ici une quinzaine de jours.

Elle avait donc demandé à être mise en relation avec le bureau d'O'Neill, et on lui avait passé Penny Guy.

— Bonjour, Mattie Storin à l'appareil, du *Chronicle*, dit-elle, avec tout au plus un vague remords. Nous nous sommes rencontrées à plusieurs reprises, au congrès du Parti. Vous vous souvenez de moi ?

— Bien sûr, Mattie. En quoi puis-je vous être utile ?

— Je voulais savoir… Je sais que je vous prends un peu de court et je m'en excuse, mais je me demandais s'il me serait possible de passer demain matin pour m'entretenir avec Roger.

— Oh, je suis désolée, Mattie, mais il réserve toutes ses matinées aux réunions internes et aux tâches administratives.

C'était un mensonge, bien sûr, auquel elle devait d'ailleurs recourir de plus en plus souvent, dans la mesure où l'emploi du temps d'O'Neill était devenu spectaculairement erratique. Depuis un certain temps, il n'apparaissait plus jamais au bureau avant 13 heures.

— Mince, j'espérais vraiment que…

— De quoi s'agit-il ?

— Quelques idées me sont venues et j'aimerais lui en parler pour voir ce qu'elles valent. C'est au sujet du subit intérêt de Charles Collingridge pour la documentation politique publiée par le Parti. Et au sujet de l'adresse de Praed Street également.

Il y eut un long instant de silence, comme si Penny avait laissé tomber son téléphone.

— Je vous rappelle, dit-elle enfin à la hâte, avant de raccrocher.

Penny avait pensé que l'intense inquiétude que le coup de fil de Mattie avait fait naître en elle deviendrait un véritable vent de panique quand elle parlerait à O'Neill. Pourtant, il sembla prendre la nouvelle avec confiance.

— Elle n'a rien, Penny, dit-il avec insistance. De toute façon, j'ai entendu dire qu'elle était en délicatesse avec son journal. Ce n'est pas un problème.

— Mais que sait-elle exactement, Roger ?

— Comment est-ce que je le saurais ? Laisse-la venir et on verra.

— Roger ?

— Tu penses que je ne suis plus capable de faire une feinte et de placer un contre-pied ? Merde, Penny, ce n'est qu'une fille !

Elle avait encore insisté, tenté de lui dire que c'était une erreur et qu'il devait faire attention, mais il ne l'écoutait pas. Comme il ne venait plus le matin, Mattie fut donc invitée à venir l'après-midi suivant.

Penny aimait O'Neill, mais ses sentiments la rapprochaient tellement de lui qu'elle ne parvenait plus à le voir dans sa globalité. Elle le croyait stressé, épuisé par le travail, en proie à une souffrance. En réalité, elle ne comprenait tout bonnement pas les effets dévastateurs de la cocaïne sur le cerveau de Roger. O'Neill restait hyperactif jusqu'au petit matin, incapable de dormir aussi longtemps qu'une poignée d'antidépresseurs n'avait pas contrebalancé les effets du psychotrope pour le plonger dans le noir oubli.

Il en émergeait rarement avant midi – parfois plus tard. Penny était donc de plus en plus confuse et gênée de faire attendre Mattie. O'Neill avait promis la ponctualité, mais à mesure que les aiguilles de l'horloge poursuivaient leur course inexorable, Penny sentait se tarir sa capacité à inventer de nouvelles excuses. En fait, elle était stupéfaite en songeant au grand écart entre les fanfaronnades d'O'Neill en public et sa contrition en privé, son comportement inexplicable et ses emportements irrationnels. Elle apporta une nouvelle tasse de café à Mattie.

— Je vais appeler chez lui, dit-elle. Peut-être est-il rentré. Il a pu oublier quelque chose ou alors il ne sent pas bien…

Penny passa dans le bureau de Roger pour téléphoner discrètement. Elle s'assit d'une fesse sur le coin de la table, prit le combiné et tapa résolument les chiffres sur le clavier. Non sans un certain embarras, elle salua Roger, avant de lui expliquer à voix basse que Mattie l'attendait depuis plus d'une demi-heure… Comme elle n'était vue de personne, elle laissa le flot d'émotions monter à son visage à mesure qu'elle entendait ce qu'il avait à dire. Elle était décomposée. Elle tenta de l'interrompre, mais c'était inutile. Elle sentit ses lèvres se mettre à trembler. Elle se mordit l'intérieur de la joue, mais vint inévitablement le moment où elle ne put plus se contenir. Elle laissa tomber le téléphone pour filer dans son bureau, passant devant Mattie, les joues ruisselantes de larmes.

Le premier réflexe de Mattie fut d'emboîter le pas à la pauvre Penny en plein désarroi. Mais son second, plus fort, fut de découvrir ce qui pouvait bien l'avoir mise dans cet état-là. Le combiné pendait toujours au bout de son fil, dans la position même où il avait été abandonné. La jeune journaliste le porta à son oreille.

La voix qu'elle entendait était méconnaissable, mais c'était bien Roger O'Neill. Il débitait des mots sans suite, incohérents, ânonnés d'une voix tellement ralentie qu'elle en évoquait celle d'une poupée parlante aux piles presque mortes. Il y avait des halètements, des gémissements, de longs silences, et des pleurs. C'était la musique folle d'un homme émotionnellement à l'agonie, en train de se déchirer lui-même. Doucement, elle reposa le combiné sur son socle.

Mattie trouva Penny dans les toilettes, en train de sangloter dans une serviette en papier. Elle posa une main compatissante sur son épaule. Penny se retourna vivement, comme si elle venait d'être frappée. Ses yeux étaient rouges et tout gonflés.

— Depuis quand est-il comme ça, Penny ?

— Je ne peux rien dire ! bafouilla la jeune femme.

En elle, la confusion se mêlait à une insupportable douleur.

— Écoutez, Penny, de toute évidence, il est au plus mal. Bon sang, je ne vais certainement pas faire un article à ce sujet. En revanche, je pense qu'il a besoin d'aide. Et vous, vous avez besoin de réconfort.

Mattie lui ouvrit les bras et Penny vint se nicher contre elle, exactement comme si elle avait été la femme la plus seule du monde. Elle resta dans les bras de Mattie jusqu'à ce qu'elle n'ait plus la moindre larme à verser. Lorsqu'elle se fut suffisamment ressaisie, elle accompagna Mattie pour une balade dans les jardins de la tour Victoria. L'air vif venu de la Tamise ne pouvait pas manquer de leur faire du bien, et elles pouvaient parler sans risquer d'être interrompues. Penny était comme vidée et sans forces. Elle fit promettre à Mattie que rien de ce qu'elle dirait ne serait imprimé. Mattie accepta et Penny entama son récit. Elle raconta comment la démission du Premier Ministre avait mis O'Neill dans un état de grande agitation. Certes, il avait toujours été « émotionnellement extravagant », mais depuis, les choses n'avaient cessé d'empirer.

— Je crois que cette démission l'a conduit au bord de la dépression.

— Mais pourquoi, Penny ? Ils n'étaient pas proches à ce point-là ?

— Il aimait à croire qu'il était proche de la famille Collingridge tout entière. Il faisait toujours envoyer des fleurs et de belles photos à Mme Collingridge. Chaque fois qu'il le pouvait, il avait de petites attentions. Il adorait ça.

Mattie poussa un lourd soupir et inspira le vent frais de la nuit – celui-là même qui avait poussé son grand-père pendant sa traversée. Qu'aurait pensé ce brave homme de ce qu'elle s'apprêtait à faire ? Un sentiment de culpabilité s'insinuait en elle. Elle savait qu'elle n'était pas simplement qu'une amie de Penny, mais son aïeul n'avait-il pas laissé tous ses amis derrière lui, et même sa famille, pour accomplir ce qu'il savait être juste ? Comme lui, Mattie n'avait d'autre choix que d'aller de l'avant.

— Roger a des ennuis, n'est-ce pas ? Je l'ai entendu au téléphone moi aussi. Penny, il y a quelque chose qui le ronge, qui le bouffe de l'intérieur.

— Je… Je crois qu'il s'en veut à mort à cause de ces actions.

— Les actions ? Vous parlez des actions *Renox* ? insista Mattie, faisant de son mieux pour dissimuler sa subite émotion.

— Charlie Collingridge lui avait demandé d'ouvrir cette boîte postale parce qu'il voulait une adresse où recevoir des courriers privés. Roger et moi sommes allés à Paddington en taxi, et il m'a envoyée m'occuper des papiers. Je savais que tout cela le mettait mal à l'aise. Je crois qu'il sentait que ça cachait quelque chose. Ensuite, quand il s'est rendu compte qu'on s'était servi de lui et qu'il avait provoqué un incroyable chaos, il s'est littéralement effondré.

— Mais pourquoi Charlie Collingridge a-t-il demandé à Roger de faire une chose pareille ? Pourquoi ne l'a-t-il pas fait lui-même ?

— Je n'en ai pas la moindre idée. Ce n'était rien d'autre qu'un service idiot que Roger avait accepté de lui rendre. Après tout, Charlie se sentait peut-être gêné de ce qu'il s'apprêtait à commettre. Ses tripatouillages boursiers…

Appuyées sur le parapet, elles contemplaient le fleuve gris aux eaux paresseuses. Une mouette vint se poser à côté d'elles. L'oiseau leur jeta un coup d'œil menaçant de ses yeux jaunes, en quête de nourriture de toute évidence. Mattie soutint son regard et la bestiole repartit, criant dans le ciel son dépit.

— Je suis certaine que c'était quelque chose comme ça, poursuivit Penny. Quelque chose dont Charlie n'était pas très fier. Il s'est servi de nous. Un jour, Roger s'est pointé au bureau en disant qu'il avait un petit service à rendre. Une mission ultraconfidentielle, dont je ne devais pas dire un mot. « Aussi silencieuse que si tu suçais un évêque », pour reprendre ses paroles. Vous connaissez Roger. Il essaie de pratiquer la poésie irlandaise. Il pense qu'il a un don avec les mots.

— Et donc, vous n'avez jamais vu Charlie Collingridge ?

— En effet. Roger préfère s'occuper lui-même des personnalités importantes.

— Mais êtes-vous certaine qu'il s'agissait bien de Charlie Collingridge ?

— Bien sûr, Roger me l'a dit. Et qui d'autre sinon ?

Une bourrasque du vent de novembre envoya des feuilles mortes tourbillonner entre leurs pieds comme des rats affolés. Penny ne put retenir un frisson.

— Oh, tout est devenu si horriblement compliqué.

— Tranquillisez-vous, Penny ! Tout va bien se passer. Les affaires de ce genre finissent toujours par s'arranger d'elles-mêmes, dit Mattie en glissant un bras sous celui de Penny pour l'inviter à reprendre leur marche. Pourquoi ne prendriez-vous pas un ou deux jours de vacances. Roger peut bien survivre sans vous quelque temps.

— Vous croyez ? Je n'en suis pas si sûre…

— Il ne peut pas être maladroit à ce point-là. Il sait se faire une tasse de thé et allumer son ordinateur, non ?

— Pour lui, c'est café uniquement. Et il tape avec un seul doigt.

— Méthode lente, mais méthode sûre.

— Non, juste lente.

C'était parfaitement logique aux yeux de Mattie. Celui qui avait bidouillé les fichiers au siège du Parti n'était pas un expert. Et O'Neill avait très exactement ce profil. Cela ne constituait pas une preuve, mais le tableau prenait forme. Les indices commençaient à s'accumuler.

Elles étaient revenues à leur point de départ, dans l'ombre de l'église sur Smith Square.

— Vous saviez que ce square est encore éclairé au gaz ? dit Mattie en désignant de l'index le réverbère joliment chantourné au-dessus de leurs têtes.

—Ah bon ? dit Penny en levant les yeux. Je passe tous les jours par ici et je ne l'avais jamais remarqué. Vous avez un œil de lynx.

—Je fais de mon mieux.

Elles étaient arrivées à l'entrée du siège du Parti. Penny poussa un énorme soupir à l'idée de retourner à l'intérieur pour affronter ce qui l'y attendait. Elle serra la main de Mattie.

—Je l'aime, vous savez. C'est ça le problème.

—L'amour ne devrait jamais être un problème.

—Et dire que je vous trouvais aussi sage qu'avisée ! répliqua Penny en riant. Merci d'avoir su m'écouter. Cette balade m'a vraiment fait beaucoup de bien.

—Appelez-moi si vous avez besoin. N'hésitez pas. Et prenez soin de vous.

—Vous aussi.

D'un pas de promenade, Mattie parcourut les quelques centaines de mètres qui la séparaient de la Chambre des communes. Réchauffée par les pensées qui bouillonnaient en elle, elle en oubliait le froid. Il y en avait une en particulier qui brûlait dans son esprit plus vivement qu'une flamme. *Pour quelle raison O'Neill a-t-il piégé Charles et Henry Collingridge ?*

Chapitre 34

Tous les politiciens ont des principes. Simplement, certains sont sur une longueur d'onde si rare qu'il faut au moins le Très Grand Télescope pour les apercevoir.

Mardi 16 novembre – Mercredi 17 novembre

Urquhart annonça son intention de se porter candidat au poste de chef du Parti au cours d'une conférence de presse tenue à la Chambre des communes, pile à l'heure voulue pour faire l'ouverture des premiers journaux télévisés du soir, et figurer dans la première édition des quotidiens le lendemain. Ce n'était pas une annonce faite à la va-vite sur un trottoir, mais une déclaration solennelle faite depuis le palais de Westminster, un lieu chargé d'histoire avec ses cheminées de pierres, ses boiseries sombres et son atmosphère d'autorité intemporelle. Ce fut une intervention empreinte de dignité, de retenue, presque d'humilité. Personne n'aurait songé à employer ce genre de mots pour Samuel, Woolton et les autres. Mortima se tenait aux côtés de Francis, qui tint à souligner encore une fois qu'il s'agissait d'une décision prise en famille. Il donnait l'impression d'être un homme entraîné malgré lui vers le siège du pouvoir, pour qui ses devoirs envers ses collègues et son pays passaient avant ses intérêts personnels. Bien entendu, ce n'était rien d'autre que du théâtre politique, mais sur un scénario soigneusement répété et joué à la perfection.

Le lendemain, le mercredi matin, Landless tint à son tour une conférence de presse. Encore une représentation, une pièce de théâtre, mais dans une atmosphère radicalement différente. Installé dans l'une des somptueuses salles de réception de l'hôtel *Ritz*, assis à une table couverte de micros, il faisait face aux caméras et aux questions de la presse financière. À ses côtés – et par contraste, pratiquement réduit à l'état de lilliputien – se tenait Marcus Frobisher, président du groupe *United Newspapers*. Ce dernier avait beau être un authentique capitaine d'industrie de plein droit, il était de toute évidence relégué à un second rôle pour ce jour-là. Sur un côté, un énorme écran montrait un montage vidéo des publicités les plus tapageuses vantant les mérites du *Chronicle*, émaillées de quelques pastilles où l'on voyait Landless accueilli par des ouvriers, abaissant un levier pour démarrer les rotatives, et dirigeant son empire à sa manière chaleureuse toute personnelle. Et puis, il y avait Landless en personne, souriant aux caméras.

— Bonjour mesdames et messieurs, attaqua celui-ci pour appeler l'assistance au calme, sur un ton aux accents cockneys bien moins prononcés que celui qu'il adoptait en privé. Merci d'être venus en ayant été prévenus aussi tard. Nous vous avons conviés ici pour vous présenter l'une des avancées les plus marquantes jamais réalisées dans le secteur britannique des communications depuis le jour où Julius Reuter a ouvert sa liaison télégraphique reliant Londres au continent, voici plus d'un siècle.

Il réorienta l'un des micros pour le rapprocher de sa bouche, ménageant un petit temps mort propice à l'épanouissement d'une certaine tension dans l'auditoire. Aujourd'hui, nous allons faire une annonce historique. En effet, nous avons décidé de donner naissance au plus grand groupe de presse du Royaume-Uni, afin de créer une plate-forme qui va permettre à notre pays de retrouver sa place de leader mondial dans l'industrie des services liés à l'information.

Il sourit à la foule tassée dans la pièce, avant de se tourner vers Frobisher.

— *Chronicle Newspapers* vient de faire une offre d'achat portant sur l'intégralité des actions en circulation du groupe *United Newspapers*, à un prix qui valorise son capital à un milliard quatre cents millions de livres. Cela représente une surcote de 40 % par rapport au cours du marché. Et j'ai le grand plaisir de vous annoncer que le conseil d'administration du groupe *United Newspapers* a accepté cette offre à l'unanimité.

Nouvelle distribution de sourires. Frobisher souriait lui aussi, mais Landless avait un charisme et une présence physique qui attirait l'attention sur lui. Tous les autres s'en trouvaient naturellement éclipsés.

— Nous nous sommes mis d'accord sur les modalités pour la gestion du groupe consolidé. Je deviens le directeur général de la nouvelle entité. Quant à mon ami, ancien concurrent et désormais collègue ici présent…

Landless tendit son énorme patte pour la poser sur l'épaule de Frobisher, en s'arrêtant tout près de son cou.

— Il occupera les fonctions de président, acheva-t-il.

Dans la salle, plusieurs personnes dûment versées dans les arcanes de la finance hochèrent la tête d'un air entendu. Connaissant bien Landless, ces gens-là avaient la certitude qu'il serait seul maître à bord. Frobisher avait été propulsé si haut vers les sommets que désormais plus personne ne verrait de lui autre chose que son cul. Assis à côté de l'énorme magnat, il faisait de son mieux pour faire bonne figure.

— Il s'agit d'un véritable pas de géant pour la presse écrite britannique, mais aussi pour le pays tout entier. Notre structure combinée aura le contrôle de plus de titres nationaux et régionaux que n'importe quel autre groupe. De même, la fusion de nos filiales à l'étranger va nous permettre de devenir le troisième groupe de presse de la planète. Cette plate-forme sera le tremplin de notre ambition – qui est tout simplement de devenir le numéro un mondial. Avec son siège ici même, en Grande-Bretagne.

Benjamin Landless rayonnait littéralement. Un sourire carnassier fendait sa grosse bouille d'une oreille à l'autre.

— Alors, est-ce que ce n'est pas de la nouvelle excitante, ça ? conclut-il en renouant avec son accent de natif de l'Est londonien. À ce moment, les flashs crépitèrent, exactement comme s'ils avaient répondu à un signe de sa part. Il les laissa profiter de l'instant, avant de reprendre les rênes.

— Et maintenant, comme je sais que vous avez un tas de questions… Feu à volonté !

Un murmure d'intense excitation emplit la salle, et une forêt de mains se leva pour attirer son attention.

— En bonne justice, il faut sans doute que je laisse quelqu'un qui ne travaille pas pour le groupe poser la première question, dit Landless sur le ton de la plaisanterie. Est-ce qu'il y a ici quelqu'un qui a la malchance de correspondre à cette description ?

Avec une exagération toute théâtrale, il se protégea les yeux de l'éclairage des projecteurs et chercha dans la masse une victime. Tout le monde riait de son infernal toupet.

— Monsieur Landless, cria le journaliste économique du *Sunday Times*. Ces dernières années, le gouvernement était d'avis que la presse britannique était déjà concentrée dans un trop petit nombre de mains. Les autorités ont toujours dit qu'elles useraient de leurs prérogatives en matière de monopoles et de fusion pour prévenir toute consolidation. Comment pensez-vous pouvoir obtenir le feu vert du gouvernement ?

Bon nombre de journalistes hochèrent la tête. Excellente question. Landless semblait partager leur sentiment.

— Un point très intéressant, dit-il en écartant les bras, comme s'il avait voulu serrer cette interrogation contre son cœur, pour l'étouffer en l'étranglant doucement. Vous avez raison. Le gouvernement va devoir adopter une position. Les journaux sont des rouages du secteur mondial des médias, qui connaît une croissance permanente et évolue chaque jour. Vous êtes tous bien placés pour le savoir. Il y a cinq ans encore, vous travailliez tous à Fleet Street sur de vieilles machines à écrire, et on imprimait sur des presses qui auraient déjà dû être mises à la casse l'année où le Kaiser s'est rendu. Aujourd'hui, notre industrie s'est modernisée, décentralisée, informatisée.

— C'est bien dommage ! cria une voix, provoquant une vague de rires teintés de nostalgie.

On n'avait pas oublié ces temps pas si lointains où l'on « mangeait liquide » au bar *El Vino*, où les interminables grèves des typographes, rotativistes et autres photograveurs valaient à toute la profession des semaines, voire des mois de *farniente*. Une époque où les journalistes pouvaient écrire des livres, se construire un bateau, avoir de vrais rêves, et ça tout en étant payés.

— Les choses devaient changer, vous le savez bien. Et il faut continuer à s'adapter. Nous ne pouvons pas rester immobiles. La concurrence est féroce. Pas seulement entre nous, mais avec la télévision par satellite, les radios locales, les émissions du matin à la télé, et j'en passe. Ils vont être de plus en plus nombreux à réclamer une information continue, 24 heures sur 24, et en provenance du monde entier. Ils n'achèteront plus des journaux qui paraissent des heures après l'événement, et qui laissent les doigts pleins d'encre. Si nous voulons survivre, il faut passer de l'ère du bulletin paroissial à celle de la fourniture d'informations à l'échelle mondiale. Et pour ça, il faut qu'on pèse notre poids.

Il haussa ses massives épaules, puis les laissa retomber avec la légèreté implacable d'une avalanche.

— Donc, il faut que le gouvernement fasse un choix. Est-ce qu'il continue à jouer à l'autruche ? La tête dans le sable pendant que la presse britannique connaît le même sort que l'industrie automobile, c'est-à-dire morte d'ici dix ans, pendant que les Américains, les Japonais et même les Australiens prennent la main ? Ou alors, est-ce qu'il devient visionnaire et soutient le champion national ? L'alternative est simple. On rentre la tête dans les épaules et c'est le déclin. Ou on attaque le reste du monde et on le couche sur le dos.

Une nouvelle salve de flashs accueillit sa tirade. Landless se laissa aller dans son fauteuil, tandis que les journalistes notaient furieusement ce qu'il venait de dire. Celui qui avait posé la question se tourna vers son voisin.

— Qu'est-ce que tu en penses ? Tu crois qu'il va s'en tirer comme ça, ce vieux sagouin ?

— Sur le plan industriel, sa démonstration est imparable, c'est sûr. Et puis, il y a quelque chose de séduisant de voir un fils de prolo qui parvient à se tailler un chemin jusqu'aux sommets. Mais je connais bien notre Ben, et il n'est pas du genre à tout miser sur la passion et la logique. Il a déjà dû sacrément préparer le terrain et arrondir tous les angles. Je crois qu'on ne va pas tarder à voir combien de politiciens lui mangent dans la main.

Pour répondre à cette question, ses obligés étaient apparemment un sacré paquet dans le monde politique. À la veille de la clôture des candidatures, et à une semaine du premier sondage, personne ne parut particulièrement disposé à s'attaquer à Landless – et surtout à affronter la redoutable puissance combinée des groupes *Chronicle* et *United*. Dans un vaste mouvement unanime, tout le monde ou presque se déclara favorable à son idée. En quelques heures à peine, la plupart des candidats déclarés s'étaient rués, tant ils craignaient d'être relégués à l'arrière du peloton. « Après tout », disaient-ils, « Landless n'est pas seulement un homme éclairé. C'est aussi un grand patriote. » Une fois de plus, Landless avait semble-t-il trouvé les mots justes pour parler à l'imagination des responsables politiques. À l'heure du thé, il pouvait tirer sur ses bretelles rouges, la mine satisfaite, en buvant son habituelle tasse de Bovril – un bouillon de bœuf typiquement britannique.

Bien sûr, tout le monde ne fut pas berné. L'*Independent* ne résista pas à la tentation de formuler une critique :

> L'annonce de Landless a fait l'effet d'une bombe au beau milieu de la campagne pour la désignation du chef du Parti – ce qui était probablement le but recherché. Depuis l'affaire Profumo en 1963, il ne nous avait plus été donné de voir autant de politiciens avec le pantalon sur les chevilles. Non seulement la

posture manque quelque peu de dignité, mais elle n'est pas non plus sans danger pour les responsables politiques qui voudraient accréditer l'idée qu'ils ne pratiquent pas abusivement le compromis.

Tous les candidats ne se joignirent pas au mouvement. Circonspect, Samuel restait évasif. Il avait pris trop de coups de couteau dans le dos pour se risquer à nouveau à sortir la tête de la tranchée. Il déclara vouloir s'entretenir avec les employés des deux groupes avant de prendre une décision. Cependant, avant même que l'ersatz de Viandox de Landless n'ait eu le temps de refroidir, les représentants syndicaux dénonçaient l'opération. Ils avaient constaté que l'accord ne prévoyait aucune garantie concernant la préservation des emplois, et il se trouvait par ailleurs qu'ils n'avaient jamais digéré une blague de mauvais goût de Landless disant qu'il avait dû supprimer dix mille postes pour chaque million qu'il avait gagné. Devant l'opposition des syndicats, Samuel comprit qu'il aurait grand tort de soutenir l'accord. En conséquence, il se réfugia dans le silence.

Urquhart se distingua lui aussi. Moins d'une heure après l'annonce, il dressait devant les caméras un tableau extrêmement fouillé de la situation du marché mondial du secteur des médias, et de son évolution probable. Sa maîtrise technique du sujet surpassait de loin celle de ses rivaux. Pour autant, il restait sur la réserve.

— J'ai le plus grand respect pour Benjamin Landless, mais je crois que ce serait une erreur de ma part de livrer mes conclusions avant d'avoir eu la possibilité d'examiner tous les détails. Il appartient aux responsables politiques de toujours agir avec prudence et mesure. L'agitation frénétique pour s'attirer les bonnes grâces des éditorialistes, voilà ce qui contribue à ternir la réputation des hommes politiques. Aussi, pour éviter toute interprétation abusive ou erronée, je m'abstiendrai d'annoncer ma position avant la fin du scrutin en cours. Bien entendu, ajouta-t-il avec un air modeste, il se peut alors que mon point de vue ne présente plus le moindre intérêt.

« Sur le plan de la dignité et de la fermeté des principes, les collègues du *Chief Whip* seraient bien inspirés d'imiter celui-ci », écrivit l'*Independent* dans un article on ne peut plus élogieux. « Dans sa campagne, Urquhart adopte un ton d'homme d'État qui lui vaut assurément de sortir du lot. Et tout cela ne nuit en rien à ses chances. »

D'autres éditoriaux firent écho, au premier rang desquels celui du *Chronicle* :

> En vertu du respect que nous inspirent son intégrité et son indépendance de vue, nous soutenons Francis Urquhart dans sa démarche pour la conquête du poste de chef du Parti. C'est avec une grande satisfaction que nous avons appris sa décision de relever le défi, et nous restons convaincus du bien-fondé de notre recommandation. À cet égard, son refus de se prononcer à la hâte sur la fusion *Chronicle–United Newspapers* répond à nos attentes.
> Nous espérons néanmoins qu'après mûre réflexion il apportera un soutien plein et entier au plan de fusion, mais notre opinion sur Francis Urquhart n'est pas motivée par le seul intérêt commercial, loin de là. Jusqu'à présent, il est le seul candidat ayant démontré qu'il possède un trait de caractère indispensable, et qui pourtant fait défaut à tant d'autres : l'aptitude à diriger. La qualité première d'un vrai chef.

Dans tous les couloirs de Westminster, on entendit des portes claquer sous le coup de la colère et de la frustration. Des politiciens pleins d'ambition comprenaient qu'une fois encore, Urquhart avait un temps d'avance sur eux. Dans un *penthouse* somptueux surplombant Hyde Park, Landless avait un point de vue encore différent. Il contemplait la cime des arbres et le monde à ses pieds qu'il entendait bien conquérir.

— À la tienne, mon Frankie, murmura-t-il dans son verre. À la nôtre.

Chapitre 35

Certains sont au bout du rouleau. Aux autres, il reste de la corde…

Jeudi 18 novembre

À la clôture des candidatures, à midi le jeudi, la seule surprise fut le retrait de dernière minute de Peter Bearstead. Il avait été le premier à se lancer, mais il estimait avoir fait ce qu'il avait à faire.

— J'ai atteint l'objectif que je m'étais fixé, en l'occurrence faire en sorte que nous ayons droit à un scrutin digne de ce nom, annonça-t-il d'un ton incisif. Comme je sais que je n'ai aucune chance de l'emporter, je laisse les autres poursuivre leur combat. Bien sûr, je ne manquerai pas de filer un coup de main pour sortir les corps de l'arène.

Initialement, son intention avait été de dire qu'il serait là « pour contribuer à panser les plaies des éventuels blessés », mais une fois encore, il s'était laissé emporter par son goût des petites phrases. Immédiatement après, il fut engagé par le *Daily Express* pour écrire une série de portraits croustillants et bien informés des candidats.

Ils étaient donc neuf en lice, un chiffre sans précédent, mais de l'avis général, cinq seulement avaient véritablement une chance : Samuel, Woolton, Earle, McKenzie et Urquhart. Avec enfin la liste définitive des engagés, les sondeurs redoublèrent d'efforts pour contacter les députés de la majorité gouvernementale, histoire de voir dans quel sens soufflait le vent.

Paul McKenzie était bien déterminé à montrer à tous le tranchant de son épée. Le secrétaire d'État à la Santé était un homme frustré. Cela faisait cinq ans qu'il était à la tête des services de santé du pays, et il avait souhaité avec la même ardeur qu'Urquhart se voir confier un nouveau poste à la faveur d'un remaniement postélectoral. Les longues années passées à gérer une administration ingouvernable lui laissaient un goût particulièrement amer dans la bouche. Quelque temps auparavant, il était vu comme l'une des étoiles montantes du Parti, alliant hauteur de vue intellectuelle et qualités humaines d'écoute et d'empathie. Ils étaient nombreux à prédire qu'il irait jusqu'au sommet. Malheureusement pour lui, le service de santé s'était révélé être un mammouth bureaucratique particulièrement rétif. Ses innombrables rencontres avec des défilés d'infirmières en colère et autres piquets de grève d'ambulanciers avaient considérablement terni son image. L'ajournement du plan de rénovation des hôpitaux avait été la goutte d'eau. Il avait perdu la flamme, au point d'évoquer avec sa femme la possibilité de quitter la politique à l'élection suivante. Du coup, la chute de Collingridge avait été pour lui comme la découverte de la terre ferme pour un naufragé.

C'est donc animé d'un bel enthousiasme et d'une inextinguible énergie qu'il s'engagea dans la dernière ligne droite. Son idée était de produire un impact dès le début de ces cinq journées jusqu'au premier tour, de manière à se hisser d'entrée de jeu au-dessus de la mêlée. Il avait demandé à son équipe de lui trouver une occasion de réaliser une belle photo, pour redonner un peu d'éclat à son image. « Mais surtout pas dans un hôpital ! » avait-il précisé. C'était le genre d'endroits où il s'était bien trop souvent brûlé les ailes. Les trois premières années passées dans son ministère, il avait consciencieusement visité les établissements de soins du pays pour découvrir la réalité du terrain. Les mauvais jours, il était tombé sur des personnels infirmiers en grève dénonçant des conditions salariales dignes de l'esclavage. Et les autres jours, les pires, il avait eu droit à des manifestations violentes lui reprochant de « tailler dans les dépenses » et de « couper dans les budgets ». Il avait été affublé de petits surnoms, « docteur Taille » et « docteur Coupe », dont les terminaisons se retrouvaient parfois interverties sur les banderoles syndicales. Même les syndicats de médecins semblaient penser que les budgets se fixaient en fonction du bruit bien plus qu'en fonction des besoins. McKenzie en avait même versé des larmes de rage, mais en privé uniquement.

Dans ses visites, il n'arrivait presque jamais jusqu'aux patients. Même lorsqu'il essayait de se glisser par une porte dérobée, les manifestants semblaient toujours savoir à l'avance par où il allait passer. Ils l'attendaient, prêts à lui tomber dessus pile au moment où les caméras arrivaient elles aussi. Or, se faire prendre à partie par une infirmière, l'incarnation du dévouement humain, n'était bon ni pour son image ni pour son *ego*. McKenzie avait donc cessé ses tournées hospitalières. Plutôt que d'aller au-devant d'ennuis et de se faire agresser, il s'en tenait à des sorties bien mieux balisées. Question de sauvegarde individuelle.

Son plan de bataille avait donc été élaboré selon deux axes : la simplicité et la sécurité. Au lieu de se rendre dans un hôpital – « ce serait inconvenant de ma part d'utiliser des patients souffrants pour servir mes intérêts politiques personnels » –, son équipe de campagne avait donc organisé une visite des laboratoires *Humanifit*, dont le siège était juste à côté d'une sortie de l'autoroute M4. Spécialisée dans les équipements pour les personnes handicapées, l'entreprise *Humanifit* venait de mettre au point un fauteuil roulant révolutionnaire à commande vocale. Même un tétraplégique dans l'incapacité de bouger ses membres pouvait l'utiliser. Cette combinaison de haute technologie britannique et d'action positive envers les handicapés était exactement ce que McKenzie recherchait. Deux heures à peine après la clôture des candidatures, la voiture du ministre filait sur l'autoroute vers ce qui devait être son salut.

McKenzie avait fait preuve de prudence. À ses yeux, le succès de sa visite n'était pas garanti d'avance. Les sites industriels sont une bonne chose, mais pour les caméras, rien ne vaut une bonne manifestation. Combien de fois n'était-il pas tombé dans une embuscade ? Prudemment, il n'avait donc averti les médias que trois heures à l'avance. Un délai suffisant pour envoyer une équipe de tournage, mais trop court pour mobiliser une foule hargneuse et revendicatrice. Tandis qu'il approchait des établissements *Humanifit*, il se cala confortablement sur la banquette de cuir, fit monter un sourire sur ses lèvres, et se félicita de sa vigilance. *Tout va bien se passer*, se dit-il.

Malheureusement pour McKenzie, son équipe avait péché par excès d'efficacité. Le gouvernement doit être informé en permanence du lieu où se trouvent les ministres. Comme les autres membres du Parlement, ils doivent pouvoir être joints à tout moment, en cas d'urgence, ou dans l'éventualité d'un vote à la Chambre des communes. Donc, le vendredi précédent, en application stricte des instructions générales, la secrétaire chargée de l'emploi du temps de McKenzie avait transmis la liste complète de ses engagements à venir au Bureau de l'autorité de coordination des effectifs gouvernementaux – également connu sous l'appellation *« Chief Whip »*.

Comme sa voiture s'engageait sur la petite route de campagne menant au site industriel quelque deux ou trois cents mètres plus loin, McKenzie se recoiffa soigneusement et lissa sa veste. La voiture ministérielle longea le mur d'enceinte de briques rouges. Le ministre vérifia une dernière fois son nœud de cravate. Et ils franchirent le grand portail d'entrée.

À peine étaient-ils à l'intérieur que le chauffeur pila, debout sur le frein, envoyant McKenzie cogner de la tête contre le dossier du siège avant, répandant tous ses papiers au sol, et ruinant totalement tous ses préparatifs. Avant même qu'il n'ait eu le temps d'incendier le pilote et de lui demander une explication, la cause du problème se déploya pour envelopper le véhicule. C'était une vision pire encore que dans ses plus atroces cauchemars.

Sur le minuscule parking devant le bureau d'accueil de l'usine, une foule de manifestants hurlants, tous vêtus de la tenue blanche des personnels hospitaliers, invectivaient le ministre avec force gestes déplacés. Le tout, bien sûr, devant les trois caméras de télévision dûment convoquées par l'attaché de presse du ministre, et idéalement positionnées sur le toit du bâtiment administratif. Le véhicule officiel avait à peine pénétré dans la cour que la masse s'était refermée sur lui, mettant des coups de pied dans les portières et abattant ses pancartes sur tout l'habitacle. En quelques secondes, l'antenne avait disparu et les essuie-glaces avaient été arrachés. Le chauffeur eut le réflexe d'appuyer sur le bouton d'urgence, qui équipe toutes les voitures de la flotte ministérielle et permet automatiquement de fermer les fenêtres et verrouiller les portières, mais pas assez vite pour éviter que l'un des manifestants n'ait le temps de cracher au visage de McKenzie. Des poings brandis et des visages déformés par la colère étaient collés aux carreaux. Toute cette violence était dirigée contre lui. La voiture se mit à tanguer sous les assauts de la foule. McKenzie suffoquait. Il ne voyait plus ni le ciel, ni les arbres, ni aucune échappatoire. Rien d'autre que la haine qui le cernait.

— Partez ! cria-t-il. Sortez-nous d'ici.

Le chauffeur leva les mains pour traduire son impuissance. Coincée de toutes parts, la voiture ne pouvait absolument plus bouger.

— Partez ! hurla encore le ministre, submergé par une vague de claustrophobie.

L'esprit en déroute, mû uniquement par l'instinct et le désespoir, McKenzie se pencha entre les fauteuils pour attraper le levier de la boîte automatique. Il engagea la marche arrière et la voiture eut un sursaut. Le chauffeur écrasa le frein – mais trop tard. Ils avaient reculé dans la foule. Un fauteuil roulant avait été renversé, et une femme en uniforme d'infirmière avait été touchée. De toute évidence, elle souffrait atrocement.

Médusée, la foule s'écarta. Le chauffeur ne perdit pas une seconde. En une manœuvre sidérante, il franchit les portes dans l'autre sens, ramenant la voiture sur la route, puis exécuta un spectaculaire demi-tour au frein à main pour se remettre dans le bon sens, avant de prendre la poudre d'escampette à tombeau ouvert. Une odeur de brûlé et deux grandes traces noires sur le bitume témoignaient de sa précipitation.

La carrière politique de McKenzie s'acheva au même endroit. Peu importait que le fauteuil ait été vide, que la blessée ne soit finalement que très légèrement touchée, et qu'en outre elle ne soit en rien une infirmière, mais une permanente d'un syndicat, rompue à la pratique des piquets de grève montés en épingle. Aucun journaliste ne prit la peine d'enquêter. Mais après tout, pourquoi l'auraient-ils fait ? Ils tenaient déjà leur histoire. La marée avait tourné et repoussé le pauvre McKenzie vers le large.

Chapitre 36

Quelqu'un a dit un jour que les carrières politiques ne mènent nulle part et s'achèvent inévitablement dans une impasse. C'est pour cette raison que les vestes des politiciens sont réversibles. Comme ça, ils sont faciles à ranger.

Vendredi 19 novembre

La semaine avait été difficile pour Mattie. Le rythme de la campagne s'était singulièrement accéléré. Pourtant, elle pataugeait, avec le sentiment d'être à la traîne, larguée loin derrière les événements. Ses quelques entretiens n'avaient débouché sur rien. Il devint clair pour elle qu'elle avait été mise sur une liste noire dans tous les journaux de l'empire Landless en perpétuelle expansion. Et pour ne rien arranger, ses concurrents ne semblaient guère disposés à courir le risque de lui déplaire. Le bruit avait fait le tour de la place : Mattie Storin était « difficile ». Le vendredi matin, le taux des emprunts hypothécaires avait augmenté.

Mais le pire de tout, c'était encore son sentiment de colère et de frustration envers elle-même. Elle avait rassemblé une bonne part des pièces du puzzle, mais elle n'y voyait toujours pas la moindre logique. Rien ne semblait cadrer. Elle s'échinait, se mettant le cerveau à l'alambic, au point d'en avoir attrapé une migraine qui ne la quittait plus depuis des jours. Pour finir, elle avait ressorti son attirail de joggeuse de son armoire, et elle était présentement en train de fouler les allées couvertes de feuilles mortes de Holland Park, avec au cœur l'espoir que l'exercice physique lui purge le corps et l'esprit. Malheureusement, la course semblait plutôt amplifier ses douleurs. Ses jambes et ses poumons commençaient à demander grâce. Elle était bientôt à court d'idées, d'énergie et de temps. Il ne restait plus que quatre jours avant le premier tour du scrutin, et tout ce qu'elle trouvait à faire, c'était effrayer les écureuils.

Dans la lumière déclinante du soir, elle courut le long de la grande avenue bordée de châtaigniers. Les grands arbres s'élevaient au-dessus d'elle, magnifiques et déplumés, puis elle prit Lime Tree Walk, où les moineaux étaient aussi dociles que des animaux de compagnie, avant de passer devant les ruines de briques rouges de Holland House, détruite par un incendie voici plus d'un demi-siècle, et abandonnée au souvenir amer de sa gloire perdue. Avant que l'étalement de Londres n'étire les bras voraces de la ville jusque dans les banlieues, Holland House était la demeure campagnarde de Charles James Fox, le radical légendaire du XVIIIe siècle, qui avait passé sa vie entière à poursuivre des causes révolutionnaires et à ourdir la chute d'un Premier Ministre. En vain, dans les deux cas. Cela étant, existe-t-il un exemple dans l'histoire de quelqu'un qui a réussi, là où lui-même a toujours échoué ?

Elle remit l'ouvrage sur le métier. Il y avait le champ de bataille sur lequel Collingridge était tombé, la campagne électorale pour le poste suprême, les fuites, les scandales, et toutes les personnalités qui barbotaient dans le marigot. Les frères Collingridge, Henry et Charlie, mais pas uniquement.

Lord Williams aussi, ainsi qu'O'Neill, Bearstead, McKenzie, sir Jasper Grainger, et Landless. Et c'était tout. Elle n'avait rien d'autre. Alors, où devait-elle aller à partir de là ? Tandis qu'elle gravissait la côte menant au point le plus élevé du parc boisé, foulant l'humus meuble sous ses pieds, elle examina une nouvelle fois les possibilités qui s'offraient à elle.

Collingridge n'accorde pas d'interviews. Williams ne s'exprimera que par l'intermédiaire de son service de presse. O'Neill ne paraît pas en mesure de répondre à des questions, et Landless ne s'arrêterait pas pour moi-même sur un passage piétons. Ce qui nous laisse…

Elle s'arrêta d'un coup, faisant voler à la ronde des feuilles mortes.

Vous, monsieur Kendrick.

Elle se remit à courir et franchit le sommet. Dans la descente qui la ramenait chez elle, elle allongea sa foulée. Son pied était plus léger. Elle se sentait mieux. Elle venait de trouver son second souffle.

Samedi 20 novembre

Harold Earle se glissa doucement hors de son lit, faisant attention à ne pas réveiller son épouse, puis mit le cap sur la douche. Il n'était pas mécontent de sa semaine. Il avait été nommé parmi les cinq candidats « favoris ». Et il avait vu la caravane Samuel ralentir dans sa progression, avant d'assister à la sortie de route de McKenzie. Bien sûr, il y avait le score tout à fait honorable du *Chief Whip*, mais Earle n'imaginait pas qu'Urquhart puisse l'emporter. Tout de même, il n'avait aucune expérience en tant que ministre du Cabinet. Jamais il n'avait dirigé un grand ministère. Non, au bout du compte, l'expérience restait primordiale. En particulier celle dont Earle pouvait se prévaloir.

Il avait commencé son ascension des années auparavant, comme secrétaire privé parlementaire de Maggie Thatcher. Formellement, ce poste n'offrait aucun pouvoir, mais sa place à côté de la « flamme éternelle » laissait tout le monde pantois. Sa promotion au Cabinet avait été rapide, et il avait été le titulaire de plusieurs portefeuilles de premier plan. Au cours des deux dernières années, sous la houlette de Collingridge, il avait mené une grande réforme scolaire en tant que ministre de l'Éducation. Contrairement à certains de ses prédécesseurs, il avait réussi à trouver un terrain d'entente avec le corps enseignant – même si d'aucuns l'accusaient de pusillanimité conciliatrice l'empêchant de prendre des décisions véritablement douloureuses.

En l'état actuel, le Parti n'avait-il pas besoin d'un peu de conciliation ? La guéguerre autour de Collingridge avait laissé des cicatrices, et le caractère de plus en plus abrasif de la campagne pour sa succession ne faisait que mettre du sel sur les plaies. Woolton en particulier se révélait extrêmement pénible avec ses tentatives pour raviver le souvenir du style politique rentre-dedans de ses débuts dans le nord de l'Angleterre. Appeler un « chat » un « greffier » n'allait pas manquer de lui aliéner la frange la plus traditionnelle du Parti. Oui, l'heure d'Earle était venue.

Ce samedi allait être un grand jour. Pour commencer, une réunion avec les fidèles de sa circonscription agitant des drapeaux, un hall brillamment décoré rempli de supporters qu'il pouvait saluer par leur nom, et tout cela devant les caméras. Ensuite, il avait une initiative politique majeure à annoncer. Son cabinet travaillait sur un projet depuis un certain temps. En poussant un peu son monde, il pouvait obtenir que celui-ci soit bientôt prêt. Le gouvernement offrait déjà aux jeunes ayant quitté l'école sans trouver d'emploi une place garantie dans une formation. Eh bien, dorénavant, ils allaient avoir la possibilité de suivre cette formation dans un autre pays du Marché commun, avec à la clé la perspective de compétences pratiques et linguistiques supplémentaires.

Earle avait la conviction que cette initiative serait bien accueillie – surtout accompagnée d'un discours bourré de références à de nouveaux horizons, aux opportunités offertes à la jeunesse, à l'avenir radieux, et tous les autres clichés qu'il parviendrait à y caser.

Et puis, cerise sur le gâteau, *« coup de grâce »* comme il comptait dire en usant du français, il avait fait en sorte que ce soit les bureaucrates de Bruxelles qui paient pour l'intégralité du programme. Il entendait déjà le tonnerre d'applaudissements qui ne manquerait pas de le saluer, et qui allait le porter jusqu'à Downing Street.

Une foule joyeuse l'attendait devant la grande salle du village de l'Essex, au cœur de son fief électoral. Ses supporters agitaient de petits drapeaux britanniques, ainsi que d'anciennes affiches électorales qui le proclamaient *« Earle of Essex »*, jouant sur l'homonymie entre son nom et le titre nobiliaire *« Earl »*. Tout cela concourait à conférer à l'événement un indéniable parfum d'Angleterre profonde et éternelle. Il y avait même une fanfare pour l'accueillir en musique dès qu'il eut franchi les portes de la grande salle. Ce fut donc sous les flonflons qu'il remonta l'allée centrale, serrant des mains de tous côtés. Le maire l'accompagna jusque sur la petite estrade, tandis que les cameramen et éclairagistes s'activaient pour trouver le meilleur angle. Il gravit la petite volée de marches, embrassa sa femme, contempla la foule, se protégea les yeux des flashs, agita la main pour remercier chacun de ses applaudissements. Pendant ce temps, le maire le présentait comme « l'homme qu'on ne présente plus, en tout cas pas ici, et bientôt dans tout le pays ! » À cet instant, Harold Earle eut le sentiment qu'il était sur le point de connaître le plus grand triomphe de son existence.

À la seconde suivante, Harold Earle l'aperçut. Assis au premier rang, au milieu des militants enthousiastes, il applaudissait à l'unisson de la troupe. Simon. La seule et unique personne au monde qu'il espérait bien ne jamais revoir.

C'était dans un train de nuit qu'ils s'étaient rencontrés, un soir où Earle revenait d'un meeting quelque part dans le Nord-Ouest. Ils étaient seuls dans un compartiment. Earle était soûl et Simon s'était montré extrêmement amical. Et il était séduisant, le bougre. Au plus profond d'Earle, il faisait vibrer une corde que celui-ci avait tout fait pour oublier depuis le temps de l'université. Tandis que le train s'enfonçait dans la nuit, Simon et lui avaient pénétré dans un monde tamisé et ouaté, loin des responsabilités et des lumières vives qu'ils venaient de quitter. Earle s'était alors livré à des actes qui, sept ans plus tôt, lui auraient valu une peine de prison de plusieurs années. Au demeurant, si ces pratiques étaient devenues légales entre adultes consentants, encore fallait-il qu'elles soient pratiquées en privé – et non pas dans un wagon de la *British Rail* à vingt minutes de la gare de Birmingham.

C'est d'un pas plus que chancelant qu'Earle était descendu du train à la gare d'Euston. Après avoir fourré deux billets de 20 livres dans la main de Simon, il était allé passer le reste de la nuit à son club. L'idée de rentrer chez lui était au-dessus de ses forces.

Ensuite, il n'avait plus entendu parler de Simon pendant six mois, jusqu'au jour où celui-ci était apparu dans Westminster Hall, pour demander aux policiers de faction à parler au ministre. Paniqué, Earle avait rappliqué coudes au corps. Dieu merci, le jeune homme n'avait pas fait de scandale. Simplement, avait-il expliqué, il avait reconnu Earle dans un reportage récemment diffusé. Ensuite, il avait demandé de l'argent de la plus aimable des façons. Earle lui avait donc remboursé les « frais » de son voyage à Londres, avant de lui souhaiter bon vent.

Simon avait reparu quelques semaines plus tard, et Earle avait alors compris qu'il ne connaîtrait jamais de répit. Il avait demandé à Simon de l'attendre. Ensuite, il était allé trouver refuge dans la Chambre, où il avait passé dix minutes à contempler ce décor qu'il aimait plus que tout. De l'autre côté du mur, il y avait un jeune homme qui menaçait de faire s'écrouler tout son univers. Incapable de trouver par lui-même une solution, il s'était résolu à gagner le bureau du *Chief Whip*, à qui il avait tout déballé. « Il y a un jeune homme dans le grand hall. Il me fait chanter au sujet d'une aventure parfaitement idiote. C'était il y a quelques mois et cela n'a pas duré. Et d'ailleurs, tout est fini. »

— Un mignon qui fait son méchant, avait répondu Urquhart, avant de s'excuser pour son propos inapproprié. Mais ne vous en faites pas Harold. On a vu pire pendant la retraite de Dunkerque, pour ne rien dire de la salle de réunion du dernier étage. Montrez-moi le petit con.

Urquhart avait été à la hauteur de ses fortes paroles. Absolument magnifique. Il s'était présenté au jeune homme, puis lui avait assuré d'un ton sans appel que la police viendrait s'occuper de lui s'il n'avait pas quitté les lieux dans les cinq minutes. Une arrestation pour chantage lui pendait au nez.

— Ne crois pas être le premier, mon garçon, avait dit Urquhart. Cela arrive bien souvent. Simplement, on fait en sorte que l'arrestation et le procès ne donnent lieu à aucune publicité. Personne ne connaîtra l'identité de celui tu as essayé de faire chanter. Et ils ne seront pas très nombreux à savoir combien d'années tu vas passer au trou. Si ça se trouve, seule ta pauvre mère le saura.

Sans qu'il soit nécessaire de lui éclairer plus sa lanterne, le jeune Simon était arrivé à la conclusion qu'il avait commis une terrible erreur, et que mieux valait pour lui disparaître de Westminster et de la vie d'Harold Earle. À tout hasard, Urquhart avait quand même pris la précaution de relever l'identité du garçon en lui demandant ses papiers.

Et Simon reparaissait. Assis sur sa chaise, il semblait tout prêt à formuler d'impossibles exigences, dont l'évocation mettait l'esprit enfiévré du ministre au supplice. Tout son discours ne fut qu'un long calvaire. Sa prestation désappointa jusqu'à ses plus fervents supporters. Le texte était pourtant sous ses yeux, imprimé dans une police extra-large sur ses feuilles de papier recyclé, mais l'orateur avait perdu le feu sacré. Il ânonna misérablement la prose de ses conseillers. Même dans la froidure de novembre, la sueur perlait à son front pour ruisseler ensuite le long de son nez. Son esprit semblait être ailleurs pendant qu'il lisait. Les fidèles applaudirent à la fin, mais Earle n'en retira aucun réconfort. Le maire dut presque le tirer par le bras pour le mener vers la foule. Tout le monde voulait lui serrer la main. Chacun voulait souhaiter bonne chance au meilleur des fils de la région. Tandis qu'on le fêtait, qu'on lui tapait amicalement sur l'épaule, il dérivait irrésistiblement vers

Simon, dont les yeux vifs et pénétrants paraissaient voir jusqu'au plus profond de lui. C'était comme si une main invisible le poussait pour lui faire franchir les portes de l'Enfer. Pour autant, Simon ne fit aucune scène. Il serra la main moite du ministre, le visage illuminé d'un grand sourire, tout en tripotant de son autre main le médaillon qui ornait ostensiblement sa poitrine. Puis ce fut tout. Earle avait avancé dans la foule, et le visage de Simon n'en était qu'un parmi d'autres.

Lorsque Earle rentra chez lui, deux hommes faisaient le pied de grue dans la rue glacée devant sa maison.

— Bonsoir, monsieur Earle. Simmonds et Peters du *Mirror.* Très belle réunion aujourd'hui, très intéressante. Nous avons le communiqué de presse et votre discours, mais il manque quelque chose. Il nous faudrait un peu de croustillant pour nos lecteurs. Vous voyez ? Comment était le public, par exemple ? Vous pouvez nous dire quelque chose sur le public, monsieur Earle ?

Sans un mot, il se précipita à l'intérieur, entraînant sa femme avec lui, avant de claquer la porte sur eux. Par la fenêtre, caché derrière le rideau, il regarda les deux journalistes hausser les épaules, puis se replier sur leur voiture garée de l'autre côté de la rue. L'un prit un livre et l'autre une bouteille isotherme. Ils s'installaient pour une longue nuit de veille.

Chapitre 37

Par nature, l'ambition a besoin de victimes.

Dimanche 21 novembre

Le lendemain matin, ils étaient toujours là lorsque Harold Earle regarda dehors. L'un d'eux roupillait sous son chapeau rabattu sur les yeux, tandis que l'autre feuilletait les journaux du dimanche. Cette fois-ci, la presse dominicale était d'une tout autre tonalité que la semaine précédente. En effet, jusqu'alors atone et un peu glauque, la campagne pour le poste de chef du Parti avait connu un regain d'activité au cours de la semaine avec l'intervention d'Urquhart et la bérézina de McKenzie.

Par ailleurs, les sondeurs commençaient à vaincre les résistances des membres du Parlement. « Le carré de tête ! » titrait l'*Observer*, en précisant dans l'article que les 60 % des députés du Parti qu'ils étaient parvenus à convaincre de révéler leur préférence se répartissaient plus ou moins équitablement entre les trois candidats en tête – Samuel, Earle et Woolton – et Urquhart juste derrière eux. McKenzie avait disparu sans laisser de trace, tout comme la légère avance dont Samuel avait pu se prévaloir jusqu'alors.

La nouvelle n'eut aucun effet rassérénant sur Earle, qui n'avait pas fermé l'œil de la nuit. Allant et venant comme un lion en cage, il avait passé son temps à repousser les questions de son épouse, de plus en plus inquiète. Il avait bien tenté de se reposer un peu, mais chaque fois qu'il fermait les yeux, c'était pour voir le visage de Simon. La présence des deux journalistes le mettait sur des charbons ardents. Que savaient-ils au juste ? Pourquoi venaient-ils faire le siège devant chez lui ? Quand apparurent les premières lueurs de l'aube dans le ciel plombé de cette froide journée de novembre, il était épuisé. Au bout de sa capacité de résistance. Il fallait à tout prix qu'il en ait le cœur net.

Du coude, Peters secoua Simmonds pour le réveiller. Hâve, le menton pas rasé, Earle était sur le seuil, engoncé dans une robe de chambre de soie. Il marcha vers eux d'un pas décidé.

— Ça marche à chaque fois, dit Peters. Comme le morceau de fromage pour la souris. Voyons voir ce qu'il a à nous raconter. Et n'oublie pas de brancher ce putain de magnéto, Alf.

— Bonjour, monsieur Earle, cria Peters par la fenêtre au ministre. Ne restez donc pas dans le froid. Montez à bord. On a du café.

— Qu'est-ce que vous voulez ? Pourquoi est-ce que vous m'espionnez ? répliqua Earle sans tenir compte de l'invitation.

— Vous espionner, monsieur Earle ? Ne dites donc pas de bêtises. On cherche juste à vous connaître un peu mieux. Vous êtes l'un des principaux candidats au poste de Premier Ministre. Vous n'avez pas vu les journaux ? On ne parle que de vous. Les gens vont forcément s'intéresser à vous, à vos loisirs, à ce que vous faites. Aux amis que vous fréquentez.

— Je n'ai rien à dire !

— Nous pourrions peut-être interviewer votre femme ? intervint Simmonds.

— Qu'est-ce que vous insinuez ? demanda Earle d'une voix subitement passée à l'aigu.

— Bonté divine ! Moi ? Mais je n'insinue rien, monsieur. Au fait, avez-vous vu les photos de votre meeting d'hier ? Elles sont excellentes. Très nettes. Nous pensions en mettre une en première page. Tenez, regardez.

Le journaliste passa une grande photo en tirage brillant par la fenêtre, pour l'agiter sous le nez d'Earle. Il la saisit, l'observa et en resta pétrifié. On le voyait en train de prendre la main de Simon dans la sienne, tout en le regardant droit dans les yeux. Tout sourires, le jeune homme minaudait. Les détails du portrait étaient extraordinairement précis. C'était comme si une main cachée avait souligné d'un trait de khôl les grands yeux de Simon. Ses lèvres naturellement pulpeuses avaient une nette teinte « Rouge Baiser ». Ses doigts posés sur le médaillon étaient admirablement manucurés.

— Vous connaissez bien ce jeune homme, monsieur ? demanda Simmonds.

— Un de vos plus fervents soutiens, pas vrai ? Et comment est-ce qu'il vous soutient au juste, monsieur Earle ? ajouta Peters.

La main d'Earle tremblait. Il jeta la photo à l'intérieur de la voiture.

— Qu'est-ce que vous essayez de faire ? Je nie tout. Je me plaindrai de votre harcèlement à votre rédacteur en chef !

— Notre rédac-chef ? Mais c'est lui qui nous a envoyés.

Chapitre 38

C'est bien joli de se porter volontaire pour mener la charge en première ligne, mais c'est là que l'ennemi vise en premier. Non, mieux vaut être quelques pas en arrière. Ça laisse un peu de temps pour trouver son chemin entre les piles de cadavres.

Lundi 22 novembre

L'antichambre des membres du Parlement – autrement dit la grande salle de l'entrée principale menant à la Chambre des communes – est ornée de trois grandes statues d'anciens Premiers Ministres, respectivement Churchill, Attlee et Lloyd George. Sans doute pour attirer sur eux un peu de la grandeur de ces glorieux prédécesseurs, les députés ont pris l'habitude de passer la main sur les pieds de ces augustes bronzes, ce qui leur vaut d'avoir une patine rutilante. Deux grandes portes de chêne massif gardent l'accès à la salle des débats, sur lesquelles le « gentilhomme huissier de la verge noire », le *Black Rod*, frappe avec sa canne à pommeau métallique pour convoquer les députés lors de la Cérémonie d'ouverture du Parlement. Cette double porte est montée dans un chambranle de pierres voûté, qui garde les stigmates de la destruction de la salle originale au cours des bombardements de 1941. Lorsque les lieux furent reconstruits, Churchill avait demandé que l'on conserve l'arche défigurée et noircie. « Pour ne pas oublier. »

C'est également dans cette salle des pas perdus que les membres du Parlement reçoivent visites et messages.

— Bonjour, monsieur Kendrick.

L'interpellé leva les yeux des documents qu'il lisait, pour se retrouver nez à nez avec Mattie.

— Vous êtes… ? demanda-t-il en la gratifiant d'un sourire.

— Mattie Storin.

— Ah oui, bien sûr, dit-il en laissant son regard circuler à la ronde avant de le poser sur le visage de la jeune femme. Et en quoi puis-je vous être utile, Mattie ?

— Je souhaiterais vous poser quelques questions, si cela ne vous dérange pas.

— Pas du tout. Mais pas maintenant en revanche, répondit-il en jetant un coup d'œil à sa montre. Est-ce que l'heure du thé vous conviendrait ? Dans mon bureau, 16 h 30 ? J'aurai tout le temps voulu.

Kendrick était un député de base de l'Opposition, et son bureau n'était guère plus qu'une petite pièce dans le bâtiment Norman Shaw North, célèbre pour sa façade de briques rouges montrée dans d'innombrables films en noir et blanc, en tant que siège de la police métropolitaine de Londres, New Scotland Yard. En fait, l'instance judiciaire avait depuis longtemps migré vers une forteresse de béton sur Victoria Street, et les autorités parlementaires avaient été ravies de récupérer ces mètres carrés devenus disponibles, mais passablement décrépits, juste en face du palais de Westminster.

— Mattie, s'exclama Kendrick en bondissant de sa chaise pour accueillir la jeune femme. Entrez dans mon antre, je vous en prie. C'est aussi accueillant qu'une cellule de moine, n'est-ce pas ?

— Je ne saurais vous dire. Je ne vais pas trop chez les moines, répondit-elle.

Il l'aida à retirer son manteau, admirant sa silhouette d'un œil plus appréciateur que prédateur. Elle avait délibérément choisi un pull de laine ajusté, porté avec une jupe au-dessus du genou. Elle avait besoin qu'il lui accorde toute son attention.

— Du thé ou… ? demanda-t-il en haussant un sourcil.

— Va pour le « ou », répondit-elle.

Il sortit une bouteille de vin blanc d'un petit réfrigérateur dans un coin de la pièce, et prit deux verres sur une étagère. Elle s'assit sur le petit divan pendant qu'il servait.

— À votre « chez-vous », dit-elle en levant son verre.

— Oh, je ne suis pas chez moi ici, et je ne le serai jamais, grogna-t-il. Comment est-on supposé gérer un empire vieillissant depuis un placard à balais ? Dieu seul le sait. Enfin, je lève mon verre avec vous quoi qu'il en soit.

— Tout de même, vous ne pouvez pas détester cet endroit à ce point-là. Vous avez lutté pendant des années pour y arriver.

— Je fais un bel ingrat, pas vrai ? dit-il avec un grand sourire.

— Sans compter que vous n'avez pas perdu de temps pour vous y faire une place enviable.

— La flatterie, hein ? Pour ne rien dire de vos jambes… Vous voulez obtenir quelque chose.

Il la regarda droit dans les yeux, avec un air entendu. Ce fut au tour de Mattie de sourire.

— Monsieur Kendrick…

— Merde alors, je pensais que l'étape « monsieur Kendrick » était déjà derrière nous.

— Stephen, j'envisage d'écrire un article qui présenterait à la fois les rouages subtils du Parlement et la façon dont les hommes politiques peuvent nous ménager des surprises. Et à ce sujet, celle que vous avez réservée à tous vos collègues était un véritable modèle.

Kendrick émit un gloussement.

— Je suis encore stupéfait de voir comment ma réputation s'est établie sur un tel… Comment dire ? Un tel coup de chance ? Coup de dés ? Sens de la conjecture ?

— Vous voulez dire que vous ne saviez vraiment pas que le programme hospitalier avait été reporté, que vous l'avez deviné ? demanda-t-elle d'un ton incrédule.

— Vous n'y croyez pas ?

— Disons que je suis une cynique qui sourit.

— Du moment que vous souriez, Mattie…, dit-il en lui resservant un verre. Disons que je n'avais aucune certitude. J'ai pris un risque.

— Que saviez-vous alors ?

— En « off » ?

— En « off », en long et en large, si vous voulez.

— Je n'ai encore jamais raconté toute l'histoire…

Ses yeux vinrent se poser sur la main de Mattie qui se massait doucement une cheville, comme pour soulager une douleur.

— Mais j'aime votre technique d'interview. Je suppose que cela ne nuira à personne si je vous expose les circonstances, dit-il en s'accordant un instant de réflexion pour voir jusqu'où il était décidé à aller. J'avais découvert que le gouvernement – ou plutôt le siège de son Parti – avait préparé une vaste campagne de communication pour promouvoir son programme de rénovation des hôpitaux. Ils avaient beaucoup travaillé dessus et consacré beaucoup d'argent à sa préparation. Pour un plan de cette ampleur, c'était bien normal, n'est-ce pas ? Seulement, à la dernière minute, ils ont tout annulé. Absolument tout. J'y ai longuement réfléchi, et plus je cogitais, plus il m'apparaissait que la seule explication cohérente était qu'ils renonçaient non pas seulement à la campagne, mais au programme lui-même. J'ai donc décidé de mettre le Premier Ministre au pied du mur – et il s'est fait avoir ! J'en étais vraiment le premier étonné.

— Je n'ai pas le souvenir de la moindre discussion au sujet de cette campagne.

— Ils voulaient garder l'effet de surprise. Je crois bien que tout le travail préparatoire était strictement confidentiel.

— De toute évidence, vous avez donc accès à des sources très confidentielles.

— Oui. Et elles vont rester confidentielles, même pour vous. C'est le genre de choses que je ne dirais même pas à mon ex.

— Vous êtes… ?

— Divorcé. Tout ce qu'il y a de célibataire.

Mattie comprit qu'il lui tendait une perche. Cependant, il avait beau être bel homme, ce n'était pas un prix qu'elle était disposée à payer. Sa vie était déjà suffisamment compliquée en l'état.

— Je sais que c'est une source fiable, dit-elle en ramenant la conversation sur le bon chemin. Mais vous pourriez peut-être m'orienter. La fuite ne peut provenir que de deux sources. Le Parti ou le gouvernement, n'est-ce pas ?

— Des chevilles et de la perspicacité…

— Depuis l'élection, l'ambiance n'est pas au beau fixe entre le siège du Parti et Downing Street. Vous avez dit que la campagne de communication était menée par le Parti. On peut logiquement en conclure que la fuite venait du siège.

— Vous êtes très forte, Mattie. Mais je ne vous ai rien dit, d'accord ? Et je ne vous dirai rien d'autre au sujet de ma source.

Son ton avait perdu sa note de gaieté. Il était redevenu circonspect. Strictement professionnel.

— Ne vous inquiétez pas. Avec moi, le secret de Roger sera bien gardé.

Kendrick était en train de prendre une gorgée de vin en bouche. Il le laissa recouler dans le verre. Lorsqu'il releva la tête, ses yeux avaient pris une teinte d'acier brut.

— Vous me pensez superficiel au point de charger un vieil ami juste parce que vous venez agiter vos nichons sous mon nez ?

— Un vieil ami ? murmura Mattie.

Les pièces du puzzle commençaient à trouver leur place.

— Je savais que c'était Roger, reprit-elle. Je n'ai pas besoin que vous le confirmiez. Je ne suis pas une inquisitrice et Roger a déjà suffisamment de pain sur la planche comme ça. Cette information ne sortira pas dans la presse.

— Alors, pourquoi êtes-vous venue ?

— L'information. La compréhension.

— Et dire que je commençais à vous apprécier, Mattie. Je crois qu'il est temps que vous partiez.

À l'heure du déjeuner, les hommes du *Mirror* n'avaient pas bougé. Le soir, ils étaient toujours là, occupés à lire, se curer les dents et regarder la rue. Ils étaient restés à attendre Earle dans leur petite voiture sordide, sans interruption depuis presque quarante-huit heures, observant le moindre mouvement des rideaux, et photographiant tous ceux qui venaient sonner, facteur et laitier compris. Plus la femme du ministre, bien entendu. Harold Earle n'éprouvait qu'un très maigre réconfort dans le fait que sa moitié était partie tôt ce jour-là rendre visite à sa sœur. Dans son aveuglement à la fois naïf et positif, elle supposait que les journalistes campaient devant chez eux à cause de la campagne en cours. Dans une certaine mesure, ce n'était pas tout à fait faux.

Earle ne savait pas vers qui se tourner. Il n'avait aucune épaule sur laquelle s'épancher, personne à qui demander conseil. C'était un homme solitaire, mais également pieux et sincère, qui avait un jour commis une erreur pour laquelle il savait devoir payer.

Pour finir, les deux journalistes se lassèrent d'attendre. Ils vinrent frapper à la porte.

— Désolés de vous déranger, monsieur Earle. C'est Simmonds et Peters de nouveau. Juste une petite question de la part de notre rédac-chef. Vous le connaissez depuis longtemps ce garçon ?

Cette fois-ci, ils lui fourrèrent sous le nez une photo de Simon, prise non pas dans une réunion publique, mais dans le studio d'un photographe. Vêtu de la tête aux pieds d'une combinaison de cuir noir aux multiples fermetures Éclair, le haut ouvert jusqu'à la taille dévoilant un torse mince et fuselé, le jeune homme tenait dans la main droite un long fouet.

— Partez. Partez ! S'il vous plaît, allez-vous-en ! cria-t-il – si fort que les voisins vinrent aux fenêtres voir ce qui se passait.

— Si ça vous arrange, on repassera plus tard.

Sans rien ajouter, ils se replièrent sur leur voiture, d'où ils reprirent leur surveillance.

Chapitre 39

Qui veut grimper le plus haut dans un arbre doit accepter d'exposer la partie la plus sensible de lui-même.

Mardi 23 novembre

Le lendemain matin, ils étaient encore là. Earle était émotionnellement brisé. Assis dans un fauteuil de son bureau, il sanglotait, les ongles – ou ce qui en restait – enfoncés dans les accoudoirs. Il avait tellement travaillé, tellement sacrifié. Et tout cela pour quoi ?

Il savait qu'il devait en finir. À quoi bon persister ? Il ne croyait plus en lui-même, et il avait perdu le droit de laisser d'autres croire en lui. Les yeux embués de larmes, il fouilla dans le tiroir de son bureau pour trouver à tâtons son répertoire téléphonique confidentiel. Quand il composa le numéro, les touches sous le bout de son index lui faisaient l'effet du plus corrosif des acides. Au prix d'un immense effort, il s'obligea à conserver une voix à peu près ferme tout au long de la courte conversation. Puis ce fut fini et il put de nouveau pleurer tout son soûl.

Un peu plus tard dans la matinée du mardi, la nouvelle du retrait d'Earle se répandit comme une traînée de poudre dans tout Westminster, laissant tout le monde médusé. C'était arrivé de façon si soudaine qu'il était trop tard pour modifier les bulletins déjà imprimés. On dut donc biffer son nom sur chacun d'eux d'un trait de stylo passablement ignominieux. Sir Humphrey ne fut pas particulièrement ravi de voir son travail si minutieusement préparé ainsi saboté à la dernière minute. À tous ceux qui eurent la faiblesse de lui prêter une oreille compatissante, il se plaignit sans vergogne, faisant amplement connaître son agacement en termes bien sentis. Néanmoins, à 10 heures pile, la salle de réunion numéro 14, spécialement réservée pour le scrutin, ouvrit ses portes, et le premier des trois cent trente-cinq députés de la majorité se présenta pour voter. Il y aurait deux absents de marque : le Premier Ministre, qui avait annoncé qu'il ne voterait pas, et Harold Earle.

Initialement, Mattie avait eu l'intention de passer la journée à la Chambre des communes, pour discuter avec les députés, sentir le vent et prendre la température. De l'avis général des votants, le retrait d'Earle allait profiter à Samuel.

— Les conciliateurs tendent à coller aux basques des marchands dotés d'une conscience, expliqua ainsi un vieux routier de la Chambre. Les soutiens d'Earle vont tout naturellement se reporter sur le jeune Disraeli. Ils n'ont pas assez d'imagination pour faire quelque chose de plus positif.

Disraeli. Le Juif. La campagne prenait une tournure personnelle plus désagréable.

Elle était à la cafétéria de la galerie réservée à la presse, en train de boire un café avec d'autres correspondants, lorsque les haut-parleurs annoncèrent un appel pour elle. Elle espéra que quelqu'un avait changé d'avis et qu'on allait lui proposer un emploi. Laissant son café sur une table, elle se dirigea vers le téléphone le plus proche. En reconnaissant la voix de son correspondant, elle fut encore plus stupéfaite que lorsqu'elle avait appris qu'Earle renonçait à se présenter.

— Salut, Mattie. J'ai cru comprendre que vous vouliez me voir la semaine dernière. Désolé qu'on se soit loupés. J'étais absent du bureau. Une petite grippe intestinale. Vous voulez toujours qu'on se voie ?

Roger O'Neill était si enjoué et si amical qu'elle avait bien du mal à faire le lien avec l'homme incohérent et aux abois qu'elle avait entendu quelques jours plus tôt. Elle avait l'impression d'avoir à faire à quelqu'un d'autre.

— Si vous êtes toujours intéressée, passez me voir à Smith Square plus tard dans la journée.

Cette proposition laissa Mattie pantoise. *Dans quel cirque chaotique peut-il bien être embringué ?* Mais sa réaction n'était rien comparée à celle qu'avait eue Urquhart un peu plus tôt. En téléphonant à O'Neill pour le charger de faire en sorte que Simon soit présent au meeting d'Earle, puis que le *Mirror* reçoive un appel anonyme l'informant des liens entre les deux hommes, il avait découvert, comme Mattie et Penny avant lui, un Roger en train de sombrer dans son néant de poudre blanche et de perdre contact avec tout ce qui était extérieur à son monde kaléidoscopique de plus en plus réduit. Il y avait eu confrontation entre les deux hommes. Urquhart ne pouvait se permettre ni de perdre les services d'O'Neill, ni de s'encombrer d'un poids mort incontrôlable.

— Une semaine, Roger. Encore une semaine et vous pourrez souffler. Oublier tout ça pendant un moment. Puis on pourra s'intéresser à nouveau à ce titre de chevalier que vous avez toujours voulu. Voilà qui changerait tout pour vous. Une fois que vous serez titré, plus personne ne pourra vous regarder de haut. Je peux faire ce qu'il faut pour ça. Vous savez que j'en ai la possibilité. Mais si vous me lâchez maintenant, si vous perdez les pédales, par Dieu, je vous promets que vous le regretterez jusqu'au dernier jour de votre vie. Merde, ressaisissez-vous. Vous n'avez rien à craindre. Il vous suffit de tenir bon encore quelques jours !

O'Neill n'était pas tout à fait sûr de comprendre ce que déblatérait Urquhart. *Tenir ? Mais bien sûr que je peux tenir. D'accord, j'ai été un peu patraque, mais je peux gérer. Sans difficulté.* Son esprit embrumé et toujours en plein déni refusait d'admettre qu'il avait un problème de comportement. Il n'y avait aucune place pour le doute dans sa vie. Surtout au sujet de lui-même. Il pouvait faire face à tout, en particulier avec un peu d'aide. Juste une pincée... Quelques jours encore à tenir, quelques ficelles à tirer, quelques esquives, quelques crochets, et adieu les sourires condescendants. Voici venir sir Roger ! Alors haut les cœurs, voilà qui méritait bien un petit effort.

— Bien sûr, Francis. Pas de problème. Je vous le promets.

— Pas d'impair, Roger. Vous n'avez vraiment pas intérêt.

Et O'Neill avait ri, alors même que ses yeux larmoyaient et que son nez coulait comme celui d'un vieillard un jour de grand vent.

Une fois suffisamment mouché et récuré pour retourner au bureau, il avait eu droit au compte-rendu de Penny qui l'avait informé de la visite de Mattie, et des questions qu'elle avait posées au sujet de la boîte postale de Paddington.

— Ne t'inquiète pas, Penny. Je vais m'en occuper, s'exclama-t-il en refoulant la bouffée d'angoisse qui lui était venue, pour renouer avec cette confiance arrogante que lui avaient conférée des années de pratique en tant que commercial.

N'avait-on pas dit de lui un jour qu'il serait capable de vendre de la neige en Sibérie ? Que les vieilles dames traverseraient la rue pour se faire embrasser par lui ? Tout ce dont il avait besoin, c'était de passion. Et puis aussi, de croire un peu en lui. Mattie n'était rien d'autre qu'une écervelée. Une bricole de rien du tout.

Lorsqu'elle arriva au bureau d'O'Neill, après le déjeuner, celui-ci était au mieux de sa forme – brillant, alerte, et avec ce regard étrange incapable de rester en place. Pour autant, il donnait aussi l'impression d'avoir vraiment envie de se montrer utile.

— J'avais l'estomac à l'envers, expliqua-t-il. Encore mille excuses de vous avoir fait faux bond. En tout cas, je ne sais pas ce que le toubib m'a donné, mais cela m'a sacrément bien remis sur pied, enchaîna-t-il avec un sourire, si plein de son charme irlandais. L'essentiel, c'est qu'il n'est jamais trop tard. Alors, Penny me dit que vous vouliez me poser des questions au sujet de la boîte postale de M. Collingridge.

— C'est cela même. Tout d'abord, s'agissait-il bien d'une adresse appartenant à Charles Collingridge ?

— Affirmatif.

— Mais ce n'est pas lui qui l'a ouverte.

Les yeux d'O'Neill renouèrent avec leur étrange frénésie. Ils étaient comme deux corps célestes lancés dans un combat acharné pour s'affranchir des lois de la gravité. Néanmoins, son sourire confiant ne quittait pas ses lèvres. Pour sa part, Mattie voulait absolument protéger sa source – Penny en l'occurrence. Elle se mit donc à broder une histoire au fil de la conversation.

— Le marchand de journaux n'a jamais vu Collingridge. Il ne l'a pas reconnu sur les photos et il jure ne l'avoir jamais eu comme client dans son bouclard, poursuivit-elle.

— Un ami l'aura ouverte pour lui, répliqua O'Neill en cherchant à tâtons une cigarette.

— Qui ?

— En tout cas, pas moi ! répondit O'Neill dans un gloussement, au milieu d'un nuage de fumée. Écoutez, Mattie, si vous voulez une déclaration officielle, vous savez bien que je vais être obligé de vous dire que les affaires personnelles de Charles ne regardent que lui. Du coup, ce n'est même pas la peine que vous restiez pour finir votre thé. En revanche, poursuivit-il en se penchant vers elle par-dessus son bureau, si vous acceptez de parler en « off », avec la promesse de ne rien publier…

— Je trouve ce thé absolument délicieux, répondit-elle.

Il tira sur sa cigarette, emplissant profondément ses poumons de fumée et faisant le plein de confiance.

— D'accord. Même en « off », vous devez savoir qu'il y aura une limite à ce que je vais pouvoir dire. Vous n'ignorez pas à quel point Charlie est mal en point depuis un certain temps. Il n'est pas – comment dire ? – « pleinement responsable » de ce qu'il fait, dit-il en soulignant la présence des guillemets dans son propos d'un petit geste de l'index et du majeur de ses deux mains. Ce serait vraiment moche que vous remuiez tout ça. Au bout du compte, vous ne feriez que le punir encore plus. Sa vie est en miettes. Il a peut-être commis des erreurs, mais n'a-t-il pas déjà assez souffert comme ça ? Par pitié, Mattie, laissez-lui une chance de reprendre sa vie en mains.

Mattie sentit son sens de l'humour se racornir intérieurement devant ce transfert de culpabilité sur des épaules innocentes, drapé qui plus est des oripeaux de l'altruisme le plus désintéressé. Néanmoins, elle parvint à conserver son sourire avenant.

— Ça me va, Roger. C'est vrai qu'il n'y a rien à gagner à le harceler. Passons à un autre point.

Elle vit alors les yeux de Roger se fixer sur elle l'espace d'une seconde, et son sourire se détendre. Il pensait l'avoir emporté, convaincu d'avoir battu l'impudente Mattie à son propre jeu. Encore un crochet, encore un changement de pied, et bingo ! Il était libre. *Ah, Roger, tu assures comme un dieu !*

— Parlons des fuites, poursuivit-elle. Il y en a eu tellement au cours de ces derniers mois. Apparemment, le Premier Ministre aurait des raisons de tenir Smith Square pour responsable de ses ennuis.

— Je doute que ce soit mérité, mais ce n'est pas un secret d'État que les relations entre lui et le président du Parti sont pour le moins tendues.

— Tendues au point que quelqu'un du siège du Parti nous ait délibérément transmis le sondage que nous avons publié pendant le congrès ?

Les yeux du communicant reprirent leur invraisemblable giration.

— Les gens veulent toujours avoir un coupable. Quelqu'un d'autre sur qui rejeter la faute. Je dirais même que c'est plus ou moins ce à quoi nous servons, dit-il en riant de l'air de se moquer de lui-même. C'est toujours facile de pointer un doigt accusateur, mais c'est une supposition qui ne me paraît pas si simple à étayer. En plus du président du Parti, nous ne sommes que… allez, cinq à tout casser dans ce bâtiment à recevoir les études d'opinion. J'en fais partie et je peux vous assurer que nous ne prenons pas leur confidentialité à la légère.

Il prit le temps d'allumer une nouvelle cigarette, de manière à s'accorder un instant pour réfléchir à ce qu'il allait dire ensuite.

— Mais elles sont également envoyées à chacun des ministres du Cabinet. Vingt-deux au total. Soit à la Chambre des communes, où elles passent entre les mains de secrétaires qui ne demandent qu'à bavarder, soit dans les ministères – qui, entre nous soit dit, ne sont que des paniers de crabes de hauts fonctionnaires qui n'ont aucune sympathie pour ce gouvernement. Si vous voulez trouver d'où partent les fuites, ce ne sont pas les possibilités qui manquent.

— D'accord, mais les documents me sont parvenus à l'hôtel à Bournemouth. Les secrétaires et autres fonctionnaires ne viennent pas aux congrès du Parti. Et ils ne viennent pas traîner aux abords de l'hôtel où sont hébergés les responsables gouvernementaux.

— Qui sait, Mattie ? Ce genre de source reste tout de même l'option la plus probable. Franchement, vous imaginez Lord Williams accroupi dans un couloir devant une chambre d'hôtel ?

Il rit bien fort pour démontrer tout le ridicule de cette image. Mattie se joignit à lui. Seulement, O'Neill venait ni plus ni moins d'admettre qu'il savait comment les sondages étaient parvenus jusqu'à elle. Or, il n'y avait qu'une seule et unique raison qui pouvait expliquer qu'il le sache. Roger péchait par excès de confiance – et le nœud coulant se resserrait autour de son cou.

— Passons à une autre fuite. Celle au sujet du programme de rénovation des hôpitaux. Si j'ai bien compris, vous deviez lancer une grande campagne de communication, qui a été suspendue à la dernière minute à cause du changement de plan.

— Allons bon ? Mais d'où est-ce que vous tenez ça ? demanda O'Neill, le cerveau subitement en surmultipliée.

Après avoir passé en revue les possibilités, l'image de son vieil ami Kendrick s'imposa à lui. Ce sale con avait toujours eu un faible pour les jolies femmes.

— Peu importe, je ne veux pas vous mettre la pression. Je sais que vous ne révélerez pas vos sources. En tout cas, la réalité que vous décrivez me paraît un peu exagérée. Ici, au département Communication, nous sommes toujours prêts à soutenir la politique du gouvernement. C'est notre boulot. Si le programme avait été mis en œuvre, nous aurions assuré sa promotion, bien sûr. Simplement, nous n'avions pas encore réfléchi à une campagne en particulier.

— On m'a pourtant dit que vous avez dû annuler une vaste campagne qui avait été soigneusement préparée et qui était prête à démarrer.

La cendre de sa cigarette renonça à résister à l'attraction terrestre pour dévaler le long de sa cravate. O'Neill l'ignora superbement. Sous l'effet de la concentration, des rides creusaient son front.

— Si c'est ce que vous avez entendu, Mattie, alors on vous aura mal informée. Pour moi, ça vient de quelqu'un qui joue une participation de soliste. Vous êtes sûre qu'il connaît tous les éléments de l'affaire ? Si ça se trouve, il veut faire mousser un petit morceau, histoire de vendre sa salade.

Sans cesser un instant de sourire, O'Neill faisait de son mieux pour dézinguer la crédibilité de Kendrick. Soudain, il se raidit en prenant conscience qu'il avait parlé de la source au masculin, mais il se rassura aussitôt en se disant que cette pauvre fille, Mattie, n'avait pas dû relever un détail aussi subtil. Cela étant, elle avait tendance à poser beaucoup trop de questions. O'Neill commençait à se sentir mal à l'aise. Au creux du ventre, il éprouvait le besoin irrépressible de recourir à quelque chose d'un peu plus consistant qu'une cigarette pour se remettre en selle. Et tant pis pour les consignes d'Urquhart.

— Mattie, j'ai une journée chargée qui m'attend, avec les résultats du vote ce soir et tout le reste. Est-ce qu'on peut considérer que tout a été dit ?

— Je vous remercie du temps que vous m'avez consacré, Roger. Vous m'avez vraiment été d'une aide précieuse.

— Je ne vous ai rien dit.

— Non, mais vous le faites avec tellement de persuasion.

— Si vous avez besoin d'aide…, dit-il en la raccompagnant vers la porte.

Ce faisant, ils passèrent devant l'ordinateur tassé sur un coin de son bureau encombré. Elle se pencha pour regarder l'écran, et son corsage s'entrouvrit de quelques centimètres. Roger suivit le mouvement, ravi du prétexte.

— Votre Parti est très en pointe en matière de technologie. Je suppose que tous les terminaux du bâtiment sont reliés entre eux via l'unité centrale ?

O'Neill se redressa. Au fond de lui, une sirène d'alarme s'était déclenchée, suffisamment puissante pour le détourner de la rondeur des seins de Mattie.

— Je… Je suppose que oui, dit-il en posant une main dans le dos de la jeune femme pour l'inviter à poursuivre son chemin.

— Je n'y connais vraiment rien en informatique. Une vraie quiche, j'en ai bien peur. Vous pourriez me donner des cours à l'occasion, Roger.

— Il faudrait que vous soyez bien désespérée pour me le demander à moi, plaisanta-t-il.

— Pourtant, vous avez l'air d'un homme qui sait utiliser toutes ces choses-là.

— On a tous eu une formation, mais je suis tout juste capable d'allumer cette saleté, dit-il. Pour tout dire, je l'utilise à peine. Pour la messagerie, ce genre de bricoles.

Ses yeux s'agitaient en tous sens. Il ne se contrôlait pratiquement plus.

— Désolé, faut que j'y aille, marmonna-t-il en sortant de son bureau comme un voleur.

À 17 heures, on procéda solennellement à la fermeture de la salle de réunion numéro 14, de façon à prévenir toute tentative de glisser encore un bulletin dans l'urne. Bien sûr, ce geste n'avait guère qu'une valeur symbolique puisque le dernier des trois cent trente-cinq votants avait rempli son devoir quelque dix minutes plus tôt. Derrière les portes closes, et sous le regard des immenses portraits à l'huile sur fond de papier peint d'un bleu particulièrement profond, sir Humphrey et sa petite équipe de scrutateurs se rassemblèrent, tous bien heureux que la journée se soit déroulée sans incident, en dépit d'un démarrage épouvantable, entièrement imputable à la défection d'Earle. Une bouteille de whisky circula parmi la troupe, histoire de se donner du cœur au ventre pour le dépouillement. Répartis dans diverses salles de l'édifice chargé d'histoire, les huit candidats attendaient la convocation qui pourrait changer leur vie, dans des états variables de fébrilité et de sang-froid.

Big Ben avait déjà sonné le quart de 18 heures quand le décompte fut enfin achevé. À la demie, les portes de la salle s'ouvrirent et les députés se pressèrent en cohue à l'intérieur afin d'être aux premières loges pour assister à l'événement. Ils étaient trop nombreux pour tenir tous debout ou assis aux tables qui n'étaient pas sans rappeler les pupitres d'une salle de classe. On laissa donc les portes ouvertes. La foule débordait jusque dans le couloir. De sommes substantielles étaient engagées dans des paris sur les résultats probables du scrutin. Au cœur de la mêlée, les représentants de la presse s'efforçaient de capter ce qui se disait.

Sir Humphrey jouissait pleinement de l'instant. Au crépuscule de sa carrière, il savait à quel point son apogée parlementaire était loin derrière lui. Pour tout dire, même le petit malentendu au sujet de ses vacances dans les Antilles avait contribué à redonner à son aura dans Westminster un lustre qu'elle n'avait plus depuis bien des années. Au fumoir, quelqu'un l'avait même entendu dire sur le ton de la plaisanterie qu'« à quelque chose malheur est bon ». Assis sur l'estrade de la salle numéro 14, flanqué de ses lieutenants, il se lissa la moustache d'un doigt, puis prononça l'ouverture de la séance.

— La liste des candidats à ce scrutin étant inhabituellement longue, je propose d'annoncer les résultats dans l'ordre alphabétique, dit-il en préambule.

La nouvelle n'était pas excellente pour le précieux et maniéré David Adams, l'ancien président de la Chambre, que Collingridge avait renvoyé sur les bancs avec ses collègues, après qu'il se fut un peu trop publiquement vanté de passer plus de temps avec la reine que le Premier Ministre lui-même. Il espérait faire suffisamment bonne figure dans le scrutin pour pouvoir prétendre ensuite à un ministère lui permettant de siéger au Cabinet. Sa pochette de soie parut s'affaisser de dépit quand Newlands annonça qu'il n'avait recueilli que douze voix. Quand il rinçait la dalle de ses collègues à grandes tournées de bordeaux millésimés, on lui avait promis bien plus de suffrages. « Salopes ! » murmura-t-il tout bas, mais suffisamment fort tout de même pour être entendu.

Sir Humphrey poursuivit. Aucun des quatre noms suivants, dont McKenzie, ne récolta plus de vingt votes de ses collègues. Paul Goddard, le dissident catholique, qui s'était porté candidat avec pour seul programme l'interdiction de toute forme d'avortement légal, ne comptabilisait que trois voix au total. Il secoua la tête avec un air de défi. Ce n'était pas dans ce monde qu'il entendait être récompensé de son engagement.

Sir Humphrey n'avait plus que trois noms sur sa liste – Samuel, Urquhart et Woolton – et un total de deux cent quatre-vingt-une voix à répartir. D'un coup, la tension dans la pièce monta d'un cran. Un minimum de cent soixante-neuf voix était nécessaire pour être élu au premier tour. Quelques paris de dernière minute furent engagés en toute hâte entre deux membres du Parlement isolés dans un coin, pour savoir s'il y aurait ou non un deuxième tour.

— Michael Samuel, clama le président de la séance en promenant sur la salle un regard digne d'un Hamlet au tombeau. Quatre-vingt-dix-neuf voix.

Un silence de mort s'abattit sur la pièce, jusqu'à ce qu'un remorqueur sur la Tamise ne le trouble en faisant sonner sa corne de brume à trois reprises. Une petite note d'amusement vint alléger la tension. Samuel murmura qu'il était bien dommage que les pilotes des bateaux ne puissent pas voter. De toute évidence, il était déçu d'être encore aussi loin de la ligne d'arrivée.

— Francis Urquhart, quatre-vingt-onze voix.

Assis à l'une des plus grandes tables où on lui avait réservé une place au premier rang, le *Chief Whip* accueillit l'annonce d'un simple hochement de tête pour exprimer sa gratitude.

— Patrick Woolton, quatre-vingt-onze voix.

Et c'était tout. La pièce fut instantanément envahie par le brouhaha d'innombrables conversations. Plus personne ne faisait attention à Newlands, qui tenta malgré tout de se faire entendre.

— Aucun candidat n'ayant été élu, il y aura un deuxième tour dans une semaine. Je rappelle que tous ceux qui souhaitent s'y présenter doivent à nouveau faire acte de candidature auprès de moi, d'ici jeudi. La séance est levée !

Il n'y avait absolument plus personne pour s'intéresser à ses paroles.

Chapitre 40

En politique, l'amitié n'est qu'une impression – dont on se débarrasse facilement.

Le bureau d'Urquhart débordait de collègues et l'alcool y coulait à flots. Les festivités battaient leur plein. Cette pièce qui lui était dévolue était l'une des plus agréables à laquelle un membre du Parlement pouvait prétendre, avec une magnifique fenêtre dont la vue donnait sur le palais gothique de l'archevêque de Cantorbéry à Lambeth. « Un point de vue différent », comme il avait coutume de dire parfois. Circulant entre les groupes, le *Chief Whip* remplissait les verres à mesure que de nouveaux convives arrivaient pour lui serrer la main et le féliciter. Depuis le début de la campagne, c'était la première fois qu'il apercevait certains visages, mais peu lui importait. Ces nouvelles têtes étaient autant de nouveaux votes.

— Magnifique, Francis. Un résultat absolument fabuleux. Pensez-vous pouvoir l'emporter ? demanda l'un de ses plus éminents collègues.

— Je le crois, répondit Urquhart, assez confiant. J'ai autant de chances que n'importe qui.

— Je crois que vous avez raison, dit son collègue sur un ton de joyeuse exubérance, avant d'avaler une énorme gorgée d'un liquide blanc, comme s'il avait eu quelque mystérieux incendie à éteindre au creux de son ventre. Le jeune Samuel est peut-être en tête, mais sa campagne est à la traîne. Dorénavant, tout va se jouer entre les candidats expérimentés – vous et Patrick. En tout cas, Francis, sachez que je vous soutiens sans réserve.

Et surtout, tu veux que je m'en souvienne quand j'aurai mis la main sur le poste de Premier Ministre, songea Urquhart en riant doucement, comme pour exprimer sa gratitude. Son épouse, qui glissait avec la grâce d'une séraphine parmi les convives, arriva à cet instant pour lui remplir son verre, un sourire charmant plaqué sur les lèvres.

L'un de ses plus jeunes soutiens circulait dans la salle pour orner les revers de chacun de badges autocollants qu'il tirait d'une boîte. Le message qu'on y lisait se résumait à deux lettres. Les initiales de Francis Urquhart. « FU ». Le jeune politicien, qui avait la stature de Napoléon et les joues bien rouges, tomba nez à nez avec Mortima. Emporté par l'enthousiasme, il tendit une main avec un badge en direction de la poitrine de l'hôtesse des lieux. Le jeune homme avait l'œil aimable et joyeux, mais à mesure que ses doigts s'approchaient du sein, une lueur incertaine s'y allumait. Puis son regard croisa celui de la femme du *Chief Whip* et il eut l'impression d'avoir reçu un coup de fouet.

— Oh, non. Pardon. Je… Pas ici, bafouilla-t-il, avant de disparaître au plus vite dans la masse.

— Où vas-tu les chercher ? murmura-t-elle à l'oreille de son époux, sur un ton de feinte stupéfaction.

— Quand il aura fini sa croissance, ce sera peut-être un grand homme.

— Si ce jour arrive, envoie-le-moi. Je te dirai.

De nouvelles fournées de visiteurs arrivaient.

— Mais d'où arrivent-ils comme ça ? demanda Mortima, inquiète à l'idée d'être à court de boisson.

— Oh, certains d'entre eux ont été très occupés, répondit-il. Ils viennent de faire une apparition aussi brève que remarquée aux pots de Samuel et Woolton. On ne sait jamais. Mieux vaut être prudent. Et on n'est jamais assez prudent, n'est-ce pas, ma chérie ?

— J'apprécie de savoir sur quel pied danser avec eux, Francis.

— Bien sûr, ma chérie. C'est pour cette raison que j'ai dépêché l'un de mes *whips* à la fois chez Michael et chez Patrick. Ils évaluent les effectifs et repèrent les visages. Ils contribuent à la prudence.

Ils se regardèrent au fond des yeux, sans plus aucunement se soucier de la mêlée autour d'eux.

— Tout ce qu'il faudra, Francis.

— Tu voudras savoir ?

Elle secoua la tête.

— Non. Pas plus que toi tu ne veux savoir, mon amour.

Elle tourna les talons et repartit accomplir ses devoirs.

Au fond de la pièce, le téléphone sonnait sans relâche, déversant des messages de félicitations et autres sollicitations. La secrétaire d'Urquhart venait lui rendre compte des appels entre une ouverture de bouteilles et un échange de banalités. Cette fois-ci, elle arriva aux côtés d'Urquhart, la mine soucieuse.

— C'est pour vous, murmura-t-elle. Roger O'Neill.

— Dites-lui que je suis occupé et que je le rappellerai plus tard.

— Mais il a déjà appelé. Il a l'air un peu affolé. Il m'a demandé de vous dire que c'était « super chaud », pour reprendre sa formule.

En maugréant un juron, il quitta ses convives pour aller à la fenêtre, protégé de l'affluence par sa table de travail.

— Roger ? dit-il d'une voix aimable en affichant un visage rayonnant.

Il ne voulait surtout pas que ses invités perçoivent l'irritation qu'il ressentait intérieurement.

— Est-ce vraiment utile ? poursuivit-il. J'ai du monde.

— Elle nous piste, Francis. Cette maudite salope. Elle sait, j'en suis sûr. Elle sait que c'est moi, et après, c'est sur votre dos qu'elle sera. La fouille-merde. Je ne lui ai rien dit, absolument rien, mais elle a pigé. Dieu seul sait comment, mais...

— Roger, écoutez-moi bien. Ressaisissez-vous, ordonna Urquhart.

Il avait parlé sur un ton parfaitement maîtrisé, mais en se tournant vers la fenêtre pour éviter qu'on ne lise sur ses lèvres.

O'Neill ne l'écoutait déjà plus, poursuivant sa conversation aussi folle qu'un train sans conducteur.

Urquhart l'interrompit.

— Roger, expliquez-moi clairement et lentement ce qui se passe.

L'infernal charabia repartit, et Urquhart n'eut d'autre choix que d'écouter en essayant de trouver un sens à cette bouillie chaotique de mots, de bafouillis et de reniflements.

— Elle est venue me voir, cette salope de correspondante. Je ne sais pas comment, Francis. Ce n'est pas moi. Je n'ai rien dit. Je l'ai feintée et je crois qu'elle est partie contente d'elle. Mais d'une manière ou d'une autre, elle a pigé. Tout, Francis. L'adresse à Paddington, le fichier informatique. Même cette putain de fuite du sondage. Et ce con de Kendrick a dû ouvrir sa grande gueule. Oh, putain, Francis. Et si elle ne m'a pas cru ?

— Taisez-vous un instant, gronda Urquhart sans cesser de sourire. Qui, Roger ? De qui parlez-vous ?

— Storin. Mattie Storin. Et elle a dit…

— Est-ce qu'elle a la moindre preuve ? Ou s'agit-il uniquement de spéculations ?

O'Neill s'interrompit une seconde.

— Non, rien de concret, je crois. Juste des déductions. Sauf que…

— Sauf que quoi ?

— Quelqu'un lui a dit que j'avais quelque chose à voir avec l'ouverture de l'adresse postale à Paddington.

— Mais comment…

— Je ne sais pas, Francis, je n'en sais foutre rien. Mais tout va bien, pas de quoi s'affoler. Elle pense que je l'ai fait pour Collingridge.

— Roger, je…

— Écoutez, c'est moi qui ai fait le sale boulot. C'est moi qui ai pris les risques. Vous n'avez rien à craindre, alors que moi je suis dans la merde jusqu'au cou. Oh, Francis, il faut m'aider. J'ai la trouille ! J'ai fait trop de trucs pour vous que je n'aurais pas dû faire. Mais je n'ai pas posé de questions. J'ai juste fait ce que vous me demandiez de faire. Il faut me tirer de là. Je n'en peux plus. Je vais craquer. Il faut me protéger, Francis. Vous m'entendez ? Oh, merde, je vous en supplie. Aidez-moi !

— Roger, calmez-vous ! dit Francis d'une voix posée en enserrant le combiné entre ses deux mains. Elle n'a absolument aucune preuve. Et vous n'avez rien à craindre. Nous sommes ensemble dans cette affaire, vous comprenez ? Et c'est ensemble qu'on va traverser l'épreuve qui va nous conduire jusqu'à Downing Street.

À l'autre bout du fil, il n'y avait que le bruit d'un incontrôlable sanglot.

—Je veux que vous fassiez deux choses, Roger. La première, c'est que vous n'oubliiez pas le titre de chevalier dont je vous ai parlé. Encore quelques jours et vous l'aurez.

Urquhart crut bien entendre un marmonnement qui pouvait ressembler à un remerciement.

—Et d'ici là, Roger, je veux que vous vous teniez soigneusement éloigné de Mlle Storin. Vous comprenez ?

—Mais…

—Restez loin d'elle !

—Tout ce que vous voudrez, Francis.

—Je vais m'occuper d'elle, murmura Urquhart avant de raccrocher.

Il se redressa de toute sa hauteur, le regard perdu au loin, pendant que les émotions passaient sur lui. Dans son dos, il entendait le bourdonnement des conversations de tous ces hommes puissants qui pouvaient le propulser jusqu'à Downing Street. Devant lui, il voyait les méandres du fleuve, qui depuis des siècles, avait vu tant de grands hommes. Et il venait de couper la communication avec le seul être qui pouvait tout détruire.

Chapitre 41

Que dit un politicien le jour où il se retrouve devant saint Pierre ? Il se plaint du nombre de bulletins de vote gâchés ? Il jure que si les bureaux de vote étaient restés ouverts un peu plus longtemps les choses auraient été différentes ?

Moi, j'ai mon idée. Je regarderai ce vieux con droit dans les yeux et je lui dirai qu'il est viré.

Il l'appela en début de soirée.

— Mattie, cela vous dirait de passer ?

— Francis, j'aimerais beaucoup. Sincèrement, j'adorerais ça, mais est-ce qu'il n'y aura pas foule devant chez vous ?

— Venez tard. Ils seront tous partis.

— Et… Mme Urquhart ? Je ne voudrais pas la déranger.

— Elle est déjà repartie à la campagne pour plusieurs jours.

Il était près de minuit lorsque Mattie se glissa sans bruit par la porte d'entrée dans la maison de Cambridge Street, en s'assurant bien que personne n'observait. Elle ressentait fortement le caractère sournois de son attitude, mais son cœur n'en était pas moins empli d'espoir.

Urquhart lui prit son manteau, en la détaillant lentement de la tête aux pieds. Elle se sentait un peu embarrassée. Subitement, elle l'embrassa sur la joue.

— Désolée, dit-elle en rougissant. C'est juste… Félicitations. Même si ce n'est pas très professionnel.

— Libre à vous de le penser, Mattie. Mais je ne m'en plaindrai pas, répondit-il en riant.

Ils allèrent s'installer dans son bureau, un whisky à la main, douillettement enfermés dans une atmosphère de craquements de cuir et de conspiration.

— Mattie, on m'a dit que vous aviez été très vilaine.

— Que vous a-t-on dit ? demanda-t-elle, soudainement alarmée.

— Entre autres choses, que vous avez contrarié Greville Preston.

— Oh, ça… Oui, j'ai bien peur que ce soit vrai.

— Peur ?

— Greville ne voulait plus publier mes articles. J'ai été bannie. On m'a envoyée jardiner.

— Cela peut être agréable.

— Pas quand le monde entier est en train de changer et que je reste sur la touche. Pas quand…

Elle s'interrompit.

— Quand quoi, Mattie ? Je vois bien que quelque chose vous chagrine.

— Quand quelque chose de vraiment dramatique est en train de se passer.

— C'est comme ça que vous voyez la politique ?

— Non, il ne s'agit pas uniquement de politique. C'est bien pire.

— Racontez-moi tout – si vous le voulez. Considérez-moi comme un confesseur.

— Non, je ne pourrais jamais faire ça, Francis.

— Ce n'est pas vous qui m'avez dit que je vous rappelais votre père ?

— Uniquement par votre force.

Ses joues rosirent. Elle semblait intimidée. Il sourit. Et tout à coup, la pièce fut pleine de couleurs aux yeux de Mattie – le bleu des yeux de Francis, l'ambre du whisky, le brun sombre du vieux cuir, le pourpre du tapis persan. Dans le silence ouaté, elle n'entendait plus que les battements de son cœur. Elle tendit son verre et il la resservit. En venant chez lui, elle savait qu'elle avait démarré quelque chose qu'elle allait devoir achever.

— Je crois que quelqu'un a délibérément ciblé Collingridge.

— C'est fascinant.

— Il y a eu toutes ces fuites. Les sondages et le reste. Et j'ai des raisons de croire que l'adresse de Paddington est un coup monté, ce qui veut dire…

— Ce qui veut dire ?

— Que l'affaire des actions *Renox* est également un coup monté.

Urquhart eut l'air stupéfait, comme si quelqu'un venait de lui pincer la joue.

— Mais dans quel but ?

— Pour se débarrasser du Premier Ministre, bien sûr ! s'exclama-t-elle, agacée qu'il se montre si lent à saisir ce qu'elle-même avait clairement compris.

— Mais… Mais qui, Mattie ? Qui ?

— Roger O'Neill est impliqué.

— Roger O'Neill ? dit Urquhart en éclatant de rire. Mais qu'est-ce qu'il pourrait bien gagner à faire une chose pareille ?

— Je ne sais pas !

Elle abattit son poing fermé sur le sofa de cuir, exaspérée par l'impression d'impuissance qui la minait.

Urquhart se leva de son fauteuil pour venir s'asseoir à côté d'elle. Il prit sa main dans la sienne, pour détendre un à un tous ses doigts. Du pouce, il lui caressa lentement la paume.

— Vous êtes contrariée.

— Bien sûr que je suis contrariée. Je suis la journaliste qui a le scoop du siècle, mais que personne ne veut imprimer.

— Et moi, je crois que la contrariété vous empêche de penser clairement.

— Comment ça ? demanda-t-elle, piquée au vif.

— Roger O'Neill, répéta-t-il d'un ton plein de mépris. Ce type n'est même pas capable de se contrôler lui-même. Alors, jongler avec les différentes parties d'une conjuration apparemment très complexe...

— Oui, j'avais remarqué.

— Et donc... ? dit-il pour l'encourager à poursuivre.

— Il doit agir de concert avec quelqu'un d'autre. Une personne plus importante. Haut placée. Quelqu'un qui peut tirer parti du changement de Premier Ministre.

Urquhart hocha la tête pour signifier son accord.

— Oui, il doit y avoir quelqu'un d'autre dans l'ombre qui tire les ficelles. O'Neill n'est qu'une marionnette.

Il la menait sur un chemin bien dangereux, mais il savait qu'elle y arriverait toute seule tôt ou tard. Autant lui tenir la main.

— Nous cherchons donc quelqu'un qui a tout à la fois le motif et les moyens. Qui est en position de contrôler O'Neill. Et qui a accès à des informations politiques confidentielles.

Il posa sur elle un regard admiratif. Mattie l'impressionnait de plus en plus. Elle était non seulement une jeune femme magnifique, mais une fois lancée, elle avançait en faisant preuve d'un talent surprenant. Elle atteignit le bout du chemin et retint son souffle. La vue se dévoilait subitement à elle.

— Quelqu'un qui est engagé dans un âpre bras de fer avec le Premier Ministre.

— Ils sont nombreux dans ce cas-là.

— Non ! Non ! Vous ne voyez donc pas ? Il n'y a qu'un seul homme qui réponde à cette description, dit-elle, exaltée. Un seul. Teddy Williams.

Il se laissa aller contre le dossier du sofa, la bouche grande ouverte.

— Bonté divine. C'est sidérant.

Ce fut au tour de Mattie de lui prendre la main – et de la serrer doucement.

— Vous comprenez maintenant pourquoi je suis tellement frustrée. J'ai ce scoop extraordinaire et Greville ne veut rien savoir.

— Pourquoi ?

— Parce que je ne peux rien prouver. Je n'ai aucune preuve concrète. Alors je suis baisée. Je ne sais pas quoi faire, Francis.

— C'est l'une des raisons pour lesquelles je vous ai proposé de passer ce soir, Mattie. Vous traversez un moment difficile, mais je crois que je peux vous aider.

— Vraiment ?

— Il vous faut quelque chose d'autre à offrir à Preston. Quelque chose à quoi il ne pourra pas résister.

— Et qu'est-ce que c'est ?

— Le récit de la campagne Urquhart vue de l'intérieur. Qui sait, je pourrais même l'emporter. Et si c'est le cas, ceux qui bénéficieront d'un accès privilégié seront en position de force dans le monde de la presse londonienne. Vous pouvez me croire, Mattie, si je l'emporte, vous aurez un accès exceptionnel.

— Vous parlez sérieusement, Francis ? Vous feriez ça pour moi ?

— Absolument.

— Mais pourquoi ?

— Parce que !

Une lueur amusée passa dans les yeux du *Chief Whip*. Puis son regard redevint sérieux, avant de plonger dans celui de Mattie.

— Parce que vous êtes absolument magnifique – si vous m'autorisez à formuler cette opinion.

Elle eut un petit sourire, teinté de coquetterie.

— Vous êtes tout à fait libre de le dire. Je ne peux faire aucun commentaire.

— Et puis aussi parce que je vous aime beaucoup, Mattie. Vraiment beaucoup.

— Merci, Francis.

Elle se pencha en avant pour l'embrasser. Non pas sur la joue cette fois-ci, mais sur la bouche. Puis elle se recula vivement.

— Excusez-moi, dit-elle. Je n'aurais pas dû faire ça.

Il n'avait pas bougé, aussi immuable qu'un rocher. Elle l'embrassa de nouveau.

Bien plus tard cette nuit-là, bien après 1 heure du matin, et que Mattie s'en fut retournée chez elle, Urquhart quitta sa maison pour retourner à son bureau à la Chambre des communes. Sa secrétaire avait vidé les cendriers, vidé les verres et retapé les coussins. Quand il avait quitté les lieux, les conversations allaient encore bon train. À présent, tout était aussi silencieux qu'un tombeau. Il referma la porte derrière lui, tira soigneusement le verrou, puis se dirigea vers le secrétaire à quatre tiroirs, équipé d'une barre de sécurité et d'une serrure à combinaison. Il fit jouer le bouton à quatre reprises, d'avant en arrière, jusqu'à ce que le dispositif émette un cliquetis et que la barre de sécurité se libère. Il la retira, puis se pencha pour ouvrir le tiroir du bas.

Il céda dans un grincement. Il était rempli de dossiers, chacun revêtu du nom d'un député, contenant des informations gênantes et même des preuves incriminantes, qu'il avait soustraits du coffre du bureau des *Whips*. Il lui avait fallu presque trois années pour amasser ces secrets – ces marques de la stupidité la plus absolue.

Agenouillé par terre, il fit le tri dans les documents, jusqu'à trouver ce qu'il cherchait. Une enveloppe matelassée, déjà fermée et adressée. Il la mit de côté, puis referma soigneusement le tiroir et remit la barre de sécurité en place. Comme chaque fois, il contrôla que le verrou et la barre avaient convenablement joué.

Il ne rentra pas directement chez lui, mais fit un crochet par l'un des services de coursiers fonctionnant 24 heures sur 24 qui se multipliaient dans les entresols de Soho. Il déposa l'enveloppe et acquitta en liquide le prix demandé pour que l'enveloppe soit portée à destination. Bien entendu, il aurait été plus simple pour lui de la poster depuis la Chambre des communes, qui disposait de l'un des bureaux de poste les plus efficaces du pays. Mais voilà, il ne voulait surtout pas que le cachet du Parlement figure où que ce soit sur cette enveloppe.

Chapitre 42

Quels que soient son degré ou sa forme, la cruauté est impardonnable. Du coup, quitte à se montrer cruel, autant ne pas faire dans la demi-mesure.

Mercredi 24 novembre

Avec un bruit sourd, lettres et journaux tombèrent en même temps par la fente de la boîte aux lettres sur le paillasson intérieur de la résidence de Patrick Woolton à Chelsea. Alerté par ce son caractéristique du petit matin, le secrétaire aux Affaires étrangères descendit l'escalier en robe de chambre pour aller les ramasser. Il déposa les journaux sur la table de la cuisine, mais laissa le courrier sur une console très ancienne dans l'entrée. Il recevait plus de trois cents lettres par semaine en provenance de tous horizons, mais essentiellement de sa circonscription. Cela faisait bien longtemps qu'il avait renoncé à les lire toutes. Il laissait à sa femme le soin de les ouvrir, elle qui assumait par ailleurs les fonctions d'attachée parlementaire, ce qui lui valait de toucher une généreuse allocation, en complément des émoluments substantiels de son époux au titre de ses fonctions ministérielles.

Comme de juste, l'élection au sein du Parti dominait l'actualité. Apparemment tous rédigés par des transfuges de la presse hippiques, les gros titres parlaient « d'arrivée groupée », de « tiercé serré » et de « *photo finish* » pour désigner le vainqueur. À l'intérieur, les commentaires soulignaient, dans un style plus mesuré, qu'il était difficile de dire lequel des trois candidats arrivés en tête était le mieux placé. Patrick Woolton se pencha attentivement sur l'analyse du *Guardian* – qui n'était pas d'ordinaire sa lecture de chevet. Le journal avançait à cloche-pied sur sa jambe gauche, mais n'étant ni concerné ni partisan dans cette course, on pouvait supposer que son point de vue sur les résultats était globalement plus mesuré et objectif.

« Un choix clair s'offre désormais au Parti », disait la première phrase de l'éditorial.

> De loin le plus populaire et le plus policé des trois candidats, Michael Samuel a su mener une carrière politique sans renoncer à toute conscience sociale. Que certains membres de sa famille politique l'aient taxé d'être « à moitié trop libéral » est un fait dont il devrait s'enorgueillir.
> Dans son genre, Patrick Woolton est tout à fait différent. Fier, et pas qu'un peu, de ses origines enracinées dans le nord de l'Angleterre, il se pose en homme capable d'unir les deux moitiés du pays. En revanche, avec sa manière un peu rentre-dedans de faire de la politique, reste à savoir s'il peut être capable de rassembler autour de lui tous les courants de son Parti. Malgré le temps passé à la tête du *Foreign Office*, il affirme n'être que peu enclin à la diplomatie et s'adonne à la pratique gouvernementale comme

> s'il était encore talonneur dans une équipe de rugby. Le chef de l'Opposition l'a décrit comme un homme qui arpente Westminster en quête d'une bagarre, sans particulièrement se soucier de savoir avec qui.

Woolton laissa filer un grondement appréciateur, puis mordit à pleines dents dans un toast avant de poursuivre sa lecture.

> Francis Urquhart est bien plus difficile à cerner. Il est le moins expérimenté et le moins connu des trois, mais sa performance au premier tour du scrutin est absolument remarquable. Trois raisons expliquent son succès. Tout d'abord, en tant que *Chief Whip*, il connaît son Parti sur le bout des doigts. De même, tous les membres du Parlement appartenant à sa majorité le connaissent. Dans la mesure où ce sont ses collègues qui s'expriment dans ce scrutin, et non pas le corps électoral tout entier, son déficit de notoriété n'est pas le handicap que beaucoup avaient cru.
> Ensuite, il a mené une campagne empreinte de dignité, qui tranche indiscutablement avec les assauts verbaux de ses concurrents. Pour ce que l'on sait de son positionnement politique, il semble être le tenant d'une ligne traditionaliste, probablement patricienne et autoritaire, mais suffisamment floue en même temps pour qu'il ne se soit aliéné aucune des sensibilités qui coexistent au sein de son Parti.
> Enfin, et c'est sans doute là son meilleur atout, il n'est ni Michael Samuel ni Patrick Woolton. Bien des députés ont dû préférer lui apporter leur suffrage dans ce premier tour plutôt que de s'engager pour l'un

des candidats plus controversés. Pour les attentistes, il est le choix qui s'impose. Néanmoins, c'est ce facteur qui, au bout du compte, pourrait aussi faire dérailler sa campagne. À mesure que l'exigence de positions claires et tranchées chez les candidats va se faire plus forte, Urquhart sera peut-être celui qui aura le plus à en souffrir.

Le choix est donc clair. Ceux qui veulent affirmer leur conscience sociale choisiront Samuel. Ceux qui veulent une politique au son du tambour apporteront leur suffrage à Woolton. Et ceux qui sont incapables de se décider pour l'un ou pour l'autre se tourneront tout naturellement vers Urquhart. Au bout du compte, quel que soit le verdict des urnes, le Parti aura ce qu'il mérite.

Woolton gloussa en avalant la dernière bouchée de son toast. Sa femme entra à cet instant, les bras chargés des missives du jour.

— Qu'est-ce qu'ils racontent ? demanda-t-elle en désignant les journaux d'un signe de tête.

— Que je suis Maggie Thatcher sans les nichons, répondit-il. C'est dans la poche.

Elle resservit du thé à son mari, puis s'assit en soupirant à côté de sa pile de lettres. Elle pratiquait le tri et la gestion du courrier en véritable virtuose. Dans son traitement de texte, elle tenait en réserve un certain nombre de lettres types. En appuyant sur une seule touche de son clavier, elle pouvait imprimer à la chaîne des réponses standard qui avaient toutes les apparences de lettres personnalisées. Ensuite, elle y apposait la signature de son mari, à l'aide d'une petite imprimante spéciale qu'il avait rapportée des

États-Unis. Même si le gros de la correspondance émanait de sempiternels râleurs, lobbyistes, chouineurs professionnels et autres barjots écrivant à l'encre verte, tout le monde aurait droit à sa réponse. Elle entendait bien ne pas faire perdre une seule voix à son époux en ne répondant pas à un courrier, même le plus outrancier.

Elle garda la grande enveloppe matelassée pour la fin. Apportée par un coursier, elle était solidement fermée. L'expéditeur n'avait pas été avare en agrafes et ruban adhésif. Elle dut forcer pour parvenir à l'ouvrir, au risque de mettre en péril sa manucure. Quand enfin elle parvint à retirer la dernière agrafe, une cassette audio glissa sur ses genoux. L'enveloppe ne contenait rien d'autre. Ni lettre, ni carte. Il n'y avait même aucune étiquette sur la cassette indiquant ce qu'elle pouvait bien contenir.

— Les idiots. Comment est-on censé répondre à ça ?

— Il s'agit sans doute d'un enregistrement du discours de la semaine dernière, ou d'une interview récente, murmura distraitement Woolton, sans même relever les yeux de son journal. Tiens, ressers-nous donc un peu de thé. Ensuite, nous n'aurons qu'à l'écouter, dit-il en esquissant un geste en direction de la chaîne stéréo.

Obligeante comme à l'accoutumée, sa femme fit comme il avait dit. Il était en train de siroter sa tasse, tout en lisant l'éditorial du *Sun*, quand le vumètre audio du lecteur de cassettes indiqua que la lecture de la bande avait commencé. On n'entendait qu'une série de souffles et de craquements. De toute évidence, cela n'avait rien d'un enregistrement professionnel.

— Monte donc le son, chérie, dit-il. Que le renard entende un peu les poules.

Un rire féminin emplit la pièce. Quelques secondes plus tard, ce fut un long soupir un peu rauque. Le son hypnotisa littéralement les Woolton. Pendant plusieurs minutes, ni l'un ni l'autre ne bougea. Il n'y eut aucune gorgée de thé avalée, aucune page de journal tournée. Pendant ce temps, de nombreux bruits sortaient des haut-parleurs : des souffles lourds et saccadés, des exclamations sourdes, les plaintes d'un matelas, un grognement de satisfaction, le martèlement régulier d'une tête de lit contre un mur. La bande-son ne laissait guère de place à l'interprétation. Les soupirs féminins s'accélérèrent et montèrent dans les aigus pour devenir de petits cris cadencés.

Ensuite, après une séquence de cris paroxystiques plus ou moins simultanément poussés, le silence revint. Il n'y eut plus que quelques petits rires féminins, auxquels se mêlait le souffle lourd et grave de son compagnon.

— Oh… C'était vraiment génial, murmura l'homme, le souffle court.

— Pas mal pour un vieux.

— Tu sais ce qui vient avec l'âge ? L'énergie !

— Alors on peut recommencer ?

— Pas si tu cries à en réveiller tout Bournemouth, répondit la voix à l'inimitable accent du Lancashire.

Depuis le début de la cassette, Woolton et sa femme étaient restés absolument pétrifiés. Finalement, elle se leva et traversa la pièce d'un pas lent pour aller éteindre. Elle se retourna vers son mari. Une larme coulait le long de sa joue. Le secrétaire aux Affaires étrangères était incapable de regarder sa femme dans les yeux.

— Que veux-tu que je dise ? murmura-t-il. Je suis désolé, ma chérie. Je ne te mentirai pas en disant que c'est un montage. Mais je suis désolé. Vraiment. Je n'ai jamais eu l'intention de te faire du mal.

Elle ne répondit rien. Le chagrin sur son visage faisait infiniment plus mal que tout ce qu'elle aurait pu dire.

— Que veux-tu que je fasse ? demanda-t-il doucement.

La douleur la submergeait. Ses ongles s'enfonçaient dans la chair de ses paumes.

— Pat, j'ai souvent fermé les yeux au cours de ces vingt-trois dernières années. Et je ne suis pas stupide au point de croire que c'est la seule et unique fois. Mais tu aurais pu au moins avoir la décence de m'épargner ça, et de faire en sorte qu'on ne vienne pas me le jeter au visage. Tu me le devais bien.

Il baissa la tête. Elle laissa passer un instant, pour qu'il mesure bien l'ampleur de sa colère, puis elle poursuivit.

— Mais il y a une chose que ma fierté ne peut pas tolérer. C'est qu'une petite pute comme elle essaie de te faire chanter, de briser mon mariage et de se moquer de moi. Je ne la laisserai pas faire. Trouve ce que veut cette salope. Donne-lui de l'argent ou va voir la police. Mais débarrasse-toi d'elle. Et débarrasse-toi de ça !

Elle lui jeta la cassette – qui rebondit sur son torse.

— Je ne veux pas de ça chez moi, ajouta-t-elle. Et je ne veux pas de toi non plus si je dois réentendre une chose pareille !

Il la regarda, les yeux emplis de larmes.

— Je vais arranger ça. Je te le promets. Tu n'en entendras plus jamais parler.

Chapitre 43

L'amour parle au cœur de l'homme. Mais la peur, elle, s'adresse à des parties bien plus faciles à persuader.

Mardi 25 novembre

Penny jeta un regard dépourvu de toute aménité en direction du ciel gris acier. Emmitouflée dans la laine, elle sortit du bel immeuble de style dans lequel elle vivait, dans le quartier d'Earl's Court, pour s'engager sur le trottoir. Cela faisait plusieurs jours que les prévisions météo annonçaient une soudaine vague de froid, et celle-ci était effectivement arrivée, bien décidée à se faire sentir. Tout en progressant sur des flaques gelées, elle regretta d'avoir opté pour des talons plutôt que pour des bottes. Elle avançait tout doucement au bord du trottoir, en soufflant sur ses doigts pour les réchauffer, quand une voiture s'arrêta à sa hauteur. La portière s'ouvrit, lui bloquant le passage.

Comme elle se penchait pour dire au conducteur sa façon de penser, elle reconnut Woolton au volant. Elle lui sourit, mais il conserva un visage fermé qui n'avait rien de chaleureux. Le regard obstinément fixé droit devant lui, il ne l'avait même pas regardée. Elle obéit à son geste et s'installa sur le siège passager.

— Qu'est-ce que tu veux ? demanda-t-il d'une voix aussi mordante que le gel.

— Ça dépend. Qu'est-ce que tu proposes ?

Penny souriait, mais un début d'incertitude se glissait dans son for intérieur. Patrick se tourna vers elle. Ses yeux étaient glacés et ses lèvres minces comme des lames.

— Tu étais obligée d'envoyer une cassette chez moi ? demanda-t-il en montrant les dents. C'était vraiment cruel. Ma femme l'a entendue. Mais c'était aussi extrêmement con. Elle est au courant maintenant. Tu ne peux plus me faire chanter. Aucun journal, aucune radio n'en voudra. Avec les risques de poursuite en diffamation, ils préféreront tous se planquer. Tu ne peux vraiment pas en faire grand-chose.

Ce n'était pas tout à fait exact. Entre de mauvaises mains, cette cassette pouvait encore causer bien des dégâts. Cependant, il avait bon espoir qu'elle soit trop stupide pour le voir. Apparemment, son bluff avait fonctionné. Il vit le visage de Penny subitement alarmé.

— Pat, mais de quoi est-ce que tu me parles ?

— Mais de cette putain de cassette que tu m'as envoyée, espèce de garce. Ne commence pas à jouer l'innocente !

— Je… Je ne t'ai jamais envoyé de cassette. Je ne comprends rien à ce que tu me dis.

Cette attaque totalement inattendue la bouleversait. Elle se mit à sangloter. Il la saisit sauvagement par le bras, et ses pleurs devinrent des larmes de douleur.

— La cassette ! La cassette ! Celle que tu m'as envoyée !

— Mais quelle cassette, Pat ? Pourquoi est-ce que tu me fais mal ?

Ses larmes brûlantes coulaient sans discontinuer. La rue autour d'elle disparaissait dans un brouillard. Elle était prisonnière au cœur d'un univers dément.

— Regarde-moi et dis-moi que tu ne m'as pas envoyé une cassette de nous deux à Bournemouth.

— Mais non. Non ! Quelle cassette ?

Et d'un coup, une vague d'horreur la submergea. Elle en eut le souffle coupé et ses larmes se tarirent.

— Il y a une cassette de nous deux à Bournemouth ? Pat, c'est ignoble. Qui a fait ça ?

Il lui relâcha le bras et son visage s'affaissa lentement sur le volant.

— Oh, bon Dieu. C'est encore pire que ce que je pensais, marmonna-t-il.

— Pat, je ne comprends pas.

Il avait un teint de cendres. Subitement, il accusait son âge. La peau de ses joues avait l'apparence du parchemin.

— Hier, j'ai reçu une cassette chez moi. C'était un enregistrement de nous deux, au lit, pendant le congrès du Parti.

— Et tu pensais que moi, je te l'avais envoyée ? Mais tu n'es vraiment qu'un sale con !

— J'espérais que ce soit toi, Penny.

— Pourquoi ? Pourquoi moi ? s'écria-t-elle d'un ton suprêmement dégoûté.

Il serrait si fort le volant que ses phalanges blanchirent. Il fixait du regard un point devant lui, mais sans voir la route.

— J'espérais que ce soit toi, Penny, parce que si ce n'est pas toi, je n'ai pas la moindre idée de qui ça peut être. Et ce n'est sûrement pas une coïncidence que cette cassette arrive aujourd'hui, si longtemps après. Ce n'est pas de l'argent qu'on essaie de me soutirer. On veut me virer de l'élection.

Sa voix baissa jusqu'à n'être plus qu'un murmure.

— Mardi prochain, pour moi, c'est grillé…

Woolton passa le reste de la matinée à essayer de réfléchir de manière constructive. Pour lui, sans l'ombre d'un doute, c'était l'élection au poste de chef du Parti qui expliquait cette soudaine apparition de la cassette. Mais qui se cachait derrière cette manœuvre ? Il imagina une dizaine de scénarios, allant jusqu'à incriminer les Russes, mais rien ne collait. Il ne savait plus de quel côté se tourner. Après avoir appelé sa femme – il lui devait bien ça –, il se résolut à convoquer une conférence de presse.

Confrontés à pareille situation, certains auraient choisi de se retirer discrètement de la scène, en priant pour que rien ne vienne perturber leur éloignement feutré. Woolton n'était pas de ces hommes. Il appartenait plutôt à la catégorie de ceux qui se battent jusqu'à leur dernier souffle, en tentant de sauver ce qu'ils peuvent du naufrage de leurs rêves. Il n'avait rien à perdre.

C'est donc animé d'une détermination sans faille qu'il vint se présenter devant la presse, un peu après le déjeuner. Faute de temps pour prendre de meilleures dispositions, il avait convoqué les médias sur la promenade Albert Embankment, sur la rive sud de la Tamise, juste en face du Parlement. Il lui fallait un décor spectaculaire devant lequel s'exprimer, et l'immense bâtisse couleur pain d'épice, avec la tour de Big Ben à son extrémité, convenait parfaitement. Dès que les cameramen furent prêts, il attaqua.

— Bonjour. J'ai une courte déclaration à faire et, je m'en excuse à l'avance, je n'aurai pas de temps ensuite pour répondre aux questions. Cela dit, je crois que vous ne serez pas déçus.

Une autre équipe de télé arriva et il attendit le temps qu'ils installent leur matériel.

— À la suite du scrutin de mardi, il semble que trois candidats seulement aient une chance réaliste de l'emporter. En fait, j'ai cru comprendre que tous les autres ont déjà annoncé qu'ils renonçaient à se présenter au deuxième tour. Par conséquent, comme il l'a été dit, il s'agit d'un tiercé.

Il s'interrompit un instant. *Merde, c'est dur!* Il espérait qu'ils soient tous en train de se les geler également.

— Bien sûr, c'est un honneur pour moi d'être du nombre, mais « trois candidats » ne représentent sans doute pas la configuration la plus favorable. Dans cette élection, il n'y a pas trois options qui s'offrent à nous. Soit le Parti parvient à préserver l'approche pragmatique qui a fait le succès de sa politique et nous a permis de rester au pouvoir pendant plus de dix ans. Soit il élabore une ribambelle de nouvelles mesures, ce qu'on appelle parfois la politique de la conscience, avec à la clé une implication bien plus grande du gouvernement dans la quête de solutions aux problèmes du monde. Certains voient là un piège. On peut aussi l'appeler « Big Brother », et comme vous le savez, ce n'est pas vraiment ma tasse de thé.

Les journalistes commencèrent à s'agiter. De notoriété publique, il existait un certain nombre de divisions au sein du Parti, mais il était tout de même bien rare qu'on en fasse ainsi état publiquement.

— Les intentions sont peut-être bonnes, mais je ne crois pas qu'il serait judicieux de mettre à nouveau l'accent sur la politique de la conscience. Pour tout dire, je pense que ce serait une catastrophe pour le Parti comme pour notre pays. Je crois également qu'une majorité des élus de notre Parti partagent ce point de vue. Pourtant, c'est exactement vers ce genre d'écueils que nous pourrions dériver si la majorité se divisait entre deux candidats. Francis Urquhart et moi-même défendons l'approche pragmatique. Je suis moi-même un homme pragmatique. Je ne veux pas que mes ambitions personnelles viennent faire obstacle à la concrétisation des stratégies auxquelles j'ai toujours cru. Or, cette issue mortifère est un risque réel.

Malgré le froid, ses paroles de feu semblaient monter dans l'air comme des volutes incandescentes.

—Cet endroit, poursuivit-il en désignant du pouce le Parlement derrière lui, est bien trop important à mes yeux. Je veux qu'à sa tête nous placions l'homme de la situation, pour mettre en œuvre les mesures qu'il nous faut. Mesdames et messieurs…

Il s'accorda un instant pour contempler la petite foule qui se pressait devant lui, les caméras qui le fixaient.

—Je ne courrai aucun risque, reprit-il. Les enjeux sont trop importants. J'ai donc décidé de me retirer de cette élection. Pour ma part, je voterai pour Francis Urquhart, dont j'espère sincèrement qu'il sera notre prochain Premier Ministre. Je n'ai rien d'autre à ajouter.

Ses dernières paroles se perdirent dans le crépitement des flashs. Sans attendre, il s'éloigna d'un bon pas en direction de sa voiture. Quelques journalistes s'élancèrent néanmoins, mais ils ne purent qu'apercevoir les feux arrière du véhicule qui l'emportait de l'autre côté du pont de Westminster. Les autres étaient restés sur place, trop stupéfaits encore pour bouger. Il ne leur avait pas laissé le temps de poser des questions, d'échafauder des théories, de chercher des significations cachées derrière les mots. Ils n'avaient que ce qu'il leur avait donné. Que pouvaient-ils faire à part rapporter ses paroles ? Rien – et c'était exactement ce que Woolton voulait.

Il rentra chez lui. Sa femme l'attendait sur le seuil, toujours confuse et un peu perdue. Il eut un petit sourire contrit et elle le laissa déposer un baiser sur sa joue. Il prépara le thé et ils s'installèrent de part et d'autre de la table de la cuisine.

— Tu as vraiment décidé de passer plus de temps avec ta famille, Pat ? demanda-t-elle, sceptique.

— Cela ne pourra pas faire de mal.

— Mais. Il y a toujours un « mais » avec toi. Je comprends pourquoi tu as dû te retirer. Tu ne pouvais pas faire autrement. Je suppose que ce sera une sanction suffisante.

— Tu resteras à mes côtés, ma chérie ? Tu sais que c'est ce qui compte le plus pour moi.

Elle choisit ses mots avec soin. Elle ne voulait surtout pas qu'il puisse s'en tirer à si bon compte.

— Je continuerai de t'apporter mon soutien, comme je l'ai toujours fait. Mais…

— Encore ce maudit mot.

— Mais au nom du ciel, pourquoi donc as-tu choisi de soutenir Francis Urquhart ? J'ignorais que vous étiez aussi proches.

— Ce connard qui se croit supérieur ? Nous ne sommes pas proches du tout. Je ne peux même pas le sacquer !

— Alors pourquoi ?

— Parce que j'ai cinquante-cinq ans et Michael Samuel quarante-huit. Autrement dit, il pourrait passer vingt ans à Downing Street. Je serais mort et enterré qu'il y serait encore. En revanche, Francis Urquhart a presque soixante-deux ans. Il y a peu de chances qu'il reste plus de cinq ans en poste. Avec Urquhart, il pourrait donc y avoir une nouvelle primaire avant que je sois réduit à l'état de pâtée pour chiens. Dans l'intervalle, soit je mets la main sur ceux qui ont fait cette cassette, soit ils connaissent une mort atroce dans un horrible accident – et j'espère sincèrement que ce sera le cas. Alors, j'aurais une nouvelle chance.

Un lourd nuage de fumée bleue s'échappait de sa pipe tandis qu'il parlait.

— Dans tous les cas, je n'ai rien à gagner à rester neutre. Samuel ne voudra jamais de moi dans son Cabinet. J'ai donc offert l'élection sur un plateau à Urquhart, et il ne pourra pas faire moins que de m'en montrer publiquement sa gratitude.

Il regarda sa femme dans les yeux. Pour la première fois depuis qu'ils avaient entendu la cassette, il parvint à esquisser un sourire.

— Cela pourrait être pire. Que dirais-tu d'être l'épouse du chancelier de l'Échiquier pour les deux prochaines années ?

Chapitre 44

Savoir mentir sur ses forces est la marque d'un grand commandant. Savoir mentir sur ses fautes est celle d'un fin politique.

Vendredi 26 novembre

Le lendemain matin, les températures étaient toujours négatives, mais les nuages gris avaient été miraculeusement chassés, pour laisser un ciel d'azur, cristallin et pur. Le monde en paraissait comme rénové. Par la fenêtre de son bureau, Urquhart contemplait un avenir qui paraissait promis à devenir aussi brillant que les cieux. Depuis le ralliement de Woolton, il se sentait invulnérable. Il avait presque gagné.

À cet instant, la porte s'ouvrit à la volée dans un fracas digne d'un obus, et un Roger O'Neill en piteux état fit son entrée. Avant même qu'Urquhart ait le temps de lui demander ce qui se passait, un flot de paroles se déversa. Les mots arrivaient comme des balles, tirées en rafales pour submerger Urquhart.

— Ils savent, Francis. Ils ont découvert le dossier manquant. Les verrous ont été forcés et l'une des secrétaires l'a remarqué. Et le président nous a tous convoqués. Il me soupçonne, j'en suis sûr. Qu'est-ce qu'on va faire ? Mais qu'est-ce qu'on va faire ?

Urquhart l'avait saisi pour le secouer, l'obliger à cesser son incompréhensible logorrhée.

— Roger, bon Dieu, la ferme !

Il le poussa dans un fauteuil et le gifla. À ce moment-là seulement, O'Neill s'arrêta pour reprendre son souffle.

— Doucement, Roger. Reprenez doucement. Qu'est-ce que vous voulez dire ?

— Les dossiers, Francis. Les dossiers confidentiels du Parti sur Samuel. Ceux que vous m'avez demandé d'envoyer aux journaux du dimanche.

L'épuisement physique et nerveux lui faisait le souffle court. Il haletait. Ses pupilles étaient dilatées. Les cernes sous ses yeux étaient comme des plaies ouvertes. Son visage avait un teint de cendre.

— J'ai utilisé mon passe pour descendre dans les sous-sols. C'est là qu'on stocke les archives. Mais les dossiers sont dans une armoire verrouillée. J'ai dû forcer le cadenas, Francis. Je suis désolé, je n'avais pas le choix. Je ne l'ai pas vraiment abîmé, mais il était un peu tordu. Il y a tellement de poussière et de toiles d'araignées qu'on dirait que personne n'a mis les pieds là-bas depuis la guerre des Boers. Et puis, hier, une de ces salopes de secrétaires a décidé de descendre. Et elle a vu le cadenas tordu. Et maintenant, ils ont tout examiné et découvert que le dossier de Samuel a disparu.

— Vous avez envoyé l'original ? demanda Urquhart atterré. Vous n'avez donc pas seulement copié les passages intéressants comme je vous l'avais dit ?

— Francis, le dossier est aussi épais que mon bras. Il m'aurait fallu des heures pour le copier. Et je ne sais quels sont les passages les plus intéressants. Bref, j'ai envoyé le tout. Il aurait pu s'écouler des années avant que quelqu'un se rende compte de sa disparition. Tout le monde se serait dit qu'il avait été mal rangé.

— Espèce de crétin…

— Francis, ne me criez pas dessus ! gémit O'Neill. C'est moi qui ai pris tous les risques, pas vous. Le président interroge personnellement tous ceux qui possèdent un passe. On n'est que neuf. Il veut me voir cet après-midi. Je suis sûr qu'il me soupçonne. Pas question que je sois le seul coupable. Pourquoi il n'y aurait que moi ? Je n'ai fait que ce que vous m'avez dit de faire…

Il s'était mis à sangloter.

— Francis, je ne peux plus mentir. Ça ne peut plus durer comme ça. Je ne le supporte plus. Je suis en train de m'effondrer !

Urquhart se figea en mesurant tout ce qu'il y avait de vérité derrière les paroles désespérées d'O'Neill. Cette pauvre loque devant lui avait perdu toute résistance, toute capacité de jugement. Il s'effondrait comme un vieux mur dépourvu de toute fondation. O'Neill n'était plus capable de rester maître de lui-même pendant une semaine. Et en particulier cette semaine. Il était au bord de son propre gouffre. Le moindre souffle d'air allait l'envoyer tout droit vers sa destruction. Et il allait emporter Urquhart avec lui.

Le *Chief Whip* répondit d'une voix ferme, mais sur un ton conciliant.

— Roger, vous vous angoissez trop. Vous n'avez rien à craindre. Personne ne peut rien prouver. Et surtout, n'oubliez pas que je suis avec vous. Vous n'êtes pas seul. Écoutez, ne retournez pas au bureau. Dites que vous ne vous sentez pas bien et rentrez chez vous. Le président attendra jusqu'à lundi. Et demain, j'aimerais que vous veniez à ma maison de campagne dans le Hampshire. Venez déjeuner et rester pour la nuit. Comme cela, nous aurons le temps de parler tranquillement de tout ça. Vous et moi, juste tous les deux. Qu'en dites-vous ?

O'Neill agrippa la main d'Urquhart comme un infirme s'accroche à sa béquille.

— Juste vous et moi, Francis…, sanglota-t-il.

— Mais vous ne devez dire à personne que vous venez me voir. Ce serait gênant si la presse découvrait qu'un haut responsable du Parti a été mon invité juste avant le scrutin décisif. Ce serait embarrassant pour nous deux. Pas un mot, même à votre secrétaire.

O'Neill tenta de marmonner des remerciements, mais trois énormes éternuements l'en empêchèrent. Urquhart recula prestement, la mine dégoûtée. O'Neill ne parut même pas le remarquer. Il s'essuya le visage d'un revers de la main et sourit avec l'empressement digne d'un épagneul.

— Je serai là, Francis. Comptez sur moi.

— Je peux vraiment compter sur vous, Roger ?

— Bien sûr. Moi vivant, vous pouvez être sûr que je serai là.

Samedi 27 novembre

Urquhart sortit de son lit avant l'aube. Il n'avait pas dormi, mais il n'était pas fatigué. Il était seul. Sa femme était partie pour le week-end. Il ne savait pas exactement où, mais c'était lui qui avait choisi. Il lui avait demandé un peu de temps pour être seul. Elle avait scruté son visage, traquant dans son œil le reflet d'une maîtresse ou d'un imbroglio mal venu. Bien sûr, Francis ne commettrait jamais une erreur pareille, pas dans le week-end précédant une semaine aussi cruciale, mais les hommes sont parfois si inexplicablement stupides.

— Non, Mortima, avait-il murmuré, devinant la nature de son inquiétude. J'ai juste besoin de réfléchir, de marcher un peu, de relire Burke.

— Tout ce qu'il faudra, Francis, avait-elle répondu, avant de s'en aller.

Les premières lueurs n'avaient même pas encore paru sur la lande de la région du New Forest. Il enfila sa tenue de chasse favorite, mit ses bottes et sortit marcher dans l'air gelé du matin, le long d'une piste cavalière qui traversait Emery Down en direction de Lyndhurst. La brume s'accrochait aux haies vives, décourageant les oiseaux et ouatant tous les sons. C'était un cocon dans lequel il n'y avait que lui et ses pensées. Il avait déjà parcouru cinq kilomètres quand il attaqua la longue montée du flanc sud d'une colline. Lentement, le brouillard se dissipa et le soleil apparut dans l'air humide. Francis venait d'émerger d'un banc de brouillard quand il aperçut le cerf sur le flanc d'un coteau baigné de lumière, avançant dans les ajoncs. Il se glissa doucement derrière un buisson et attendit.

Par nature, Francis n'était pas enclin à l'introspection, mais il lui arrivait d'avoir besoin de plonger en lui-même. Dans l'espace clos de ses confins intérieurs, il trouvait son père – ou du moins, des morceaux de lui. C'était sur une lande toute pareille, mais dans les Highlands écossaises, sous un buisson d'ajoncs à fleurs jaunes, que l'on avait retrouvé son corps. À côté de lui, il y avait son fusil préféré, un Purdey juxtaposé à platine, dont une seule cartouche avait été tirée. Cela avait été suffisant pour lui emporter la moitié de la tête. Un homme stupide. Faible. Il avait apporté la honte sur le nom des Urquhart. À cette seule évocation, son fils sentait toujours son ventre se nouer. Il se sentait diminué.

Le cerf, qui n'était encore qu'un daim, tenait la tête bien haute, humant l'air du matin. Le soleil éclaira ses bois qui s'évasaient en forme d'aviron. Une cicatrice sur son flanc moucheté donnait à penser qu'il avait combattu peu auparavant – et perdu. C'était encore un jeune mâle. Un autre jour, sa chance viendrait. Urquhart, lui, savait que cette chance ne lui serait pas donnée. Le combat qu'il s'apprêtait à livrer serait son dernier. Son heure ne reviendrait jamais.

Tout à sa balade, le cerf s'approchait sans même sentir la présence de l'homme. Sa robe châtaine luisait dans la clarté pâle du matin. Il remuait sa courte queue. Jeune, Urquhart aurait pu rester des heures à contempler pareil spectacle. À présent, il ne pouvait pas rester là. Pas avec son père. Urquhart se releva, à trente pas à peine de la bête. Saisi, l'animal resta figé, avec probablement le sentiment qu'il devrait déjà avoir été tué. Puis il bondit sur le côté, et la seconde suivante il s'en était allé. Le rire d'Urquhart l'accompagna dans la brume.

À son retour chez lui, sans même prendre le temps de se changer, il se rendit à son bureau pour téléphoner. Il appela les rédacteurs en chef des quatre grands journaux du dimanche. Deux étaient précisément en train d'écrire des éditoriaux qui lui étaient favorables. Un autre soutenait Samuel, et le dernier ne prenait pas position. Néanmoins, ils étaient tous les quatre plus ou moins d'avis que le *Chief Whip* tenait nettement la corde. Les sondeurs de l'*Observer*, qui avaient réussi à contacter une bonne part des députés du Parti, le confirmaient. Selon leurs résultats, Urquhart l'emporterait confortablement, avec 60 % des voix.

— Apparemment, il faudrait au moins un tremblement de terre pour vous empêcher de gagner, dit l'un d'eux.

— Ou la vérité, murmura Urquhart pour lui-même après avoir raccroché.

Urquhart était toujours dans son bureau quand il entendit la voiture d'O'Neill s'engager à vive allure sur l'allée de gravier. L'Irlandais se gara n'importe comment et s'avança vers la demeure d'un pas las. Presque malgré lui, Urquhart vit combien son hôte avait changé par rapport à l'homme qu'il avait invité à son club moins de six mois plus tôt. L'élégance décontractée avait cédé le pas à un franc débraillé. Le cheveu un peu long s'était fait tignasse, le costume était froissé et le col déboutonné. Le communicant chic et charmeur d'avant était désormais tout proche du clochard. Ses yeux naguère si pétillants, que les femmes et les clients trouvaient si fascinants, n'étaient plus que deux sphères devenues folles perpétuellement en quête de quelque chose qu'elles ne verraient jamais.

Urquhart conduisit O'Neill dans l'une des chambres d'amis à l'étage. Il ne dit pas grand-chose pendant qu'ils montaient l'escalier. Le verbiage d'O'Neill et ses incessants commentaires occupaient le moindre espace vacant dans le continuum du temps. L'invité ne prêta aucune attention à la vue magnifique qu'offrait la chambre sur les paysages du New Forest. Sans plus de formalités, il jeta son sac de voyage sur le lit. Ils redescendirent les deux volées de marches, puis Urquhart mena Roger dans son bureau, caché derrière une vénérable porte de chêne et aux murs emplis de livres sur des rayonnages.

— Francis, c'est magnifique, vraiment magnifique, s'exclama O'Neill en admirant les volumes reliés de cuir et les peintures couvrant toute la gamme des thèmes traditionnels – navires toutes voiles dehors sur des mers démontées, membres d'un clan écossais vêtus de leur tartan vert distinctif. Deux globes terrestres très anciens achevaient de conférer au lieu son atmosphère. Dire que c'était « magnifique » était peut-être exagéré, mais l'antre était intime et confortable – et intégralement Urquhart. Dans une alcôve dans la bibliothèque de bois foncé, des verres en cristal étaient disposés autour de deux carafes.

— Servez-vous, Roger, proposa Urquhart. Vous avez un Speyside rarissime et un *island malt* plein d'embruns et de tourbe. Choisissez.

Avec une concentration quasi clinique, il regarda O'Neill se remplir un verre à ras bord et commencer à boire.

— Oh, je vous en sers un, Francis ? bafouilla O'Neill en se rappelant subitement les usages.

— Mon cher Roger, c'est un petit peu tôt pour moi. Je dois garder les idées claires. Mais je vous en prie.

O'Neill se resservit généreusement, avant de se laisser tomber dans un fauteuil. Ensuite, tandis qu'ils parlaient, l'alcool commença à lutter contre ce qu'il pouvait bien y avoir d'autre dans son organisme. L'agitation de ses yeux devint un petit peu moins frénétique. Son élocution perdit en clarté, et sa conversation en cohérence. Le tranquillisant était aux prises avec le stimulant, sans que jamais les deux ne parviennent à la paix ou l'équilibre. Roger était en permanence au bord de l'abîme.

— Roger, dit Urquhart, il semble bien que nous entrerons à Downing Street d'ici la fin de la semaine. J'ai réfléchi à ce dont je vais avoir besoin. Je me suis dit que nous pourrions parler de ce que vous voulez.

O'Neill but encore une longue gorgée avant de répondre.

— Francis, je ne saurais vous exprimer l'immensité de ma gratitude. Je suis tellement touché que vous pensiez à moi. Vous allez être un Premier Ministre de grande classe, Francis. Vraiment. En fait, j'ai un peu réfléchi moi aussi, et je me demandais si vous ne pourriez pas avoir besoin de quelqu'un comme moi à Downing Street ? Vous savez, comme conseiller en communication, ou même comme porte-parole auprès de la presse. Vous allez avoir besoin d'un maximum d'aide autour de vous, et comme nous avons si bien bossé ensemble vous et moi, je me disais...

D'un geste, Urquhart réclama le silence.

— Roger, il y a des dizaines de fonctionnaires pour s'occuper de ça. Des gens qui occupent déjà ces fonctions. Ce dont j'ai besoin, c'est de quelqu'un exactement comme vous pour gérer l'aspect politique des choses. Quelqu'un de confiance pour éviter toutes ces misérables erreurs que le Parti a commises ces derniers mois. J'apprécierais vraiment beaucoup que vous acceptiez de rester au siège du Parti – sous la houlette d'un nouveau président, il va sans dire.

O'Neill fronça les sourcils sous l'effet de l'inquiétude. Le même boulot sans intérêt, à regarder le match depuis le banc de touche pendant que les fonctionnaires s'amusent ? C'était exactement ce qu'il avait fait ces dernières années.

— Mais pour faire ça efficacement, Francis, il me faudrait l'appui d'un statut un peu exceptionnel. On n'avait pas parlé d'un titre de chevalier ?

— Tout à fait, Roger. Et ce ne sera qu'une juste rétribution de vos mérites. Vous m'avez été d'une aide irremplaçable. Je veux que vous sachiez combien je vous suis reconnaissant. Cependant, je me suis un peu renseigné et il semble que ce genre de reconnaissance ne va pas pouvoir être envisagé. Au moins à court terme. La liste de ceux qui attendent d'être distingués lorsqu'un Premier Ministre se retire est déjà tellement longue. Le contingent est limité. Je crains qu'il ne faille attendre un petit peu…

Jusqu'à cet instant, O'Neill était avachi dans le cuir de son fauteuil. D'un coup, il se redressa, saisi par l'indignation.

— Francis, ce n'est pas ce que nous avions dit.

Urquhart était bien déterminé à mettre O'Neill sur le grill, à le tester, le secouer, lui mettre un doigt dans l'œil ou bien dans le cul, l'agresser, l'offenser et l'obliger à avaler des couleuvres et remâcher son dépit, bref, lui faire subir une fraction de la pression à laquelle il serait inévitablement soumis au cours des mois suivants. Il voulait voir jusqu'où on pouvait pousser O'Neill avant qu'il touche à ses limites. Il n'eut pas un instant de plus à attendre pour être fixé.

— Bordel, non ! Ce n'est pas ce qu'on avait dit. Vous m'aviez promis ! On avait un accord ! Vous m'aviez donné votre parole et voilà que vous me dites que ça ne marche plus. Plus de boulot. Plus de titre de chevalier. Ni maintenant, ni bientôt, ni jamais ! Vous avez eu ce que vous vouliez et vous croyez vous débarrasser de moi comme ça. Eh bien, vous pouvez toujours compter là-dessus ! J'ai menti, volé, trompé tout le monde pour vous. Et maintenant, vous me traitez comme le dernier des n'importe qui. Oh, mais plus question qu'on continue de rire dans mon dos. Plus question qu'on me regarde de haut comme si j'étais un paysan irlandais qui sent la bouse. Je veux ce titre. Je l'exige !

Son verre était vide. Tremblant d'émotion, O'Neill s'arracha à son fauteuil pour aller le remplir. Il prit l'autre carafe, sans se soucier de savoir ce qu'elle contenait. Il renversa un peu du liquide ambré à côté. Ensuite, après en avoir ingurgité une bonne lampée, il revint à Urquhart pour poursuivre ses invectives.

— On a traversé toutes ces épreuves comme une équipe, Francis. Tout ce que j'ai fait, je l'ai fait pour vous. Sans moi, jamais vous ne seriez arrivé jusqu'à Downing Street. On réussit ensemble – ou on se fait baiser ensemble. Si je dois finir dans la merde, Francis, croyez-moi, je n'y finirai pas tout seul. Vous ne pouvez pas vous le permettre. Pas avec ce que je sais. Vous me devez ça !

Il tremblait, renversant un peu plus de whisky. Ses pupilles n'étaient pas plus grosses que des têtes d'épingle. Il bavait.

Néanmoins, les paroles avaient été prononcées – et les menaces formulées. Urquhart avait jeté le gant pour provoquer O'Neill et, sans même prendre le temps de respirer, ce dernier l'avait ramassé pour gifler le *Chief Whip* à toute volée. De toute évidence, la question n'était plus de savoir si O'Neill allait craquer, mais à quelle vitesse. Il ne lui avait vraiment pas fallu longtemps. Inutile donc de continuer à le mettre à l'épreuve. Urquhart abrégea l'instant.

— Roger, mon cher ami, dit-il avec un large sourire en secouant doucement la tête. Vous m'avez mal compris. Je dis seulement que ce sera difficile pour la promotion de la nouvelle année. Mais il y aura une autre fournée au printemps, pour l'anniversaire de la reine. C'est l'affaire de quelques semaines, rien de plus. Je vous demande simplement d'avoir la patience d'attendre jusque-là, poursuivit-il en venant poser une main sur l'épaule d'O'Neill, agitée de tremblements. Nous sommes une équipe vous et moi. Vous avez bien mérité cette distinction. Roger, vous avez ma parole d'honneur. Je n'oublierai pas ce que vous avez fait.

O'Neill fut incapable de répondre autre chose qu'un murmure. Le feu qui l'animait ne brûlait plus, étouffé par l'alcool. Les fragments épars de ses émotions brisées commençaient à se recoller. Il se laissa retomber dans le fauteuil, vidé, anéanti, blême.

— Écoutez, pourquoi ne feriez-vous pas un petit somme avant le déjeuner. Nous pourrons discuter des détails de ce que vous voulez un peu plus tard, proposa Urquhart en remplissant lui-même le verre de son invité.

Sans un mot, O'Neill ferma les yeux. Il prit néanmoins le temps d'écluser son whisky. Quelques secondes plus tard à peine, son souffle se faisait plus lent, plus régulier, mais même dans le sommeil, ses yeux continuaient de danser leur gigue derrière ses paupières closes. Là où l'esprit d'O'Neill était parti, il n'avait pas trouvé la paix.

Depuis son propre fauteuil, Urquhart contemplait le corps vautré en face de lui. Du mucus coulait du nez d'O'Neill. Ce spectacle éveilla un autre souvenir de l'enfance d'Urquhart, celui d'un labrador qui avait été à ses côtés pendant des années, comme chien d'arrêt pour la chasse et fidèle compagnon. Un jour, le guide de chasse était venu dire au garçon que le chien avait eu une attaque et qu'il fallait l'abattre. Dévasté, le jeune Francis s'était précipité à l'écurie où dormait l'animal, pour tomber sur le triste spectacle d'une bête qui ne se contrôlait plus. Son train arrière était paralysé et il s'était souillé. Du nez et de la gueule, des mucosités s'échappaient toutes seules. Comme chez O'Neill. En fait, c'était tout ce que le pauvre chien pouvait encore faire pour accueillir son jeune maître. Le vieux guide grattait la bête entre les oreilles, la larme à l'œil.

— Tu ne courras plus après les lapins, vieux frère, murmurait-il. C'est fini pour toi.

Puis il s'était tourné vers le jeune Urquhart.

— Vous devriez y aller, monsieur Francis.

Urquhart avait refusé.

— Je sais ce qu'il faut faire, avait-il dit.

Ensemble, ils avaient donc creusé une tombe au fond du verger, près d'une épaisse haie d'ifs. Puis ils avaient porté le chien jusqu'à un endroit baigné de soleil juste à côté, pour que l'animal puisse sentir encore une fois la chaleur de ses rayons d'automne. Après cela, Urquhart l'avait abattu. Il avait mis fin à ses souffrances. Et tout en regardant O'Neill, il se souvenait des larmes qu'il avait versées chaque fois qu'il passait près de l'endroit où il l'avait enterré. Et une question lui vint : pourquoi certains hommes méritent-ils moins notre pitié qu'une pauvre bête ?

Il laissa O'Neill dans son bureau bibliothèque pour se rendre tranquillement à la cuisine. Sous l'évier, il prit une paire de gants de caoutchouc, qu'il fourra dans sa poche avec une cuillère. Par la porte de derrière, il gagna l'appentis voisin où l'on remisait les plantes, les pots et le petit matériel de jardinage. La vieille porte de bois grinça sur ses gonds rouillés. L'odeur de moisi et de renfermé le prit à la gorge. C'était un endroit où il ne venait pas souvent, mais il savait exactement ce qu'il cherchait. Contre le mur du fond, il y avait un vieux bahut de cuisine, exilé là des années auparavant lorsqu'on avait rééquipé l'office. On y stockait les vieux pots de peinture, des bidons d'huile à moitié vides, ainsi qu'une vigoureuse légion de créatures xylophages en tous genres. Tout au fond, derrière un fatras de récipients divers, il trouva une boîte hermétiquement fermée. Après avoir enfilé les gants, il la prit sur son étagère et s'en repartit vers la maison, la tenant entre ses doigts comme si elle avait été brûlante.

De retour à l'intérieur, il s'assura du sommeil d'O'Neill – qui ronflait comme un sonneur. En silence, il monta l'escalier jusqu'à la chambre d'amis, où il eut la satisfaction de constater qu'O'Neill n'avait pas cadenassé son bagage. Il trouva ce qu'il cherchait dans la trousse de toilette, entre le tube de dentifrice et le nécessaire de rasage. C'était un flacon de talc de soin après-rasage, dont le bec verseur venait quand on tirait dessus. Nul talc à l'intérieur, mais un sac plastique refermable, contenant l'équivalent d'une cuillère à soupe d'une poudre blanche. Il emporta le sac jusqu'au petit secrétaire d'acajou verni installé devant la baie vitrée. D'un tiroir, il tira trois grandes feuilles de papier à lettres bleu. Sur l'une d'elles, il versa le contenu du petit sac. Sur une deuxième placée à côté, il versa une quantité équivalente du produit contenu dans la boîte fermée qu'il était allé chercher dans l'appentis. C'était également une poudre blanche. À l'aide de la cuillère maniée comme une spatule, les mains toujours soigneusement gantées, il divisa en deux chacun des deux tas, puis fit glisser une moitié de chaque produit sur la troisième feuille qu'il avait au préalable pliée en deux. Les fines poudres étaient de couleur et de consistance comparables. Il les mélangea jusqu'à obtenir un résultat parfaitement homogène, qu'il fit glisser à l'intérieur du sac plastique le long de la pliure.

Il regarda la feuille qu'il tenait à la main. Elle tremblait légèrement. *Les nerfs, l'âge, l'indécision ? Quelque chose hérité de mon père ? Non, jamais. Je ferai tout ce qu'il faut. Je ne serai jamais mon père.* La poudre était dans son petit sac. L'aspect était exactement le même. C'était comme si rien n'avait été touché.

Cinq minutes plus tard, dans un coin du jardin près du saule pleureur où son jardinier stockait les feuilles et branches mortes pour les brûler, il alluma un feu. Il jeta la boîte dans les flammes. Elle était vide désormais, puisqu'il en avait vidé le contenu dans les toilettes. Il brûla également les feuilles de papier à lettre bleu et les gants de caoutchouc. Urquhart regarda le brasier dévorer tout ce qu'il y avait jeté. Puis il ne resta plus que des braises, des cendres et ce qui ressemblait à une vieille boîte de conserve cabossée au milieu.

De retour à l'intérieur, il se servit un grand whisky, qu'il avala avec pratiquement la même avidité qu'O'Neill. Alors seulement, il se détendit.

Tout était prêt.

Chapitre 45

C'est le marin et aventurier Francis Drake qui observait dans sa grande sagesse que les ailes de la fortune sont recouvertes des plumes de la mort. La mort de quelqu'un d'autre, de préférence.

O'Neill roupillait depuis trois bonnes heures quand il fut subitement réveillé par quelqu'un qui le secouait par l'épaule. Il ouvrit les yeux et accommoda tant bien que mal sa vision. Finalement, il parvint à distinguer Urquhart penché sur lui, qui lui demandait de se réveiller.

— Roger, il y a un petit changement. Je viens de recevoir un coup de fil de la BBC qui m'envoie une équipe de tournage. Ils préparent un reportage pour mardi. De son côté, Samuel avait déjà donné son accord, de sorte que je n'ai pas pu refuser. Ils vont arriver d'ici peu. C'est précisément ce qui ne nous arrange pas. S'ils vous voient ici, il y aura tout un tas de commentaires sur les interférences du Parti dans le processus de désignation de son chef. Mieux vaut éviter tout risque dans ce domaine. Je suis désolé de vous demander cela, mais je crois qu'il serait préférable que vous partiez immédiatement.

O'Neill en était toujours à chercher comment faire marcher sa langue que déjà Urquhart lui servait un café en lui répétant combien il était désolé pour ce week-end inachevé, mais combien il se réjouissait également que tous les malentendus aient été levés entre eux.

— N'oubliez pas, Roger. Un titre de chevalier à la Pentecôte. Et la semaine prochaine, nous pourrons voir ensemble ce que vous voulez faire. Je suis vraiment content que vous ayez pu venir. Je vous suis tellement reconnaissant, dit Urquhart en poussant O'Neill à l'intérieur de sa voiture.

Il suivit des yeux O'Neill qui manœuvrait prudemment dans l'allée, jusqu'à ce qu'il franchisse les grandes grilles du domaine.

— Adieu, Roger, murmura-t-il.

Chapitre 46

Le désir élargit l'horizon. L'amour le rétrécit et conduit à la cécité.

Dimanche 28 novembre

Le chœur des journaux du dimanche était de la musique pour les oreilles du *Chief Whip* et de ses soutiens.

« Urquhart en tête », titrait le *Sunday Times* à la une, en accompagnant le tout d'un éditorial flatteur. Le *Telegraph* et l'*Express* soutenaient ouvertement Urquhart, tandis que le *Mail on Sunday* tentait inconfortablement de jouer sur les deux tableaux. Seul l'*Observer* apportait un soutien éditorial à Samuel, même s'il reconnaissait dans le même temps qu'Urquhart avait une nette avance.

Il fallut la contribution d'un des journaux à sensation le plus tapageurs, le *Sunday Inquirer*, pour véritablement secouer la campagne. Dans le compte-rendu d'une interview de Samuel au sujet de ses « jeunes années », l'hebdomadaire indiquait que celui-ci aurait reconnu s'être temporairement engagé au sein de diverses associations universitaires. Poussé dans ses retranchements, le jeune ministre avait admis que, jusqu'à l'âge de vingt ans, il avait eu de la sympathie pour des causes en vogue qui, trente ans plus tard, paraissaient bien naïves, voire déplacées. Quand le journaliste avait poussé les feux et signalé qu'il disposait d'éléments établissant que ces fameuses causes étaient le « républicanisme » et la « campagne en faveur du désarmement nucléaire », Samuel avait commencé à se dire qu'il était tombé dans un piège.

— Vous n'allez pas me ressortir ces vieilles lunes, avait vertement répliqué Samuel.

Il pensait bien en avoir fini avec ces attaques lancées contre lui vingt ans auparavant, lorsqu'il s'était présenté pour la première fois au Parlement. Un opposant avait envoyé une lettre de dénonciation au siège du Parti. La commission de discipline de la formation politique avait examiné ces allégations, avant de le laver de tout soupçon. Et pourtant, après toutes ces années, elles ressortaient des oubliettes, à quelques jours du scrutin final.

— J'ai fait tout ce que faisait un jeune étudiant de dix-huit ans à cette époque. Je suis allé à deux manifestations en faveur du désarmement nucléaire, et je me suis même laissé convaincre de m'abonner à un journal estudiantin – dont j'ai découvert par la suite qu'il était dirigé par des gens demandant l'établissement d'une république au Royaume-Uni.

Il s'était forcé à rire avec légèreté à l'évocation de ce souvenir, bien résolu à ne pas donner l'impression qu'il avait quoi que ce soit à cacher.

— À cette époque, j'étais également un fervent soutien du mouvement anti-apartheid, mais je reste aujourd'hui fermement opposé à ce régime, avait-il également dit au journaliste. Est-ce que j'ai des regrets ? Non. Je ne regrette rien de ces engagements de jeunesse. Ce ne sont pas tant des erreurs qu'une excellente expérience dans laquelle se sont forgées mes convictions d'aujourd'hui. Je sais combien la campagne pour le désarmement nucléaire était une aberration. J'y étais. Mais sachez aussi que j'adore ma reine !

Bien entendu, ce n'est pas cette dernière phrase que l'*Inquirer* choisit de mettre en avant. À la une, son gros titre occupait la moitié de la page : « SAMUEL ÉTAIT COMMUNISTE ! » D'après des « révélations choquantes » que le journal assurait « exclusives », Samuel avait été un activiste d'extrême gauche pendant ses études à l'université. Samuel en croyait à peine ses yeux de voir comment ses déclarations avaient été interprétées. L'espace d'un instant, il se demanda même si ce titre restait dans les limites de la calomnie. Mais en dessous, l'article allait encore plus loin.

> Hier soir, Samuel a reconnu avoir défilé dans les rues de Londres pour les Russes, lorsqu'il était affilié à la Campagne pour le désarmement nucléaire pendant ses études dans les années 1960, à une époque où ce genre de manifestations se terminaient souvent dans la violence et la perturbation.
>
> Par ailleurs, il apportait aussi son soutien financier à un groupe opposé à la monarchie, en versant une cotisation mensuelle au Mouvement républicain de Cambridge – dont certains leaders ont activement exprimé leur soutien à l'IRA.
>
> L'implication de Samuel à l'extrême gauche a longtemps été une source d'inquiétude chez les responsables du Parti. En 1970, alors âgé de vingt-sept ans, il s'est présenté aux élections générales en tant que candidat officiel du Parti. Le président du Parti d'alors s'est senti suffisamment interpellé pour lui demander dans un courrier une explication au sujet de « la fréquence avec laquelle votre nom est

> associé au sein de l'université à des causes qui n'ont aucune sympathie pour notre Parti. » Il était parvenu à trouver une justification ou une autre à l'époque, mais hier soir, Samuel n'avait rien perdu de sa morgue provocatrice.
>
> « Je ne regrette rien », nous a-t-il déclaré, ajoutant qu'il éprouvait toujours de profondes sympathies pour certains de ces mouvements gauchistes qu'il soutenait autrefois…

Tout le reste de la journée, il y eut du vacarme et de l'agitation. Personne ne croyait vraiment qu'il était un communiste de l'ombre. Ce n'était qu'un de ces foutus articles à sensation dont le seul objectif était de faire vendre du papier plutôt que d'informer le public, mais encore fallait-il vérifier. Total et conclusion, la confusion était à son comble pile au moment où Samuel s'efforçait désespérément de rassurer ses soutiens et de reconcentrer l'attention sur les grandes questions de la campagne.

À la mi-journée, Lord Williams publia un communiqué dénonçant de manière cinglante les pratiques du journal, lui reprochant d'utiliser des documents confidentiels qui avaient été volés. Immédiatement, l'*Inquirer* rétorqua que si le Parti était d'une incompétence impardonnable s'agissant de protéger ses documents confidentiels, lui se ferait un plaisir de satisfaire à ses obligations en rapportant le dossier en sa possession à son propriétaire légitime au siège du Parti. Lorsque la promesse fut mise à exécution plus tard dans la journée, ce fut sous l'œil des caméras, ce qui ne manqua pas de relancer l'intérêt pour cette histoire.

Personne n'accorda véritablement d'importance à tout cela. Pour la plupart, ce n'était qu'une manifestation supplémentaire de l'incompétence habituelle du siège du Parti – et de Samuel lui-même. Depuis le début, sa campagne n'avait cessé de tomber de Charybde en Scylla. Napoléon attendait de ses généraux qu'ils aient de la chance. Le Royaume-Uni ne pouvait pas demander moins. De la part de quelqu'un qui prétendait être en mesure de toujours maîtriser les événements, tout cela n'était guère rassurant. Ce n'était assurément pas la meilleure façon de passer ses dernières heures avant la bataille.

Il avait appelé Mattie.

— J'ai besoin de toi. Tu peux venir ?

Elle avait couru le rejoindre à Cambridge Street. À la seconde où il avait refermé la porte derrière elle, au nez du reste du monde, il avait été sur elle, tout autour d'elle – et bientôt en elle. Il semblait brûler d'une extraordinaire énergie, comme un homme qui a désespérément besoin de tout lâcher, de s'abandonner pour se libérer. À la fin, il avait poussé un cri, un son perdu et solitaire qu'elle avait pris un instant pour l'expression d'une angoisse. Ou d'une culpabilité peut-être ? La quête du pouvoir éveille en l'homme des passions de toutes sortes, dont la coexistence n'est pas toujours simple. Elle-même était bien placée pour le savoir.

Lorsque le feu fut consommé, et qu'elle eut dégagé son corps de celui de Francis, ils restèrent allongés côte à côte sans rien dire, chacun perdu dans ses pensées.

— Pourquoi m'as-tu appelée, Francis ? demanda-t-elle finalement.

— J'avais besoin de toi, Mattie. Je me suis senti subitement très seul.

— Bientôt, tu auras le monde entier autour de toi. Tu n'auras plus un moment à toi.

— Je crois que cela explique en partie ce que je ressens. Je suis un peu effrayé. J'ai besoin de quelqu'un en qui je puisse avoir confiance. Je peux te faire confiance, Mattie ?

— Tu le sais, répondit-elle avant de l'embrasser. Tout cela ne durera pas éternellement, je le sais bien, mais quand tu décideras de t'en aller, j'en saurais plus sur moi-même et sur tout ce qui m'intéresse.

— C'est-à-dire ?

— Le pouvoir. Ses limites. Les compromis qu'il impose. Le mensonge.

— C'est moi qui t'ai rendue aussi cynique ?

— Je veux être la meilleure correspondante politique du pays. Et même du monde.

— En fait, tu te sers de moi ! dit-il en riant.

— J'espère bien.

— Nous sommes différents à bien des égards, Mattie, mais d'une certaine manière, j'ai le sentiment que si je pouvais être sûr de ta… (Il chercha le mot juste.) De ta loyauté, alors le monde entier viendrait à moi avec toi.

Elle lui caressa les lèvres du bout de l'index.

— Je crois que c'est plus que de la loyauté, Francis.

— Nous ne pouvons pas aller trop loin, Mattie. Le monde ne nous laissera pas.

— Mais il n'y a que toi et moi ici, Francis.

Elle se glissa sur lui de nouveau. Et cette fois, ce ne fut pas un cri d'angoisse.

Chapitre 47

Parfois, je me déteste à cause de tous mes défauts. Mais je trouve moins compliqué de détester plus encore le monde entier.

Lundi 29 novembre

Le gardien découvrit le corps un peu après avoir pointé à 4 h 30, à sa prise de poste à la station-service de Rownhams, sur l'autoroute M27 dans la périphérie de Southampton. Il faisait encore nuit et le temps était au gel. Il venait d'attaquer le nettoyage des toilettes quand il avait remarqué que la porte de l'une des cabines ne s'ouvrait pas. Il approchait des soixante-huit ans, si bien qu'il plia ses vieilles articulations en jurant pour regarder sous le battant. La gymnastique ne se fit pas sans mal, mais il aperçut néanmoins deux chaussures. Comme il y avait également des chaussettes et des pieds dans lesdites chaussures, il ne lui en fallut pas plus pour se forger une conviction. Il y avait un homme dans cette cabine, et qu'il soit soûl, malade ou mourant, il allait planter le souk dans le planning. Le vieil homme jura de nouveau en partant chercher son responsable d'un pas fatigué.

Ce dernier tenta de faire jouer le loquet de l'extérieur à l'aide d'un tournevis, mais il apparut que les genoux de l'homme étaient fermement calés contre la porte. Même en poussant de toutes ses forces, le responsable ne parvenait pas à l'entrebâiller de plus de quelques centimètres. Le responsable tenta de glisser une main pour repousser les genoux, mais elle se referma sur des doigts plus gelés qu'une banquise. Il se recula, horrifié, puis alla se laver méticuleusement les mains avant d'appeler la police et une ambulance. Pendant ce temps, l'homme de ménage montait la garde.

La police arriva un peu après 5 heures. Forte de sa longue expérience, l'équipe ne mit guère que quelques secondes pour dégonder la porte de la cabine. Le corps d'O'Neill, intégralement habillé, était affalé contre un mur. Son visage blême avait pris l'allure d'un atroce masque mortuaire, les lèvres déformées et les dents découvertes. Ses yeux grands ouverts fixaient le vide. Sur ses genoux, les agents trouvèrent deux parties d'une boîte de talc vide et, par terre à côté de lui, un petit sac de plastique contenant de la poudre blanche, ainsi qu'un attaché-case rempli de tracts et de brochures politiques. Ils retrouvèrent également des traces de la poudre blanche sur le cuir de la mallette – qu'O'Neill avait de toute évidence posée sur ses genoux pour se ménager une surface plane. Dans le poing serré du mort, il y avait un billet de 20 livres roulé sur lui-même en guise de paille, qui avait été froissé à l'instant de l'ultime spasme. L'autre bras était étiré au-dessus de la tête, comme si le mort au rictus souriant avait voulu exécuter un dernier geste d'adieu.

— Encore un toxico qui s'est fait le rail de trop, marmonna le sergent à l'intention de son collègue. D'habitude, on les trouve plutôt avec une seringue dans le bras, mais celui-là a tout l'air d'avoir joué le chant du cygne à la coke.

— Je ne pensais pas que ça pouvait être mortel, dit l'agent.

— Peut-être que son cœur a lâché. Ou alors le matos était coupé. On trouve pas mal de dealers autour des aires d'autoroute. Les junkies ne savent jamais ce qu'ils achètent. Parfois, c'est la mauvaise pioche.

Il entreprit d'inventorier les poches d'O'Neill en quête d'éléments permettant d'établir son identité.

— Allez, mon gars, on termine et on appelle l'identité judiciaire. Pas la peine de traîner ici plus longtemps à essayer de savoir qui est... M. Roger O'Neill, annonça-t-il en mettant la main sur le portefeuille contenant plusieurs cartes de crédit. Je me demande qui c'est. Ou qui c'était.

Il était 7 h 20 lorsque le représentant du médecin légiste rattaché aux autorités judiciaires locales autorisa qu'on emporte le corps. Les ambulanciers étaient en train de lutter pour sortir de l'étroite cabine un Roger devenu rigide, afin de l'allonger sur leur brancard, lorsque l'appel radio leur parvint. Non seulement le mort avait un nom, mais il avait aussi des états de service.

— Houlà, dit le sergent. Va y avoir du vent dans les voiles et du force 9. Il y a des gars de la police judiciaire, le chef de la police locale et le chef du district qui rappliquent pour jeter un œil au macchabée.

Il se tourna vers son jeune collègue en se grattant le menton.

— On dirait bien qu'on a gagné le gros lot. Apparemment, le lascar sous la couvrante est un ponte de la politique. Il a ses entrées à Downing Street. Tu as intérêt à t'appliquer dans le rapport. Les points sur les « i » et les barres aux « t ». Ça va être un best-seller.

Mattie était sous la douche, occupée à faire disparaître les dernières traces de sa nuit, lorsque le téléphone sonna. C'était Krajewski qui l'appelait, depuis la rédaction du *Chronicle*.

— Il n'est pas un peu tôt, Johnnie ? se plaignit-elle.

— Écoute ça, la coupa-t-il. Encore une coïncidence impossible. Ça vient de tomber sur les téléscripteurs. Apparemment, la police de Southampton aurait trouvé ton Roger O'Neill mort dans des toilettes publiques, il y a de cela deux heures à peine.

Elle était toute nue, en train de dégouliner sur son tapis, mais elle n'en avait subitement plus rien à faire.

— Dis-moi que ce n'est qu'une mauvaise blague pour dire bonjour. Johnnie. S'il te plaît.

— J'ai bien peur d'être condamné à toujours te décevoir, Mattie. C'est pour de vrai. J'ai déjà envoyé quelqu'un sur place. Apparemment, la police locale a appelé la brigade des stups. Il aurait fait une overdose.

Mattie se mit à trembler. Une nouvelle pièce venait de trouver sa place dans le puzzle avec le claquement sec d'une porte de cellule qui se referme.

— C'était donc ça. La drogue. Pas étonnant qu'il ne tenait pas en place.

— Oui, c'est sûr que ce n'était pas le gars qu'on a envie de voir assis à côté de l'issue de secours dans un avion, dit Krajewski.

Un gémissement de détresse et de frustration lui parvint depuis l'autre bout du fil.

— Mattie, qu'est-ce qui se passe… ? demanda-t-il.

— C'était notre homme. Le seul dont on sache avec certitude qu'il trempait dans tous les coups tordus. Il avait laissé ses empreintes partout derrière lui. C'était lui qui pouvait nous permettre de faire la lumière sur toute l'affaire.

Et voilà qu'il quitte la scène pile la veille de l'élection d'un nouveau Premier Ministre, en nous laissant avec strictement que dalle. Tu ne comprends pas, Johnnie ?

— Quoi ?

— Cela ne peut pas être une coïncidence. C'est un putain de meurtre !

Mattie enfila des vêtements en toute hâte, avant de filer chez Penny Guy sans même prendre le temps de se sécher les cheveux. La traque semblait cependant un peu vaine. Elle resta de longues minutes à sonner à l'interphone sur la rue. Sans succès. Pour finir, elle profita qu'un jeune résidant parti en hâte avait mal refermé la porte pour se glisser à l'intérieur de l'immeuble. Par l'ascenseur un peu vieillot, elle gagna le troisième étage, auquel se trouvait l'appartement de Penny. De nouveau, elle dut frapper longuement à la porte avant d'entendre le bruit d'un pas lourd et désespéré. Le verrou fut tiré et la porte s'entrouvrit doucement. Tout d'abord, Mattie ne perçut aucun signe de la secrétaire de Roger. Puis elle entra – et vit Penny, assise sur le divan, les rideaux tirés, le regard perdu dans le vide.

— Vous savez, murmura Mattie.

Le masque de douleur sur les traits de Penny disait tout.

Mattie s'assit à ses côtés, et passa un bras sur son épaule pour la serrer contre elle. Les doigts de Penny s'accrochèrent à la main de Mattie, avec toute la force qu'un naufragé met pour agripper un morceau de bois flottant à la surface de l'eau.

Quand enfin Penny se mit à parler, sa voix tremblante trahissait une détresse sans limite.

— Il ne méritait pas de mourir. Il avait ses faiblesses, mais ce n'était pas un homme méchant. Au contraire, il y avait de la bonté en lui.

— Qu'est-ce qu'il faisait à Southampton ?

— Il passait le week-end avec quelqu'un, mais je serais bien incapable de dire avec qui. C'était un de ses petits secrets complètement idiots.

— Vous avez une idée ?

Penny secoua la tête en mouvements saccadés, presque mécaniques.

— Savez-vous pourquoi il est mort ? demanda Mattie.

Penny se tourna vers elle. Dans ses yeux flambait une lueur de colère.

— Vous n'en avez rien à faire de lui, n'est-ce pas ? Il n'y a que sa mort qui vous intéresse.

— Je suis désolée qu'il soit mort, Penny. Et je suis également chagrinée parce que j'ai bien peur qu'on accable bientôt Roger de tout un tas de malversations récemment commises. Et je crois que ce n'est pas juste.

Penny cligna des yeux à plusieurs reprises, comme un nigaud devant un problème de physique avancée.

— Mais pourquoi reprocherait-on quoi que ce soit à Roger ?

— Je pense qu'il a été piégé. Quelqu'un s'est servi de lui et l'a obligé à mettre les mains dans un petit jeu politique pas très propre. Et pour finir, Roger a craqué.

Penny s'absorba dans une réflexion pendant quelques instants.

— Il n'est pas le seul à avoir subi cela, dit-elle finalement.

— Que voulez-vous dire ?

— Pat a reçu une cassette. Il croyait que c'était moi qui l'avais faite.

— Pat qui ?

— Patrick Woolton. Il pensait que j'avais enregistré nos ébats pour le faire chanter. Mais c'est quelqu'un d'autre qui l'a fait. Pas moi.

— C'est pour cette raison qu'il a renoncé au deuxième tour ! s'exclama Mattie. Mais... qui a pu faire une chose pareille, Penny ? Qui était en mesure de le faire ?

— Je ne sais pas. N'importe qui au congrès du Parti. N'importe qui à Bournemouth. N'importe qui à l'hôtel.

— Penny, cela ne tient pas debout ! Pour faire chanter Patrick Woolton, il fallait savoir qu'il couchait avec vous.

— Roger le savait... Mais il n'aurait jamais..., gémit-elle.

Elle semblait subitement au bord du désespoir. Le doute s'était insinué en elle.

— Quelqu'un exerçait un chantage sur Roger également. Quelqu'un qui connaissait ses habitudes avec la drogue. Quelqu'un qui l'a forcé à faire fuiter les sondages confidentiels, à modifier les fichiers informatiques, à commettre tous ces actes. Quelqu'un qui...

— L'a tué ?

— Je le crois, Penny, répondit Mattie dans un souffle.

— Mais pourquoi... ? gémit Penny.

— Pour se protéger.

— Vous allez le trouver, Mattie ?

— Je vais tout faire pour, répondit-elle. Malheureusement, je ne sais pas par où commencer.

Le froid s'était vraiment fait mordant, mais Mattie ne semblait pas s'en apercevoir. À l'image de son panier de linge sale, son esprit débordait de pensées et d'idées utilisées puis mises de côté. Dans une tentative pour y faire un peu de tri, elle avait passé la journée à s'autoflageller. Tout d'abord, elle était allée courir dans le parc, avant de s'attaquer au rangement du désordre qui avait fini par envahir jusqu'au moindre recoin de son appartement. Elle avait été jusqu'à repasser ses culottes. Mais rien n'y avait fait. La mort d'O'Neill avait claqué la porte au nez de la moindre pensée qui avait tenté de se frayer un chemin dans sa tête. Le soir venu, elle appela Krajewski.

— Tu veux bien venir, Johnnie. S'il te plaît.

— Tu dois être bien désespérée.

Le silence qui accueillit sa remarque ne fit rien pour le rasséréner.

— Il neige dehors, protesta-t-il.

— Ah bon ?

— Je serai là dans vingt minutes, marmonna-t-il avant de raccrocher.

Il lui en fallut presque quarante. Il arriva les bras chargés d'une grande pizza.

— C'est pour moi ? demanda-t-elle. Comme c'est gentil.

— Non, en fait, c'est pour moi. Je me suis dit que tu aurais mangé, dit-il avec un soupir. Je suppose qu'il y en a assez pour deux.

Il était bien décidé à ne pas lui faciliter l'existence. Elle ne le méritait pas.

Ils finirent la pizza adossés au mur du salon. Le sol tout juste briqué était de nouveau couvert de miettes et de bouts de carton.

— Est-ce que tu as dit à Greville que j'écrivais un livre ? demanda-t-elle.

Il s'essuya les doigts sur un torchon.

— J'ai préféré ne pas le faire. Je me suis dit que ce n'était pas une bonne idée de lui faire savoir que je suis encore en contact avec toi. Tu n'es pas vraiment en odeur de sainteté au *Chronicle*, Mattie. Et puis, ajouta-t-il avec une pointe d'acrimonie dans le ton, tout le monde se dirait que je couche avec toi.

— Je t'ai fait du mal ?

— Ouais.

— Je suis désolée.

— Il y a toujours une chance que je fasse l'objet d'une note de bas de page dans ce putain de bouquin, je suppose.

— Cette histoire devient de plus en plus énorme, Johnnie. Mais il me manque toujours la pièce la plus importante. La réponse à la question essentielle.

— À savoir ?

— Qui a tué O'Neill ?

— Quoi ? bafouilla-t-il, subitement alarmé.

— C'est la seule solution logique, expliqua-t-elle, de nouveau animée d'une impérieuse énergie. Il n'y a aucune coïncidence dans l'enchaînement de tous les événements. J'ai découvert qu'un chantage a été exercé sur Woolton pour l'obliger à se démettre. Quelqu'un s'est débarrassé de lui, l'a écarté de la course au poste de Premier Ministre, exactement comme Collingridge, McKenzie et Earle avant lui. Et comme O'Neill.

— Tu te rends compte de ce que tu dis ? Ce pauvre crétin qui a fait une overdose ! On n'est pas face au KGB ici.

— Pour O'Neill, ça pourrait tout aussi bien être le cas.

— Bon Dieu !

— Johnnie, il y a quelqu'un qui ne recule devant rien.

— Mais qui ? Et pourquoi ?

— C'est là le problème. Je n'en sais foutre rien. Toutes les pistes ramènent à O'Neill, qui vient d'être évacué !

De rage, elle donna un coup de pied dans la boîte de pizza désormais vide.

— Ce ne serait pas plus logique de se dire que toutes ces inepties sont le fait d'O'Neill lui-même, et point barre ?

— Mais pourquoi se serait-il embringué dans une histoire pareille ?

— Je ne sais pas. Un chantage. L'argent pour sa drogue. Une histoire de pouvoir. Les accrocs ne savent jamais quand il faut s'arrêter. Il a mis le doigt dans un engrenage et il a fini par prendre peur. Il a perdu le contrôle et il s'est tué.

— Qui va se tuer dans des toilettes publiques ? demanda-t-elle sur un ton dédaigneux.

— Il avait le cerveau à l'envers !

— Précisément. Et celui qui l'a tué s'est servi de cette faiblesse chez lui !

La frustration de tourner autour d'une vérité qui leur échappait leur faisait le souffle court. Ils étaient assis côte à côte, épaule contre épaule, mais un gouffre les séparait.

— Reprenons au départ, à l'essentiel, dit Krajewski avec un acharnement obstiné. Les fuites. Quels sont les motifs et qui a la possibilité de les commettre ?

— L'argent n'est pas une motivation. Il n'y a aucune trace de mouvements financiers.

— Alors c'est une guéguerre pour la conquête du pouvoir.

— Je suis d'accord. Ce qui veut dire qu'O'Neill n'est pas le maître d'œuvre.

— Néanmoins, il avait la possibilité matérielle de commettre tous les actes.

— Non, pas toutes les fuites. Certaines proviennent de l'intérieur du gouvernement. Pas du Parti. Des documents ultraconfidentiels auxquels tous les membres du Cabinet n'avaient pas accès. Alors je ne parle même pas des officiels du Parti.

— Même Teddy Williams ?

— Lui, je ne vois pas pourquoi il irait cambrioler ses propres dossiers. Surtout pour exhumer quelque chose qui a envoyé son pote Samuel dans les égouts.

— Donc…

— Le gouvernement. Tout vient forcément de l'intérieur du gouvernement.

Krajewski dénicha un petit bout de pizza coincé entre les dents. Tout en réfléchissant, il le délogea du bout de la langue.

— Tu as une liste des ministres du Cabinet ?

— Dans un tiroir, quelque part.

— Alors bouge ton adorable petit cul et va la chercher.

Après quelques instants passés à fouiller dans ses affaires – ce qui montrait bien l'inanité de ses efforts pour mettre un peu d'ordre –, Mattie mit finalement la main sur la liste au milieu d'un fatras de papiers divers. Krajewski alla à la table de travail et repoussa sur un côté les piles de livres et autres bricoles qui l'encombraient. La surface blanche et immaculée du bureau apparut, semblable à un carnet tout neuf qui n'attendrait plus que la pointe d'un stylo. À l'aide d'une plume à dessin, il passa en revue les vingt-deux noms.

— D'accord. Qui peut être à l'origine des fuites ? Allez, Mattie. Réfléchis !

La jeune femme se mit à faire les cent pas dans la pièce pour se concentrer. À tâtons, elle cherchait son chemin dans le labyrinthe de la bureaucratie gouvernementale.

— Il y a deux fuites qui ne peuvent provenir que de l'intérieur du Cabinet, dit-elle. Les coupes budgétaires dans la *Territorial Army* et l'autorisation de mise sur le marché du médicament des laboratoires *Renox*. À vue de nez, je dirais qu'on peut ajouter dans cette liste l'annulation du programme de rénovation des hôpitaux. Je n'ai jamais cru à l'hypothèse qu'O'Neill et le Parti puissent être véritablement impliqués.

— Alors qui, à l'intérieur du gouvernement, pouvait être informé de tous ces dossiers ?

— Tous ceux qui siégeaient dans les commissions concernées.

— Quand tu veux, je suis prêt, dit Krajewski, la plume levée.

Lentement, elle se mit à réciter la liste des membres des différents groupes ministériels susceptibles d'avoir été précocement informés des différentes décisions.

— Alors, pour les coupes budgétaires dans les TA, commença-t-elle, nous avons le ministre de la Défense, le ministre des Finances, et peut-être le chancelier également.

La composition des commissions du Cabinet était censée être confidentielle, mais les correspondants de presse avisés étaient généralement au parfum.

— Et bien sûr, le Premier Ministre, ajouta-t-elle en comptant sur ses doigts. À cela, il faut aussi ajouter les ministres en charge de l'Emploi et des Affaires étrangères.

Krajewski cocha les noms sur la liste.

— Pour l'annulation du programme de rénovation hospitalière, la commission est totalement différente. On y trouve les ministres de la Santé, du Budget, de l'Industrie et du Commerce, de l'Éducation et de l'Environnement. Je crois que le compte y est.

D'autres noms cochés.

— Pour l'affaire *Renox*... Merde, Johnnie, elle n'a pas dû passer en commission. Elle a été traitée à l'échelon ministériel, par le ministre de la Santé lui-même et ses directeurs. Bien sûr, le cabinet du Premier Ministre devait être informé lui aussi. Je ne vois personne d'autre.

Mattie avait rejoint Krajewski, pour se pencher par-dessus son épaule, et examiner son ouvrage. Lentement, son dos s'affaissa à mesure que le découragement la saisissait.

— On dirait bien qu'on a merdé quelque part, murmura le jeune homme.

Un seul nom était coché par trois fois. Il n'y avait qu'un seul homme ayant eu accès aux informations qui avaient fuité. Un seul qu'ils pouvaient désigner comme coupable.

Henry Collingridge. L'homme qui avait précisément été la victime de toutes ces manœuvres. Leurs efforts les avaient conduits à la plus aberrante des conclusions.

— Putain ! s'exclama Mattie avec amertume, en shootant une nouvelle fois dans la boîte de pizza, ce qui valut à de nouvelles miettes d'aller s'éparpiller.

Puis sa frustration s'exprima d'une façon plus posée. De grosses larmes lui roulèrent le long des joues pour atterrir sur ses seins.

Krajewski la prit dans ses bras.

— Je suis désolé, Mattie, murmura-t-il. Je suppose que Roger a tout fait, tout seul…

Il déposa doucement un baiser sur ses joues, goûtant le sel sur ses propres lèvres, puis descendit doucement jusqu'à la bouche pour embrasser Mattie et l'emporter loin de sa déception. Elle se recula brutalement.

— Qu'est-ce qu'il y a, Mattie ? demanda-t-il, blessé dans ses sentiments. Par moments, nous sommes si proches l'un de l'autre. Et puis…

Elle ne répondit rien. Ses larmes coulaient sans discontinuer. Il se risqua à tenter sa chance à nouveau.

— Est-ce que je peux rester cette nuit ?

Elle secoua la tête.

— Sur le canapé ?

Autre fin de non-recevoir.

— C'est le blizzard dehors. Il neige plus fort qu'en Alaska.

— Je suis désolée, Johnnie, murmura-t-elle en levant ses yeux tristes.

— Il y a quelqu'un d'autre, c'est ça ?

Elle ne répondit toujours pas.

Il partit en claquant la porte si fort que d'autres papiers se répandirent sur le sol.

Chapitre 48

Westminster est un zoo. On y trouve de grands fauves enfermés dans des cages, exposés à la vue de tous, et dont la vigueur et la force d'âme s'étiolent lentement, inexorablement, objets de dérision pour les esprits rabougris, et de profond désintérêt pour ceux dont les pensées sont élevées.

Je préfère la jungle.

Mardi 30 novembre

Les journaux du matin arrivèrent sur le paillasson de millions de foyers, sonnant le glas de la candidature de Samuel. Un par un, les éditorialistes s'étaient tous rangés sous la bannière Urquhart, pas seulement ceux des titres sur lesquels Landless avait mis la main, mais la plupart des autres également. Parfois, même les rédacteurs en chef préfèrent jouer la sécurité et nager dans le sens du courant. À présent, le vent soufflait inexorablement dans le sens d'Urquhart.

Dans la presse dite « de qualité », seuls deux journaux jouaient les francs-tireurs : le *Guardian*, qui par mauvais esprit voulait à toute force soutenir Samuel, et l'*Independent*, qui par excès de points de vue se refusait à soutenir quiconque.

L'humeur générale trouvait des échos dans les deux camps. Les partisans d'Urquhart avaient bien du mal à dissimuler leur air satisfait, et ceux de Samuel cherchaient déjà des excuses.

Avant même l'heure prévue, 10 heures, un grand groupe de députés s'était formé devant les portes de chêne de la salle de réunion numéro 14. Chacun d'eux espérait être le premier à glisser son bulletin dans l'urne, pour conquérir la gloire d'une note de bas de page dans le grand livre de l'histoire. Le manteau neigeux qui recouvrait tout Westminster contribuait à ouater l'événement d'un calme surréaliste. Noël arrivait. Les éclairages avaient été installés dans Oxford Street. Paix sur terre. Il s'en fallait encore de quelques heures pour que s'achève la bataille. Viendrait alors le temps des poignées de main et des félicitations échangées en public à l'annonce des résultats. En privé, les vainqueurs prépareraient la litanie de leurs récriminations, tandis que les vaincus ourdiraient leur vengeance.

Mattie n'avait pas fermé l'œil. Elle se sentait submergée. Tant d'idées tourbillonnaient dans sa tête. Pourquoi traitait-elle Johnnie aussi mal ? Pourquoi tombait-elle amoureuse d'un homme comme Urquhart qu'elle ne pourrait jamais posséder ? Pourquoi ne parvenait-elle pas à deviner la structure invisible des actions qui se tramaient autour d'elle ? Systématiquement, elle aboutissait dans une impasse. Un sentiment d'échec absolu l'accablait.

Elle avait passé la matinée à se promener sans but dans la neige, en quête d'inspiration. Elle avait fini frigorifiée, les cheveux collés par le gel. En début d'après-midi, elle avait mis le cap sur Westminster. La neige avait cessé de tomber et le ciel était d'un bleu d'azur. La capitale britannique ressemblait à une carte de vœux de l'époque victorienne. Le Parlement était particulièrement resplendissant, semblable à une bâtisse de pain d'épice sous un glaçage au sucre. Le drapeau britannique, l'*Union Jack*, flottait fièrement au sommet de la tour Victoria. Un Concorde passait dans le ciel en direction d'Heathrow. Dans l'enclos paroissial de l'église Sainte-Marguerite de Westminster, sous l'aile protectrice de la grande abbaye médiévale, un chœur emplissait l'air de chants de Noël en récoltant les dons des touristes. Mattie ne vit absolument rien de tout cela.

Dans divers lieux à l'intérieur de la Chambre, les festivités avaient déjà commencé. Tandis qu'elle passait dans l'ombre de Big Ben, l'un de ses collègues de la galerie réservée à la presse se précipita pour lui donner les derniers chiffres.

— Quatre-vingts pour cent ont déjà voté. Urquhart passe haut la main. C'est un vrai raz-de-marée, commença-t-il, avant de regarder plus attentivement sa consœur d'un œil étonné. Bon Dieu, Mattie, tu as une mine de déterrée, dit-il encore avant de s'éloigner.

Un frisson d'excitation passa sur Mattie. Avec Francis à Downing Street, elle avait peut-être une chance de rebâtir sa vie. Mais alors même que cette pensée prenait corps dans son esprit, elle sentit la main glacée du doute qui se refermait sur elle. Elle ne le méritait pas. Bêtement, au petit matin, elle avait marché jusque chez lui dans Cambridge Street, irrésistiblement attirée par lui, avide de sa sagesse. Elle n'avait obtenu qu'une seule chose : le voir embrasser son épouse Mortima sur le seuil de sa maison, sous l'œil des caméras. Tête basse, Mattie s'était hâtée de repartir, honteuse d'elle-même.

Malgré tout, ses doutes et ses besoins n'avaient cessé de croître. Une chose cruelle et immonde était en train de se mettre en place, mais le monde semblait obstinément ne rien vouloir voir. Francis comprendrait cela. Il saurait quoi faire.

Elle savait qu'il ne lui serait plus jamais donné d'être seule avec lui. Une fois à Downing Street, il serait perpétuellement entouré de secrétaires et de gardes du corps. Non, si elle voulait le voir, c'était en cet instant et aucun autre. C'était sa seule chance.

Urquhart n'était pas dans son bureau, ni dans aucun des bars ou restaurants du palais de Westminster. En vain, elle demanda à tous ceux qu'elle croisait où il pouvait bien être. Personne ne paraissait en mesure de l'aider. Elle était sur le point d'en conclure qu'il était parti, déjeuner quelque part ou répondre à des interviews, quand l'un des policiers de garde lui indiqua aimablement avoir vu Urquhart dix minutes plus tôt monter en direction du jardin-terrasse sur le toit. Elle n'avait pas la moindre idée de l'existence d'un tel lieu. Elle ne savait même pas où il pouvait se trouver.

— Bien vrai, mademoiselle, dit-il en riant. Peu de gens savent qu'il y a un jardin sur le toit. C'est surtout le personnel qui y va, pas les politiques. Du coup, on préfère se montrer discrets. Qu'ils n'aillent pas nous le gâcher en y allant tous. Mais M. Urquhart, c'est différent. On dirait qu'il connaît le moindre recoin ici.

— Où est-ce ? Vous voulez bien me le dire ?

— C'est directement au-dessus de la Chambre. Il y a une petite terrasse sur le toit. On y a mis quelques tables et des chaises, pour manger un sandwich et boire un café en prenant le soleil. En cette saison, il ne doit y avoir personne. À part M. Urquhart, bien sûr. Je suppose qu'il veut prendre un instant de réflexion pour lui-même. Ce qui est sûr, c'est qu'il a choisi le bon endroit pour ça. En tout cas, n'allez pas le déranger, hein ! Sinon, dès demain, il faudra que je vous arrête !

Elle avait souri et il avait rendu les armes. Elle suivit donc ses instructions, empruntant le petit escalier au bout de la galerie des Étrangers, au-delà du vestiaire lambrissé réservé aux huissiers et appariteurs du palais. Elle aperçut alors une porte coupe-feu laissée entrouverte. De l'autre côté, elle émergea sur le toit baigné de soleil. La vue lui coupa le souffle. Elle était magnifique. Devant elle, dressée dans un ciel sans nuages et rendue étincelante par la neige, la tour de Big Ben aux chaudes teintes de miel. Dans l'intense clarté, les moindres détails de la pierre admirablement travaillée lui sautaient aux yeux. Les aiguilles de la grande horloge frémirent. L'antique mécanisme poursuivait son inexorable course. Sur sa gauche s'étirait le toit recouvert de tuiles de Westminster Hall, la partie la plus ancienne du palais, celle qui avait survécu aux incendies, aux guerres, aux bombes, aux émeutes et aux révolutions. À sa droite, le fleuve majestueux s'écoulait à sa manière tout intemporelle.

Il y avait des traces de pas toutes fraîches dans la neige. Francis était debout contre la balustrade à l'extrémité de la terrasse, le regard perdu par-dessus les toits de Whitehall en direction des pierres blanches du bâtiment du ministère de l'Intérieur. Au-delà, il y avait le palais de Buckingham, où il serait conduit en triomphe le soir même.

Elle mit ses pas dans ceux d'Urquhart pour éviter de se tremper les pieds. En entendant la neige crisser, il se retourna d'un coup, saisi.

— Mattie ! s'exclama-t-il. Quelle surprise.

Elle s'avança et tendit les mains vers lui. Quelque chose dans les yeux du *Chief Whip* lui signifia que ce n'était ni le moment ni l'endroit. Les bras de Mattie retombèrent.

— Il fallait que je te voie, Francis.

— Mais bien sûr. Que veux-tu donc, Mattie ?

— Je ne sais pas au juste. Peut-être te dire au revoir. Je pense que nous n'aurons plus guère l'occasion de nous revoir. Pas comme…

— Pas comme l'autre nuit ? Oui, tu as probablement raison, Mattie. Mais c'est un souvenir que nous partagerons à jamais. Et tu resteras toujours mon amie.

— Je voulais aussi te mettre en garde.

— À quel sujet ?

— Il y a quelque chose d'horrible qui se trame.

— Où ça ?

— Tout autour de nous. Autour de toi.

— Je ne comprends pas.

— Il y a eu tellement de fuites.

— La politique est un bien triste commerce.

— Patrick Woolton a été victime d'un chantage.

— Comment ? s'exclama-t-il, aussi estomaqué que s'il venait de recevoir une gifle.

— Les Collingridge ont été victimes d'un coup monté dans l'affaire des actions *Renox*.

Urquhart ne disait plus rien.

— Et je pense que quelqu'un a tué Roger O'Neill.

Elle voyait l'incrédulité grandissante dans les yeux de Francis.

— Tu penses que je suis folle ?

— Non, pas du tout. Tu as l'air en plein désarroi, mais pas folle. Ce sont de sérieuses accusations que tu portes, Mattie. Tu as des preuves ?

— Quelques-unes, mais pas encore assez. Pour l'instant.

— Qui se cache derrière tout cela ?

— Je ne sais pas. Pendant un certain temps, j'ai cru que cela pouvait être Teddy Williams. C'est peut-être le cas, mais je ne peux pas poursuivre ces recherches toute seule,

Francis. Je n'écris même plus dans un journal. J'espérais que tu puisses m'aider.

— Et comment pourrais-je t'aider, Mattie ?

— Je crois que quelqu'un tire toutes les ficelles. Cette personne s'est servie de Roger O'Neill, avant de l'éliminer. Il suffit de trouver un maillon dans cette chaîne d'événements, un seul, les actions *Renox* peut-être… Après, tout le reste suivra. C'est inévitable. Ensuite nous pourrons…

Elle débitait ses idées au fil de sa pensée. Il fit un pas vers elle et la saisit par les bras, d'une poigne douce et ferme, pour l'obliger à s'arrêter.

— Tu as l'air épuisée, Mattie. Tu es toute retournée.

— Tu ne me crois pas.

— Au contraire. Tu as probablement trouvé de quoi écrire ton meilleur article. Westminster est un endroit sombre plein de recoins bien peu reluisants, où des hommes sacrifient leurs principes sur l'autel de quelques années de pouvoir. C'est un jeu très ancien. Mais aussi très dangereux. Il faut que tu sois très prudente, Mattie. Si tu es dans le vrai et que quelqu'un a provoqué la mort de Roger O'Neill, alors tu es en ligne de mire toi aussi.

— Que dois-je faire, Francis ?

— Me laisserais-tu m'occuper de cela pour toi pendant un certain temps ? Si la chance me sourit, je serai dès demain en position de poser toutes sortes de questions. Je devrais pouvoir enfumer quelques terriers pour faire sortir le renard. Voyons ce qui en sort.

— Tu ferais cela ?

— Pour toi, je ferais à peu près n'importe quoi, Mattie, tu dois bien le savoir.

Elle posa la tête sur le torse d'Urquhart, mue à la fois par la gratitude et le soulagement.

— Tu es un homme à part, Francis. Meilleur que tous les autres.

— Libre à toi de le penser, Mattie.

— Beaucoup de gens le disent.

— Mais tu sais que je ne peux faire aucun commentaire.

Il sourit. Leurs visages n'étaient qu'à quelques centimètres l'un de l'autre.

— Tu dois me faire confiance, Mattie. Tu veux bien ? Pas un mot à personne.

— Bien sûr.

— Et un week-end, très bientôt, pendant les vacances de Noël, tu pourrais venir à ma maison de campagne. Je trouverai une excuse. Je dirai que j'ai des papiers à classer. Ma femme ira écouter du Wagner quelque part sur le continent. Nous pourrons être seuls toi et moi.

— Tu es sûr ?

— La région du New Forest est magnifique à cette période de l'année.

— Tu vis dans le New Forest ?

— À côté de Lyndhurst.

— Tout près de l'autoroute M27 ?

— Oui.

— C'est là que Roger O'Neill est mort.

— Vraiment ?

— À sept ou huit kilomètres tout au plus.

Il la regardait à présent d'une façon étrange. Elle s'écarta de lui. Ses jambes étaient flageolantes. La tête lui tournait. Elle s'appuya contre la balustrade pour garder l'équilibre. Les pièces du puzzle se déplacèrent dans son esprit pour prendre une tout autre configuration. Cette fois-ci, tout collait.

— Ton nom ne figurait pas sur la liste, murmura-t-elle.

— Quelle liste ?

— Celle des membres du Cabinet. Parce que le *Chief Whip* n'en est pas membre à part entière. Mais parce que tu es chargé de la discipline dans les rangs du Parti, ils sont obligés de te consulter au sujet de l'annulation du programme hospitalier. Et des coupes budgétaires dans la TA. Comment dis-tu déjà ? Pour que tu puisses « distribuer les coups de bâton ».

— C'est très idiot de ta part, Mattie.

— Bien sûr, il y a un *whip* adjoint dans chaque domaine d'activité du gouvernement, pour garantir la bonne coordination. Un doigt sur le pouls, une oreille collée au sol. Ce sont tes hommes, Francis, qui te rapportent tout. Et en tant que *Chief Whip*, tu sais tout des petits travers de chacun. Qui est accroc à la cocaïne, qui couche avec qui, où planquer un enregistreur…

Urquhart était devenu livide. Ses pommettes paraissaient taillées dans l'albâtre. Seuls ses yeux possédaient encore un semblant de vie.

— Le motif et le moyen, murmura-t-elle, totalement médusée. Parti de nulle part et propulsé Premier Ministre en quelques mois. Comment ai-je pu ne pas le voir ? poursuivit-elle en secouant la tête comme pour se moquer d'elle-même. Je n'ai rien vu parce que je crois bien que l'amour m'a rendue aveugle. Parce que je t'aime, Francis.

— Ce qui ne te rend pas particulièrement objective. Comme tu dis, Mattie, tu n'as pas l'ombre d'une preuve.

— Mais je trouverai, Francis.

— Éprouves-tu la moindre joie à chercher pareille vérité, Mattie ?

Un flocon solitaire descendit du ciel en voletant. Tandis qu'il le regardait tomber, Francis se souvint des paroles d'un vieux collègue aigri qui lui avait dit, le jour de son arrivée à la

Chambre, que la vie politique était aussi vaine que de vouloir accrocher son ambition à un flocon de neige. Une merveille somptueuse qui ne vit qu'un instant, et meurt le suivant.

— Comment as-tu tué Roger ? demanda-t-elle.

Un véritable feu intérieur s'était emparé d'elle. La flamme de la compréhension éclairait son visage. Urquhart comprit que biaiser ne servirait à rien.

— Je ne l'ai pas tué. Il s'est tué lui-même. Je n'ai rien fait d'autre que lui donner l'arme. Un peu de mort-aux-rats mélangée à sa cocaïne. C'était un toxicomane doté d'un penchant pour l'autodestruction. Un être faible.

— Personne ne mérite de mourir, Francis.

— L'autre nuit, tu me l'as dit toi-même. Je n'ai pas oublié tes mots, Mattie. Je n'ai rien oublié. Tu m'as dit que tu voulais comprendre le pouvoir. Ses limites. Les compromis qu'il impose. Le mensonge...

— Mais pas ça.

— Si tu comprends le pouvoir, alors tu sais qu'un sacrifice est parfois nécessaire. Et si tu me connais, tu sais que j'ai ce qu'il faut pour devenir un chef exceptionnel, un grand homme, dit-il d'une voix subitement vibrante. Et si tu comprends l'amour, Mattie, alors tu dois me laisser cette chance. Sans cela...

— Quoi, Francis ?

Il était aussi immobile qu'une statue, les lèvres semblables à deux estafilades.

— Tu savais que mon père s'est suicidé ? demanda-t-il, si bas que sa voix portait à peine dans l'air glacé.

— Je l'ignorais.

— Tu veux que je fasse pareil ?

— Non !

— C'est ça que tu attends de moi ?

— Jamais !

— Alors pourquoi me poursuis-tu ? dit-il en lui attrapant les bras, le visage soudain déformé. Il faut faire des choix dans la vie, Mattie. Des choix incroyablement difficiles, pour lesquels on peut se haïr, mais qui sont inévitables. Toi et moi, Mattie, nous devons faire un choix. Tous les deux.

— Francis, je t'aime, mais...

Cette infime conjonction le fit basculer. Le chaos qui régnait en lui se figea soudain. Il riva ses yeux sur elle, embués d'un chagrin aussi pur que le flocon tombé du ciel cristallin sur Westminster. Il laissa échapper un sanglot, semblable au gémissement d'un animal soumis à une intolérable douleur. Puis il la souleva et la fit tomber dans le vide.

Elle cria dans sa chute, plus surprise que réellement effrayée. Elle heurta le pavé et son cri mourut.

C'était une étrange fille. Je crois qu'elle s'était amourachée de moi. Malheureusement, cela arrive parfois. C'est le lot des personnalités en vue. Un soir, elle avait débarqué de nulle part pour sonner à ma porte.

Était-elle perturbée ? Eh bien, libre à vous de le dire. Je ne peux faire aucun commentaire. Néanmoins, je crois savoir qu'elle avait récemment quitté son travail au Chronicle. *Depuis, elle n'avait rien retrouvé. Je ne saurais préciser si elle avait démissionné ou été remerciée. Apparemment, elle vivait seule. Une bien triste histoire.*

Lorsqu'elle s'est approchée de moi sur la terrasse, elle semblait passablement agitée et un peu dérangée. Un certain nombre de personnes peuvent le confirmer, notamment un collègue journaliste et l'un des policiers de faction au palais. Elle m'a demandé de lui trouver un emploi. Je lui ai dit que ce ne serait pas possible, mais elle a insisté, puis s'est énervée au point de devenir hystérique. J'ai bien tenté de la calmer, mais cela n'a fait qu'empirer les choses. Nous étions tout près de la rambarde et elle a menacé de se jeter dans le vide. J'ai essayé de la retenir, mais il semblerait qu'elle ait glissé sur le sol gelé. Les conditions étaient vraiment difficiles. Toujours est-il qu'avant que je puisse faire quoi que ce soit, elle avait basculé. Était-ce délibéré de sa part ? J'espère que non. Quelle tragédie.

Bien évidemment que ce n'est pas la meilleure façon de prendre ses fonctions. Je me suis demandé un moment si je ne ferais pas mieux de renoncer plutôt que continuer à assumer cette charge. Mais je ne veux pas baisser les bras, alors j'ai pris la décision de me pencher plus attentivement sur la question de la santé mentale au sein de la jeunesse. Nous devons faire plus. Jamais je n'oublierai la tristesse de cet instant sur le toit. C'est peut-être étrange, mais j'ai le sentiment que la souffrance et le désarroi de cette jeune femme me donneront de la force. Quelque chose qui justifie qu'on fasse des efforts. Vous comprenez, n'est-ce pas ?

J'entame mon mandat à Downing Street animé d'une détermination plus forte que jamais de rassembler notre peuple, et de mettre un terme au cynisme permanent qui nuit tant à la vie de notre pays. Je me consacrerai sans faillir à la cause de notre nation. Je ferai en sorte que le décès de Mlle Storin n'ait pas été vain.

Et maintenant, si vous voulez bien m'excuser, j'ai du travail.

Postface

Ce fut une bourde monumentale, grandiose, phénoménale, commise voilà plus de vingt-cinq ans. Elle a complètement changé ma vie. C'est ce livre : *House of Cards*.

J'étais sur la minuscule île de Gozo et d'humeur plutôt massacrante. Je me plaignais de tout – du soleil, de la mer et du dernier best-seller. Bien vite, ma compagne en a eu assez. « Arrête de critiquer comme ça », m'a-t-elle dit. « Si tu crois pouvoir faire mieux, vas-y. Je ne suis pas venue en vacances pour t'écouter te lamenter sur ce malheureux bouquin. »

Stimulé par cet encouragement, je suis descendu à la piscine. Jamais encore l'idée ne m'était venue d'écrire un livre, mais puisque j'étais armé d'un bloc-notes, d'un crayon et d'une bouteille de vin, j'avais tout ce qu'il me fallait pour devenir écrivain. Hormis, peut-être, une histoire et des personnages… Que pouvais-je bien raconter ? Mon esprit se mit à dériver, pour me ramener quelques semaines plus tôt, à la raison même qui me valait de faire la tête et de broyer du noir.

Siège du parti conservateur, 1987. Veille des élections générales. J'étais alors le directeur de cabinet de Margaret Thatcher. Sur le point d'emporter sa troisième victoire électorale de rang, un record, Maggie s'était laissé gagner par l'idée – sous l'effet combiné d'une nervosité inhabituelle et de quelques sondages peu flatteurs – qu'elle allait perdre. Cela faisait des jours qu'elle ne dormait plus et, pour ne rien arranger, une rage de dents la martyrisait. Il fallait donc que quelqu'un d'autre ait à souffrir. Ce fut moi. Un jour resté dans les annales sous l'appellation de *Wobble Thursday* (le « jeudi chaotique »), elle s'est mise à crier et à tempêter de la plus injuste des façons. Métaphoriquement, c'était comme si elle m'assenait des coups de sac à main avec ses mots. J'étais sur le point de devenir une note de bas de page dans le grand livre de l'histoire.

Tandis que nous quittions la pièce, le vice-Premier Ministre, cette vieille chouette et fine mouche de Willie Whitelaw, leva les yeux au ciel et me dit : « Cette femme ne mènera plus jamais une bataille électorale. » Il avait vu chez elle les germes de l'autodestruction – qui ne tarderaient pas à devenir visibles aux yeux du monde entier.

Assis au bord de la piscine, j'entendais encore les paroles de Willie résonner à mes oreilles. Je pris mon crayon d'une main et la bouteille de l'autre. Trois bouteilles plus tard, je pensais bien avoir trouvé mon personnage – un homme dont les initiales étaient FU – ainsi qu'une intrigue. Il s'agissait pour lui de se débarrasser d'un Premier Ministre. Francis Urquhart et *House of Cards* étaient nés.

Je n'avais jamais envisagé de le faire publier – pour moi, ce n'était rien d'autre qu'une thérapie toute personnelle –, mais à la suite d'une bonne fortune aussi glorieuse qu'inattendue, l'ouvrage devint un best-seller. Et pour faire bonne mesure, la BBC en fit une minisérie de quatre épisodes, plusieurs fois récompensée, avec l'immense Ian Richardson. Je me suis retiré de la vie politique active, pas tout à fait indemne, pour devenir auteur à temps plein. Et aujourd'hui, vingt-cinq ans après la parution du livre, FU change ma vie à nouveau, avec Kevin Spacey et sa formidable série *House of Cards*. Les cartes ont été rebattues et mon château reconstruit.

Pour fêter ce nouveau bail dans la vie de FU, j'ai retravaillé quelque peu le roman. Pas de grands changements. Ceux qui ont lu la mouture originale ne verront pas de réelle différence, mais la narration est un peu plus tendue, les personnages plus hauts en couleurs, et les dialogues sans doute plus croustillants. Je l'ai revisité pour rendre, dans une certaine mesure, le plaisir que *House of Cards* m'a procuré au cours de toutes ces années. Une chose néanmoins n'a pas changé : la méchanceté à la fois malicieuse, cruelle et complètement assumée de cette histoire. Sachez l'apprécier.

Alors, est-ce que ça valait la peine de se prendre une volée de bois vert de la part de Maggie Thatcher ? Eh bien… Comment dit-on déjà ? Libre à vous de le penser. Je ne peux faire aucun commentaire.

Michael Dobbs – Lord Dobbs of Wylye

Achevé d'imprimer en mars 2015
Par CPI Brodard & Taupin - La Flèche (France)
N° d'impression : 3009791
Dépôt légal : avril 2015
Imprimé en France
81121558-1